B.O.A.

3. ÂMES INSOUMISES

Catalogage avant publication de Bibliothèque et Archives nationales du Québec et Bibliothèque et Archives Canada

Laurent, Magali, 1981-, auteur

B.O.A. / Magali Laurent.

Sommaire incomplet: 3. Âmes insoumises.
Également publié en formats électroniques

ISBN 978-2-89662-731-8 (vol. 3)

I. Laurent, Magali, 1981. Âmes insoumises. II. Titre.

PS8623.A819B62 2017 C843'.6 C2017-940836-4
PS9623.A819B62 2017

Édition
Les Éditions de Mortagne
Case postale 116
Boucherville (Québec)
J4B 5E6
editionsdemortagne.com

Tous droits réservés
Les Éditions de Mortagne
© Ottawa 2018

Dépôt légal
Bibliothèque et Archives Canada
Bibliothèque et Archives nationales du Québec
Bibliothèque nationale de France
4e trimestre 2018

ISBN 978-2-89662-731-8
ISBN (epdf) 978-2-89662-732-5
ISBN (epub) 978-2-89662-733-2

1 2 3 4 5 – 18 – 22 21 20 19 18

Imprimé au Canada

Financé par le
gouvernement
du Canada | Canada

Gouvernement du Québec – Programme de crédit d'impôt
pour l'édition de livres – Gestion SODEC.

ASSOCIATION
NATIONALE
DES ÉDITEURS
DE LIVRES

Membre de l'Association nationale des éditeurs de livres (ANEL)

Magali Laurent

3. ÂMES INSOUMISES

ÉDITIONS DE MORTAGNE

Leur âme est à vif.

Leur cœur réclame vengeance.

PREMIÈRE PARTIE

OXANA

Il ne méritait pas cela.

Une crémation clandestine, en plein cœur de la nuit, comme un animal, une vermine.

Son corps sans vie emballé dans un grand sac noir, dissimulé au fond d'une vieille camionnette, avec pour cortège une sœur silencieuse.

De larmes, Oxana n'en a plus une seule à verser. La haine a tout absorbé.

Kael s'est assis à l'avant avec Josef, à la demande de l'immortelle qui voulait rester seule. Il jette régulièrement des coups d'œil furtifs et inquiets vers l'arrière.

– On y est.

La camionnette s'arrête. Bruit d'un frein à main usé par le temps, d'une portière qui grince, du vent qui balaye la carcasse métallique et fait tanguer le véhicule. Même la météo se joue d'eux, cette nuit.

– Oxana, tu es prête ?

L'adolescente consent à regarder Josef, qui se trouve maintenant tout près d'elle, délaissant la silhouette sombre du sac à ses pieds. Il lui semble que le noir de l'enveloppe mortuaire d'Alex s'est emparé de son âme. Un ou deux kilomètres de plus, et il l'aurait complètement engloutie.

– On est derrière l'hôpital, l'informe l'homme avec compassion. Tu peux nous attendre ici, si tu préfères...

Le regard d'Oxana glisse jusqu'à l'ouverture, au fond de la camionnette. La neige danse dans le vent. Une danse frénétique, agressive. Pas question qu'elle laisse Alex seul dans ce blizzard. Il pourrait se perdre, disparaître avant l'heure.

– Non, dit-elle en se levant, je vous accompagne.

Josef ne proteste pas. Kael les rejoint et ils sortent le sac en le portant tous les trois.

Les bourrasques les déstabilisent, fouettant leur visage et leurs yeux de millions de cristaux acérés. Oxana n'y voit rien, et c'est avec soulagement qu'elle se laisse guider à l'intérieur de l'hôpital. Là, une autre porte les empêche d'avancer. Josef fait glisser une carte en plastique dans la fente d'un boîtier et un bip retentit. Le verrou de la porte s'ouvre. Ils entrent pour de bon dans les entrailles du gigantesque bâtiment, leur fardeau à bout de bras.

– Attendez-moi là, leur enjoint Josef avant d'emprunter un couloir désert.

Oxana reste silencieuse. Elle sent le poids du regard de Kael sur son visage.

La mort d'Alex a meurtri le groupe tout entier, même le BOA.

Josef revient avec un chariot, ce qui leur permet de transporter Alex plus facilement. Pour avancer, Oxana doit oublier que c'est son jumeau qui est trimballé de la sorte. Elle n'arrive pas à réaliser qu'il ne sera pas là à son retour dans le Nid, qu'il ne la prendra plus jamais dans ses bras et que, cette fois, rien ni personne ne le ramènera à la vie.

Une BOA les attend devant une porte.

— Mathilde, se présente-t-elle. Je suis médecin dans cet hôpital.

— Elle est de notre côté, s'empresse de les rassurer Josef.

Ils entrent à sa suite. Le corps d'Oxana se crispe. Ses poings se serrent si fort que ça lui fait mal. Devant eux se tient le four crématoire. Il s'agit d'un gros bloc de métal gris, placé au centre de la pièce. Une plateforme sort de sa gueule béante, attendant un corps à avaler et à réduire en cendres.

— On va le placer dans cette boîte, dit la BOA en désignant un cercueil en bois tout simple, sans ornement.

— C'est obligatoire, ajoute Josef à l'intention d'Oxana.

L'adolescente obtempère en silence tandis que Kael vient se placer à côté d'elle.

— Tu n'es pas obligée de voir ça, dit-il tout bas.

— Je suis sa seule famille...

Elle ravale un sanglot de panique lorsque la dépouille de son frère est déposée dans la boîte. Josef a trouvé une chemise gris foncé et un pantalon de soirée noir à sa taille, ainsi que des chaussures qui brillent. De cette façon, Alex partira la tête haute.

Les mains de la jeune fille se mettent à trembler. Kael s'empare lentement de l'une d'elles. Ce contact la rassure et l'écœure tout à la fois. Elle n'a pas le droit de se sentir bien alors que le corps froid de son frère gît à seulement quelques pas. Mais elle ne se défait pas pour autant de l'étreinte du BOA. Elle est fatiguée et confuse, consciente que ce n'est que le début d'un long combat.

– C'est l'heure, déclare Josef.

Oxana lâche la main de Kael et marche jusqu'au corps de son frère. Elle dépose un baiser sur son front. Sa peau est encore plus froide qu'elle ne l'avait imaginé.

– Au revoir..., souffle-t-elle avant de faire un pas en arrière.

Cette fois, même la colère ne parvient pas à empêcher ses larmes de couler. Des hoquets douloureux secouent le corps de l'adolescente, lui arrachent les tripes, enserrent ses poumons. Une grosse partie d'elle est en train de mourir, et elle l'expulse en suffoquant.

Kael veut la prendre dans ses bras, mais elle le repousse et recule jusqu'au mur derrière elle.

Mathilde appuie sur un gros bouton rouge, sur le côté gauche du four crématoire, et la plateforme s'engouffre peu à peu à l'intérieur.

La porte se referme mécaniquement, faisant disparaître Alexandre pour toujours.

Une heure et demie.

C'est le temps qu'il a fallu pour réduire Alex en cendres. Puis deux heures à attendre qu'elles refroidissent. Et pour quel résultat ? Une poignée de poussière dans une minuscule boîte en métal qu'Oxana tient contre son cœur.

Le silence est total dans l'habitacle. La camionnette roule sur une artère déserte. La nuit et la neige ont enveloppé la ville. Oxana se lève et rejoint Kael et Josef à l'avant. Elle s'accroupit entre leurs sièges et pose une main sur le bras du BOA.

– Merci...

Kael lui lance un bref sourire auquel elle ne répond pas.

C'est alors qu'elle la voit. Une ombre, en plein milieu de la route, à moitié dissimulée par la tempête. Josef l'aperçoit lui aussi. Il jure et freine subitement. Au lieu de s'arrêter, la camionnette dérape et frappe un lampadaire de plein fouet. Parce qu'elle ne portait pas de ceinture de sécurité, l'adolescente est projetée vers l'avant avec une violence telle qu'elle en a le souffle coupé. Sa tête heurte d'abord l'épaule de Josef, puis fracasse le pare-brise qui explose dans un bruit assourdissant.

Oxana s'entend crier.

Une douleur atroce déchire son visage. Un craquement résonne de sa nuque jusque dans son cerveau. Le poids de son propre corps écrase les muscles de son bras, broie quelques os.

Et tout s'arrête.

Étendue sur le dos, Oxana regarde la danse frénétique de la neige au-dessus d'elle. Le vent glacial lui brûle les mains, les joues, les lèvres. La douleur semble avoir envahi chaque centimètre de son organisme. C'est intolérable. La jeune femme gémit, mais ne peut pas bouger. Pas encore. Dans quelques instants, son corps commencera à guérir. En attendant, il lui faut subir les déchirures cuisantes dans ses muscles et la dislocation de ses os. Si seulement elle pouvait mourir. Si seulement cet accident avait un sens, celui d'anéantir l'espace infranchissable qui la sépare de son frère.

Un grognement près d'elle la fait tressaillir. Son esprit a-t-il hurlé si fort qu'un Charognard a entendu son appel ? Est-ce lui qu'elle a vu, sur la route, juste avant la collision ?

Oxana ferme les yeux, offrant ce qu'il reste d'elle aux dents putrides de la créature qui approche. Sans Alex, elle n'a plus le courage de vivre. En laissant ce Charognard la contaminer, elle accepte de devenir ce en quoi son frère s'était transformé. Elle l'accompagne. Leurs destinées se rejoignent...

Une détonation retentit.

Une masse tombe mollement sur la neige tout près d'elle. Deux autres coups de feu lui vrillent les tympans. Un cri de désespoir s'échappe de la gorge de l'immortelle :

– Non !

– Oxana, c'est Kael. Ne bouge pas, ça va aller...

– Non. Non. Non..., continue-t-elle de psalmodier, les joues baignées de larmes.

– Tu es en état de choc. Attention, je vais te soulever.

Des mains l'empoignent et réveillent des centaines de points de douleur. Oxana crie de plus belle. Elle halète.

Sa tête bascule vers l'arrière quand Kael la prend dans ses bras, comme si elle n'avait plus de colonne vertébrale pour la soutenir.

– On doit partir d'ici, dit Kael. Je vais faire le plus doucement possible.

Le BOA pose une main derrière le crâne d'Oxana et guide sa tête contre sa veste pour protéger son visage du froid. Les dents de l'immortelle trouvent le cuir et mordent dedans. La douleur insoutenable aurait dû la faire tomber dans les pommes, mais son esprit s'accroche obstinément à la réalité. Prise de nausée, elle soulève les paupières et essaye de respirer plus profondément pour calmer les soubresauts de son estomac. Ses paumons compressés protestent. À bout de forces et de volonté, Oxana supplie Kael de la laisser mourir, mais les mots glissent entre ses lèvres comme des volutes de fumée se dispersant dans la tempête.

– Josef, rien de cassé ?

La voix de Kael semble lointaine alors que sa bouche est toute proche de l'oreille d'Oxana.

– Je crois que j'ai l'épaule luxée.

– Et ta jambe ?

– Un simple choc, ça ira.

– On fait quoi ?

– La camionnette refuse de redémarrer. Notre priorité, c'est de trouver un abri pour Oxana. J'ai une amie qui vit près d'ici. Elle ne sera pas ravie de se faire réveiller en pleine nuit, mais elle est infirmière et pourra m'aider à replacer mon épaule.

Oxana oscille entre l'éveil et l'inconscience. Elle entend les deux hommes parler des Charognards, de leur présence de plus en plus forte en ville, du fait que c'est anormal. Le froid a anesthésié la douleur, à moins que son immortalité n'ait déjà fait le gros du travail. Quoi qu'il en soit, elle est épuisée et finit par s'endormir.

C'est la voix de Kael qui la réveille. Toujours blottie contre lui, elle réalise qu'elle peut bouger le haut de son corps. Cette fois, les muscles de son cou ne protestent pas quand elle fait rouler sa tête pour regarder le BOA dans les yeux.

– On est arrivés, l'informe-t-il. Tiens, je crois que tu peux la prendre, maintenant.

Il se contorsionne pour montrer ce qu'il tient dans la main. L'urne ! Il a réussi à la transporter malgré le poids d'Oxana. L'immortelle cale l'objet contre son ventre.

Ils entrent dans un immeuble dont le sommet est invisible sous l'épais nuage de flocons qui tombent encore du ciel. Deux étages plus haut, Josef frappe à une porte. Ils attendent en silence.

La BOA qui leur ouvre, au bout de quelques minutes, a les cheveux en bataille et les yeux bouffis.

– Josef ? s'étonne-t-elle.

Ses yeux vert clair se posent sur Oxana.

– Bonsoir, Sara. On a eu un accident, explique l'homme.

– Vous... vous êtes blessés, constate-t-elle. Vous devriez vous rendre à l'hôpital.

– On en vient.

Devant l'air confus de l'infirmière, Josef soupire.

– C'est une longue histoire. On peut entrer ?

Elle s'écarte pour les laisser passer et leur indique l'emplacement du salon. Kael allonge délicatement Oxana sur le sofa et place un petit coussin sous sa tête. Percluse de douleurs, l'immortelle grimace.

– Comment tu te sens ? lui demande-t-il.

– Un peu mieux. Je vais survivre, comme toujours, ajoute-t-elle avec aigreur.

Accroupi devant le canapé, le BOA la dévisage en silence, l'air inquiet. L'appréhension qu'Oxana lit constamment dans son regard la révulse et elle détourne les yeux. Depuis la mort du jumeau, Kael est aux petits soins avec elle, il s'en fait pour un rien. Il respecte le dernier vœu d'Alex, mais ça agace Oxana. Elle n'a pas besoin qu'on s'occupe d'elle. Elle ne demande pas tant d'égards.

– Que s'est-il passé ? s'enquiert la BOA en ramenant ses longs cheveux roux vers l'arrière à l'aide d'une grosse pince.

– On a eu un accident avec la camionnette, répond Josef, et on ne pouvait pas reprendre la route cette nuit.

Il enlève son manteau en grimaçant, le laisse tomber sur le tapis et s'assoit dans un fauteuil. Comme la BOA l'observe avec circonspection, il poursuit :

– Oxana a été gravement touchée.

– Je peux vous emmener à l'hôpital.

– Ce n'est pas nécessaire, insiste Josef. Oxana est déjà en train de guérir, c'est...

– Une immortelle, complète la BOA. Je l'ai reconnue dès que j'ai ouvert la porte. Comment se fait-il que ?...

– C'est une longue histoire, répète Josef en levant une main devant lui. J'ai besoin de ton aide pour mon épaule.

Sara croise les bras sur sa poitrine, sur la défensive.

– Tu débarques ici en plein milieu de la nuit, blessé, avec une immortelle que tu sors de je ne sais où, et tu refuses de me dire ce qui se passe. Tu me dois des explications. Depuis le temps qu'on se connaît, tu devrais savoir que je ne suis pas une sainte.

– Oui, je le sais, confirme l'homme en souriant.

Il jette un coup d'œil gêné aux deux adolescents et toussote.

– Je t'en demande beaucoup, mais fais-moi confiance pour le moment, s'il te plaît. Je te raconterai tout après, c'est promis.

– J'y compte bien ! s'exclame la BOA. Et je veux un souper en tête-à-tête avec les bougies, le vin et tout le tralala pour compenser le fait que ma nuit se termine bien avant l'heure.

– Sara...

– Oh ! ça va ! Ces jeunes en ont vu d'autres ! proteste l'infirmière. Tu crois qu'on est le seul couple à enfreindre la loi ?

Oxana réalise qu'elle est pendue à leurs lèvres. Leur conversation a eu le mérite de lui faire oublier la douleur l'espace de quelques secondes. Josef est l'amant d'une BOA ? Et ils ne seraient pas les seuls à agir ainsi ? Encore une information qui la désarçonne.

L'immortelle se redresse lentement et observe ses vêtements déchirés et imbibés de sang avec une moue accablée.

– Bon, montre-moi cette épaule, ordonne finalement Sara d'un ton adouci.

– Elle est démise, annonce d'emblée Josef. L'impotence fonctionnelle est totale.

Malgré son diagnostic, il laisse Sara l'ausculter.

– La tête humérale est effectivement sortie, confirme-t-elle. Il va falloir que je te remette ça en place. Allonge-toi sur le tapis, je vais chercher un poids.

Elle sort du salon et Josef obtempère, prenant position sur le flanc.

– Si vous vous foutez de moi, je promets de me venger !

Oxana hausse les épaules. D'ordinaire, elle aurait trouvé une réplique en un quart de seconde, mais formuler des phrases lui semble encore trop difficile.

Sara réapparaît dans le salon, un poids d'entraînement et un grand linge blanc dans les mains. Elle place le poids entre les doigts de Josef, du côté de son épaule luxée, ce qui lui arrache un gémissement de douleur.

– Tiens-le fermement et lève...

– Je sais, la coupe Josef. Je l'ai pratiqué des dizaines de fois.

– Sur les autres. C'est différent quand on est concerné. Laisse-moi t'aider.

Cette fois, l'homme ne proteste pas. Sara se place dans son dos et l'aide à lever le bras à la perpendiculaire de son buste. Puis elle laisse le bras de Josef se rabattre lentement vers l'avant. Un crac écœurant résonne dans la pièce. Le front en sueur, Josef pousse un dernier gémissement avant de lâcher le poids.

– Je serai plus indulgent avec mes patients, à l'avenir, grogne-t-il en roulant sur le dos.

Se sentant mieux, Oxana se place en position assise. L'une de ses jambes lui fait encore mal, mais ce n'est rien en comparaison de ce qu'elle a dû endurer un peu plus tôt.

Elle appuie sa nuque contre le dossier du canapé et ferme les yeux quelques secondes. Aussitôt, des images de son accident surgissent dans sa tête, mêlées à celles du cercueil d'Alexandre glissant lentement dans les flammes et à celles du BOA, à l'Amarante, lui plaquant la main sur la bouche avec un rictus de satisfaction. Oxana s'est sentie si minuscule entre ses mains. Si faible, si fragile... Malgré sa fougue habituelle, elle ne faisait pas le poids devant l'appétit féroce du client. Sans l'intervention de Kael, elle serait morte une première fois, cette nuit-là, mais ça n'aurait rien changé. Pour Alex, elle aurait fait abstraction de sa douleur, et il y aurait quand même eu l'entrepôt, la cage, les chiens infectés...

Elle rouvre les paupières, terrifiée à l'idée de ne plus jamais pouvoir dormir sans voir les scènes les plus trauma-tisantes de sa vie peupler son sommeil.

— Je vous ai préparé du thé, dit Sara en revenant avec un plateau garni de tasses fumantes.

Oxana ne s'était même pas rendu compte que l'infirmière avait quitté la pièce.

— Maintenant, j'attends tes explications.

Josef accepte la tasse que la BOA lui tend et la porte à ses lèvres. Puis il explique tout. De la loterie à la mort d'Alex, en restant très évasif sur ce dernier point pour ménager Oxana.

— On revenait de l'hôpital quand on a percuté un Charognard, conclut-il. Oxana a été éjectée de la voiture et m'a déboîté l'épaule au passage. Kael a abattu trois de ces saloperies.

Sara fronce les sourcils.

— Trois Charognards en pleine ville ?

— C'est plus qu'inhabituel, intervient Kael. En croiser un à l'occasion dans les sous-sols de la ville pouvait être considéré comme normal il y a encore quelques semaines, mais depuis un certain temps, ils semblent plus nombreux. On dirait que quelque chose les fait remonter à la surface.

— Comme quoi ? l'interroge Oxana.

— Aucune idée.

— Ça ne se reproduit pas, ces choses-là, leur rappelle Sara. Alors, il ne doit pas en rester beaucoup. La révolte date quand même d'il y a vingt-cinq ans.

— On va devoir surveiller ça, soupire Josef.

La fondation de la loterie. La révolte des humains. Les fléchettes empoisonnées... Oxana se rappelle que Kael lui a raconté tout cela. Sara a raison, c'était il y a longtemps. Qu'il reste autant de Charognards est peut-être louche. Ou peut-être pas. Oxana n'en sait rien. Cette ville est un bourbier rempli de surprises effroyables. Plus rien ne semble en mesure de l'étonner. Mais s'il y a bien une chose dont elle est certaine, c'est que Claudius Wolfe est responsable de tous les malheurs qui s'abattent sur elle. C'est lui qui a tué Alex. Il doit crever.

— Et pour Wolfe, vous comptez faire quoi ?

Les trois autres la regardent comme si elle était une gamine qui exigeait qu'on chasse le monstre imaginaire qui se cache sous son lit. L'indulgence sur leur visage met Oxana en colère. On dirait qu'ils la prennent pour une ignorante.

— Oxana, c'est compliqué, déclare Josef.

— En quoi est-ce compliqué ? réplique-t-elle. On le trouve, on le tue, point final. Cette raclure représente le nœud du problème.

— Tu as raison, acquiesce Kael. Mais il est puissant. Il contrôle presque tout à Liberté, y compris les services de police. De notre côté, nous manquons encore d'effectifs.

— Babette Steel peut vous aider à trouver plus d'hommes et plus d'armes, s'acharne l'immortelle. Ce n'était pas ça, justement, l'entente ?

— Oui, admet Josef, mais ça ne suffira pas. Tu crois qu'on les sort d'où, nos nouveaux locaux, nos camionnettes et nos armes ? Elle nous a déjà beaucoup aidés. Ne comptons plus sur elle. Je ne veux pas risquer la vie de ceux qui se sont engagés à mes côtés. L'objectif du groupe est d'aider les humains ponctuellement, pas de renverser l'Administration.

— Dans ce cas, les humains de Liberté souffriront jusqu'à la fin des temps ! s'emporte l'adolescente, aux prises avec une colère qui menace de la faire exploser. Josef, votre organisation est la seule à pouvoir faire quelque chose, vous ne pouvez pas les laisser tomber !

— Sur ce point, elle n'a pas tort, l'appuie Kael.

Josef lève les bras au plafond avant de grimacer de douleur.

— Tu ne vas pas t'y mettre toi aussi, grommelle-t-il en se tenant l'épaule.

— Et pourquoi pas ? Oxana a raison. Si personne ne fait rien, la situation ne fera que s'aggraver.

— Mais je ne veux pas que tu meures ! Ni personne d'autre, d'ailleurs !

Les joues de Josef se sont empourprées. Il dévisage Kael et Oxana comme si ces derniers s'apprêtaient à détruire la moitié de la ville à eux seuls.

— Josef, reprend lentement Oxana malgré le feu qui brûle en elle, avez-vous conscience d'avoir cinq immortels dans votre équipe ?

— Quatre, la corrige Kael.

Effectivement, Cléo est désormais mortelle, Oxana a encore du mal à s'y faire.

– Quatre, approuve-t-elle. Avec un peu d'entraînement, vous pourriez faire de nous des armes capables de déplacer des montagnes.

– Je ne suis pas sûr que Kim soit en mesure de déplacer quoi que ce soit, lui rappelle sombrement le médecin. Quant à Sam, elle ne me semble pas particulièrement batailleuse.

– Laissez-lui une chance de vous prouver le contraire, rétorque Oxana.

L'immortelle remue sur le canapé. Un but nouveau et inespéré s'est présenté à elle. Anéantir Wolfe. Le voir se briser en autant de morceaux qu'il y a de cendres dans l'urne d'Alex. Il n'y a pas d'après, pas de futur, juste cet instant où elle prendra sa vie pour la jeter en enfer. Josef doit accepter de lui laisser la place qu'elle mérite dans la résistance. S'il ne le fait pas, elle ne pourra pas lutter très longtemps contre ses démons intérieurs.

– Laissez-nous vous démontrer qu'on est capables de vous aider, poursuit-elle. Imaginez, Josef, quatre soldats immortels dans votre petite armée, ça ferait toute une dif-férence !

Les autres se consultent longuement du regard.

– En même temps, intervient doucement Sara, tu ne risques pas grand-chose en les mettant à l'épreuve.

– Tout le monde se ligue contre moi, soupire Josef.

Il se tord les mains tout en observant les lignes du plancher à ses pieds.

– D'accord pour vous entraîner, dit-il finalement. Mais c'est tout pour le moment. Nous avons du pain sur la planche avec la recrudescence des Charognards dans les rues de la ville, c'est notre priorité. Et je ne vous envoie pas en mission tant que vous n'êtes pas prêts. Compris ?

Oxana fait oui de la tête. Malgré la réticence de Josef à s'attaquer à Wolfe à court terme, l'immortelle sait que l'heure viendra. S'il le faut, elle agira seule, parce qu'elle aura appris à se battre.

Sara leur a prêté sa voiture pour qu'ils rejoignent le Nid.

Une fois entre les murs des locaux de la résistance, Kael conduit silencieusement Oxana jusqu'à la chambre qu'elle partage avec Samantha. L'urne dans les mains de l'adolescente est froide. L'hiver y a déposé sa marque mortelle. Oxana la serre contre son cœur tout en marchant. En la réchauffant, elle espère réconforter l'âme d'Alex.

La chambre est vide. Samantha doit dormir au chevet de Kim, à l'infirmerie, comme chaque nuit.

— Je vais m'allonger sur l'une des banquettes de la salle commune, l'informe le BOA.

— Tu pourrais dormir dans le lit de Sam, elle ne l'occupe jamais et c'est plus confortable.

— Je ne tiens pas à m'imposer.

— C'est moi qui te le propose, dit Oxana en haussant une épaule.

Il y a une raison égoïste à cette suggestion. Oxana ne veut pas dormir seule. Pas cette nuit.

Elle ouvre la porte et entre dans la chambre sans rien ajouter. Kael semble hésiter un instant, puis il la rejoint. Le faible éclat bleuté d'une lune avare éclaire à peine le mobilier restreint. Deux lits, un tabouret. Voilà à quoi se résume l'univers d'Oxana. Avec Alex, le Nid aurait pris des allures de palace, car ils auraient enfin pu y vivre librement. Ç'aurait valu tout l'or du monde. Mais maintenant, ce bâtiment enfoui sous la terre étouffe Oxana. Elle s'y sent à l'étroit.

L'immortelle enlève son pantalon taché de sang. Exténuée, elle glisse en silence sous la couverture et grimace quand la douleur dans sa jambe droite se réveille. Voilà une blessure qui met du temps à guérir, mais elle est trop lasse pour s'y attarder.

Oxana entend le BOA bouger tout près d'elle, puis les ressorts du lit d'à côté grincer quand il s'allonge dessus. Sa présence la rassure un peu. Malgré cela, le sommeil ne vient pas. Elle a beau tourner dans tous les sens, essayer une centaine de positions, son cerveau n'arrive pas à déconnecter les fils qui la maintiennent en état de veille.

Elle se tourne dans la direction de Kael, écoute sa respiration lente et profonde. Est-ce qu'il dort ? Après Alex, c'est certainement en lui qu'elle devrait avoir le plus confiance. Pourtant elle ne peut s'empêcher de songer qu'il n'a pas réussi à la protéger jusqu'à maintenant. Ni de la loterie ni des salauds de l'Amarante.

C'est ridicule, parce qu'il n'y est pour rien. Sauf qu'elle croyait en lui. Elle croyait en la puissance de la résistance. Tout cela n'était qu'un leurre. Kael est fait de chair et de sang. Un jour, il se prendra une balle et mourra en bon soldat. Et elle sera de nouveau seule.

Plongée dans ces tergiversations, Oxana finit par s'endormir.

Son corps se met alors à tomber dans un gouffre obscur et terrifiant et elle se réveille en sursaut, le cœur battant la chamade, l'urne toujours serrée contre sa poitrine, avec l'impression que quelqu'un l'observe dans la pénombre. Elle remonte la couverture jusqu'à son menton. Quelqu'un s'approche effectivement d'elle. Elle voit son ombre se découper dans le noir. Un corps immense, des cheveux en bataille.

Alex.

Oxana écarquille les yeux. Elle redresse le buste, pose les pieds par terre et se lève.

– Alex, c'est toi ?

Son frère lui répond d'un grognement.

Elle ignore comment c'est possible, mais il est là, à seulement un mètre d'elle. Il fait un nouveau pas dans sa direction et un rayon lunaire éclaire ses yeux trop pâles.

D'un seul coup, elle constate que des morceaux de peau pendent du corps de son jumeau, que sa démarche est malhabile et que les râles qui font vibrer ses cordes vocales sont ceux d'un Charognard. Elle se met à pleurer, à supplier. Kael, tout près, dort toujours. Ses faibles ronflements sont couverts par les hoquets horrifiés d'Oxana.

– Tu as brûlé dans l'incinérateur, sanglote-t-elle en tendant l'urne devant elle. Je les ai vus mettre tes cendres là-dedans.

Alex ne lui répond pas. Il se jette sur elle.

Les bras d'Oxana frappent une surface molle et légère, et elle réalise au bout de quelques secondes qu'il s'agit de sa couverture.

Un cauchemar...

Une saloperie de cauchemar.

Tétanisée par l'image obsédante de son frère transformé en Charognard, l'adolescente ne parvient plus à fermer l'œil. Elle porte l'urne à ses lèvres, y dépose un baiser tremblant et pleure en silence. Elle a besoin d'un contact réconfortant pour se détendre complètement.

Au bout d'un long moment, elle se résigne à se lever. Il lui semble soudain qu'une main va surgir de sous le lit pour attraper sa cheville, et elle court jusqu'au lit de Kael. Terrifiée, elle s'allonge à côté de lui sans même lui demander la permission, rabattant la couverture sur elle pour se protéger des ombres dans la chambre. Le BOA remue. Oxana essaye de ne pas le toucher. Le lit est si petit que c'est impossible.

– Oxana ? finit-il par dire d'une voix pâteuse.

– Ne pose pas de questions, s'il te plaît, le supplie-t-elle en continuant de lui tourner le dos. J'ai juste besoin de sentir ta présence contre moi, c'est tout, comme le faisait Alex.

Kael ne répond pas. Il ne bouge pas.

Figée, elle sent les pulsations rapides de son cœur cogner contre ses tempes. Puis, réconfortée par la proximité du corps de Kael, elle ferme les paupières.

CLÉO

Le matelas est moelleux, le drap, doux et soyeux. Pourtant, Cléo a l'impression d'être encore allongée dans son cercueil.

Le sentiment d'impuissance qui l'habitait dans le manoir se répercute jusque sur les murs de cette chambre, et sa résonance lui fait mal.

BOUM BOUM. BOUM BOUM. BOUM BOUM.

Elle ouvre les yeux subitement pour échapper aux battements angoissants de son cœur. Ce cœur qui bat malgré elle.

Qui est-elle ? Que reste-t-il de celle qui pensait pouvoir tout contrôler ? Le manoir a aspiré la moindre parcelle de celle qu'elle était et, maintenant, il ne reste plus qu'un amas de chair à vif.

Allongée sur le côté gauche, celui qui la fait le moins souffrir, Cléo entend la porte de sa chambre s'ouvrir tout doucement. Elle ferme les paupières avant que le mince rayon de lumière qui se reflète sur le mur en face d'elle n'ébranle complètement sa volonté. Cette lumière, elle le sait, c'est Denys. Il suffirait d'un geste, d'un souffle pour qu'il se mette à rayonner. La promesse d'un avenir, même incertain, suffirait au jeune homme pour retrouver un peu de sa fougue. Ce serait possible, même après tout ce qu'il a enduré. Cela, Cléo le sait, parce qu'il vient chaque soir le lui murmurer à l'oreille.

« Fais-moi confiance, Cléo, je t'en supplie. Reviens-moi. »

Et il pleure. Elle n'entend que ses faibles hoquets, mais c'est suffisant pour que son âme bascule, pour qu'elle tombe encore plus bas, jusqu'à atteindre les ténèbres.

Qui est-elle ?

Une fleur écorchée. Une poupée aux mains ensanglantées que la vie a punie.

La sœur d'un pervers.

La fille d'un meurtrier.

OXANA

Kael n'est plus là à son réveil. Oxana parcourt la pièce du regard avant de passer une main sur son visage. L'urne semble vibrer contre elle.

– Ne te fais pas d'idées, murmure-t-elle contre la surface métallique de l'objet, je ne recommencerai plus. Kael était là cette nuit parce que j'en avais besoin, mais je ne peux pas dormir avec lui toutes les nuits.

Elle ferme les paupières et voit Alex, les mains sur les hanches, son regard sévère marquant sa désapprobation. Il semble lui dire : « Voyons, petite furie, m'écouteras-tu un jour ? » Au lieu de la réconforter, cette vision la plonge dans un profond désarroi, alors elle rouvre les yeux et contemple le plafond.

Une boule grossit dans sa gorge jusqu'à en devenir douloureuse. Ne pas pleurer. Ne pas montrer aux autres à quel point elle souffre, à quel point sa vie ne se résume plus qu'à l'anticipation des tripes encore fumantes de Claudius Wolfe dans ses paumes. Ne pas dévoiler le gouffre de désespoir qui l'aspire un peu plus à chaque respiration. Si Kael découvre combien son âme est brisée, il ne la laissera jamais combattre à ses côtés. Pourtant, elle doit apprendre. C'est vital.

Cette pensée lui donne suffisamment d'énergie pour qu'elle réussisse à se lever.

Une vive douleur l'élance sous la fesse. C'est alors qu'elle remarque les traces de sang qui maculent les draps. Les sourcils froncés, elle observe les auréoles carmin avec perplexité. Pourquoi cette blessure n'a-t-elle pas guéri comme les autres ?

Puisqu'elle n'a pas le courage d'y réfléchir, elle enlève les draps pour les porter plus tard à la buanderie, prend un t-shirt et un pantalon propres posés dans un coin de la chambre et se rend jusqu'aux douches. Elle se lave les cheveux en frottant énergiquement, regarde le sang se dissoudre dans l'eau, puis elle s'essuie avec l'une des serviettes disponibles.

La douleur sous sa fesse l'élance de nouveau lorsqu'elle entreprend d'enfiler son pantalon. Elle se contorsionne devant le miroir et aperçoit une entaille longue comme son pouce, mais très peu profonde. On dirait qu'elle a commencé à guérir, car la peau s'est régénérée sur quasiment toute la longueur de la blessure. Pourtant, la présence de cette cicatrice sur sa jambe inquiète Oxana. Depuis qu'elle se sait immortelle, elle a toujours récupéré complètement.

Elle hésite sur la marche à suivre. Doit-elle en parler à Josef ? Et si son propre processus d'immortalité commençait à devenir défaillant, comme celui d'Alex et de Cléo ? Josef lui interdirait assurément de participer à la libération de la ville, s'il l'apprenait.

Pas question !

Oxana ne peut pas envisager d'être mise de côté.

Elle s'habille et sort de la salle de bain, bien décidée à garder secrète l'existence de cette minuscule cicatrice.

Elle trouve Denys, assis sur une chaise, dans un coin de la cuisine. Le garçon lui adresse un pâle sourire tandis qu'elle s'installe en face de lui avec un café et une rôtie beurrée.

— Comment va Cléo ? lui demande-t-elle.

— Elle ne veut toujours pas me voir, répond-il avec lassitude. Toi, comment tu vas ?

— Ça va, ment Oxana en plongeant le nez dans sa tasse.

L'urne est restée dans la chambre quand elle est partie prendre sa douche, et si l'idée de laisser Alex seul lui serre les entrailles, elle préfère ne pas trop attirer l'attention des autres sur l'objet. Denys hoche la tête d'un air entendu.

— Kael m'a parlé ce matin, dit-il. Il paraît que tu veux te battre.

— J'ai pensé qu'on pouvait se rendre utiles.

— C'est une bonne idée. Moi aussi, j'ai besoin d'action. Rester ici à attendre que Cléo daigne m'accepter de nouveau dans sa vie est en train de me rendre dingue.

— Il t'a dit quand on commencerait ?

— Dès qu'on peut. Il doit faire l'inventaire du matériel dans le gymnase, alors il y sera tout l'avant-midi.

— Est-ce que tu as vu Sam ?

– Elle ne quitte pas Kim une seconde. J'ai dû lui apporter un repas, hier soir, pour être sûr qu'elle ne se laisserait pas mourir de faim. Je ne sais pas ce qu'elle pensera de tout cela...

Oxana enfourne le morceau de toast restant dans sa bouche, avale le tout avec une longue gorgée de café au lait et se lève.

– Kael va nous attendre pour l'entraînement.

– T'es bien pressée d'aller le retrouver, fait Denys en se reculant sur sa chaise.

– J'ai besoin de me dégourdir les jambes, c'est tout, se justifie-t-elle.

Comme l'immortel continue de la regarder avec intensité, elle grogne, pivote et s'éloigne vers la sortie, les lèvres crispées, sans se préoccuper de savoir si Denys la suit ou non.

Seul Kael est présent dans la salle d'entraînement quand Oxana y entre. Il a installé des tapis sur le sol, ainsi que des poids et des ballons.

Denys passe devant elle et lui décoche un clin d'œil qui la fait soupirer d'agacement.

– Je vais me changer, dit-il avant de disparaître dans les vestiaires.

Kael approche d'Oxana.

– Bien dormi ?

– J'étais terrifiée, la nuit dernière, répond-elle avec mauvaise humeur.

– Je sais.

Il lui lance un ballon qu'elle attrape parfaitement.

– Bons réflexes, constate-t-il.

– Qu'est-ce que tu crois ? Je suis pleine de ressources.

Kael inspecte le sol et renifle en poussant une mèche de cheveux vers l'arrière. C'est toujours la même qui lui retombe devant les yeux, et il la chasse constamment de son visage sans avoir l'air de s'en rendre compte.

– Écoute, je comprendrais si tu décidais d'attendre un peu, pour l'entraînement, finit-il par dire, les yeux toujours baissés, comme s'il avait peur qu'elle se mette à hurler, ou à pleurer, ou les deux. Après ce qui s'est passé cette nuit, tu pourrais prendre un peu de temps pour toi.

– Je n'ai pas envie de passer trop de temps avec moi-même, déclare-t-elle sans hésiter.

Le BOA secoue la tête.

– C'est toi qui décides.

– Est-ce qu'on s'y met ? lance Denys en sortant des vestiaires.

L'insouciance qui transpire de sa voix ne trompe personne, surtout pas Oxana. Il en rajoute trois tonnes pour dissimuler les blessures encore à vif de son âme, pour que personne ne le prenne en pitié. Pour leur entourage, son attitude est sans doute plus agréable que celle d'Oxana, mais elle serait incapable de faire mine de tout prendre à la légère. Elle, son truc, c'est de tout cacher sous un monticule de colère bien dégueulasse, comme ça, personne ne l'approche suffisamment pour voir la merde qu'il y a dessous.

Sam entre dans le gymnase alors qu'ils commencent à sautiller sur place pour s'échauffer. Elle les salue d'un bref mouvement de la main et s'assoit sur l'un des bancs qui longent le mur.

– Vous avez une spectatrice, sourit Kael. Tâchez de faire bonne impression.

DENYS

Des boutons qui éclatent sous la lame perfide d'une bande d'ivrognes.

Son poing frappe le mur.

BOUM !

La douleur se diffuse dans ses doigts, sa paume, son poignet.

La langue d'une vipère sur ses épaules, son ventre, ses cuisses...

BOUM !

Un trou se forme dans le plâtre.

Des canines par dizaines lui perforant la peau.

BOUM !

Sa main est abîmée, des taches rouges recouvrent ses jointures.

Les lèvres écœurantes de Killian Steel sur celles de Cléo.

BOUM !

Une ombre, dans son champ de vision.

Denys tourne la tête pour voir Kael, accoté contre le chambranle. Le BOA l'observe, les bras croisés sur sa poitrine, l'air détendu. Son regard ne trahit aucun jugement.

BOUM !

Le dernier coup a fait éclater un morceau de peau. Denys s'éloigne du mur et va s'asseoir sur le matelas posé dans un angle de la pièce. Il essuie la plaie à l'aide d'un mouchoir en tissu trouvé sur l'une des étagères. Dormir dans une remise a du bon, quand on y pense.

— Je réparerai mes dégâts, dit-il sans lever les yeux.

— Ce n'est rien. Ces murs en ont vu d'autres. Tu n'es pas trop à l'étroit, ici ?

Denys secoue la tête pour ne pas avoir à répondre à d'autres questions. S'il se sent bel et bien à l'étroit, c'est dans sa tête. Les images de sa détention y tournent en boucle, tout comme celles du corps de Cléo, désarticulé et ensanglanté, quand il l'a découvert au pied du manoir. Ce fut sans doute le pire, la voir comme ça. Denys a su compartimenter son esprit dès son plus jeune âge pour enfermer les images effroyables dans des tiroirs, ces images qui terrifiaient l'enfant indiscipliné qu'il était. Il a survécu grâce à cela. Mais depuis qu'ils ont été libérés des griffes de Killian Steel, il a l'impression de ne plus savoir comment faire, et la seule personne qui pourrait l'aider refuse de lui adresser la parole.

— Je suis venu chercher des boîtes de sauce tomate pour la cuisine, indique Kael en s'approchant des étagères. C'est moi qui prépare le déjeuner pour demain.

Denys lève enfin les yeux de son mouchoir. Il regarde le BOA fouiller sur les étagères, lire les étiquettes, remuer les lèvres comme s'il discutait silencieusement avec lui-même.

— Je pourrais aider, propose Denys. En cuisine, je veux dire. Je me débrouillais plutôt bien dans le Cellier avec un four, des ustensiles et quelques ingrédients.

— J'en serais ravi, se réjouit Kael. Franchement, la bouffe, c'est pas ma spécialité !

Il s'empare de deux grosses boîtes de conserve.

— Est-ce que tu m'aiderais maintenant ? Je dois en rapporter dix, et ça m'éviterait de faire des allers-retours.

Les yeux du jeune homme se plissent. Il se demande si Kael a vraiment besoin de toutes ces boîtes de sauce tomate ou s'il est venu ici avec l'espoir de lui changer les idées.

— Je suis plutôt libre en ce moment, répond Denys.

Il se lève et rejoint le BOA devant les étagères. Kael place plusieurs contenants métalliques dans ses bras.

— Je suis désolé pour ce qui vous est arrivé, à Cléo et à toi...

— C'est la faute de Killian Steel et de ses clients, pas la tienne.

Ils continuent de se servir en silence, puis Denys ajoute :

— Il faut qu'on arrête ça.

– Tu ne veux plus m'aider à la cuisine ?

– Non, je ne parle pas des boîtes de sauce tomate, sourit sombrement Denys. Toute cette merde, à Liberté, il faut que ça cesse.

Kael tourne la tête dans sa direction.

– Je sais.

– Et tu crois que tuer Wolfe sera suffisant ?

– Franchement ? Je n'en sais rien du tout, soupire le BOA. Je pense que ce serait un gros coup, une sorte de point de départ. Wolfe tire les ficelles de beaucoup de marionnettes dans la ville. S'il tombe, j'ai bon espoir que le reste suive, comme dans un jeu de dominos.

– Mais rien n'est sûr...

– Rien ne l'est jamais. Ça ne doit pas nous empêcher d'agir. Mais tu dois savoir que Wolfe est très difficilement atteignable. Sa garde armée est impressionnante. Si on s'attaque à lui, il faut s'attendre à avoir des pertes de notre côté.

– C'est pour ça que vous n'avez jamais rien tenté ?

– Pas vraiment, répond Kael en secouant la tête. La mission du Nid n'est pas de défendre les intérêts des citoyens par les armes. Elle se résume plutôt à recueillir les humains en détresse, à les remettre sur pied et à les renvoyer dans la rue.

– En bref, le Nid ne sert à rien.

Kael sourcille, mais il rétorque calmement :

— Au contraire. Dans mon cas et dans celui de Mélissa, par exemple, ç'a tout changé. On ne peut pas sauver tout le monde, mais dans le lot, on arrive parfois à faire la différence dans une vie.

— Et ça te suffit ?

Cette question fait sourire Kael. Il décoche un clin d'œil entendu à l'immortel.

— Pas vraiment. Mais c'est Josef qui tient les rênes de l'organisation, et lui, ça lui suffit. Malgré quelques infractions aux règles du Nid, je me suis toujours tenu plus ou moins tranquille, parce que je n'ai jamais eu mon mot à dire à ce sujet... jusqu'à maintenant. Je crois que l'énergie d'Oxana me contamine. C'est peut-être ce qui me manquait pour oser exposer plus franchement mes idées à Josef.

— Ouais, c'est un sacré bout de fille...

Kael détourne les yeux et se mord la lèvre, comme s'il cherchait à retenir les mots qui le titillent.

— Tu l'aimes bien, n'est-ce pas ? lui demande Denys sur un ton complice.

— La question ne se pose pas.

— Pourquoi ? À cause de la loi ?

— Entre autres...

Le visage du BOA s'assombrit, et Denys comprend qu'il est inutile d'insister.

Oui, tout cela doit cesser, parce que dans cette société gangrenée, les gens ne peuvent même pas s'aimer librement, que ce soit dans les Celliers ou dans la ville. Et quand ils y parviennent enfin, c'est la vie qui leur met des bâtons dans les roues.

– Allez, on en a assez, lâche Kael.

Il se dirige vers la porte, son fardeau dans les mains.

OXANA

Les semaines se suivent et se ressemblent. L'entraînement, les cauchemars, le corps de Kael pour pouvoir dormir, malgré ses bonnes résolutions. Oxana a l'impression qu'elle ne sortira jamais de cette spirale éprouvante.

Elle va régulièrement voir Cléo. Sam aussi. Leurs douleurs résonnent en elle et la fissurent un peu plus chaque fois. Alors, Oxana se bat deux fois plus fort dans le gymnase. Elle court, frappe et saute comme si sa vie en dépendait. C'est faux, elle le sait. Sa vie est foutue. Elle ne fait que marcher en équilibre sur le mince fil de sa vengeance. C'est suffisant, toutefois, pour alimenter les faibles battements de son cœur.

Sam vient souvent les regarder s'entraîner. Oxana lui a bien proposé de se joindre à eux, mais l'empressement avec lequel son amie décline systématiquement l'offre l'empêche d'insister. Il y a un temps pour chaque chose, et Sam n'est pas rendue au point de vouloir se battre. Son combat à elle consiste à soutenir Kim contre les vents et les marées de son esprit, à l'empêcher de se noyer complètement, et c'est loin d'être gagné.

Alors qu'Oxana sort de sa chambre pour aller déjeuner, vêtue d'un t-shirt et d'un pantalon de sport en prévision de l'entraînement qui suivra, des cris hystériques l'attirent vers l'une des chambres adjacentes. Elle accourt en reconnaissant la voix de Kim et franchit le seuil de la porte, les yeux écarquillés.

Debout d'un côté du lit, Kim jette un tabouret en direction de Sam, qui se recroqueville pour le laisser passer.

— Tu n'as pas le droit de dire ça ! hurle Kim en cherchant autre chose à balancer.

Sam montre Oxana du doigt.

— Aide-moi à la mettre sur le lit !

Oxana obtempère. Elle saisit un bras de Kim tandis que Sam la ceinture.

— Lâchez-moi ! Vous êtes des traîtres ! Je vous déteste !

Heureusement que Kim a un petit gabarit, sans quoi elles ne pourraient jamais la maîtriser à elles deux. L'immortelle gesticule dans tous les sens, griffant la peau de ses deux amies en vomissant des insultes et des menaces. Sam et Oxana parviennent tant bien que mal à l'allonger sur le lit. Kim se met alors à pleurer bruyamment, ses sanglots résonnant sans doute dans tout le bâtiment. Sam profite de cette accalmie pour lui attacher les poignets et les chevilles avec les sangles de cuir fixées au lit. La scène est à fendre l'âme.

— Qu'est-ce qui s'est passé ? demande Oxana, une fois le calme revenu.

Une faible litanie s'échappe des lèvres entrouvertes de Kim, qui regarde le plafond en pleurant.

— Elle allait mieux, se défend Sam.

Elle se laisse tomber dans le petit fauteuil placé à côté du lit.

– Je n'en pouvais plus de la voir attachée, tu comprends ?

– Je pense, oui.

– Elle dit que je suis responsable de tout ce qui lui est arrivé à l'Amarante. Que je l'ai abandonnée, que si elle est tombée dans les bras de ce couple sadique, c'est à cause de moi.

– Tu sais bien que c'est faux, lui assure Oxana. Elle dirait ça de n'importe qui.

– Peut-être, mais c'est à moi qu'elle le dit quand même.

Oxana ne sait pas quoi répondre. C'est Josef qui brise le silence en entrant à son tour.

– J'ai entendu les cris.

– Elle a fait une crise, soupire Sam. J'ai bien cru qu'elle allait me tuer.

– Tu l'as détachée ? s'étonne-t-il en allant vérifier les sangles.

Sam baisse les yeux. Josef aperçoit le tabouret renversé et lève la tête vers elle.

– Évite de la détacher quand tu es seule, d'accord ? Elle pourrait se faire mal. Elle pourrait aussi s'en prendre à vous.

– Je sais...

Les bras croisés sur sa poitrine, Oxana n'a qu'une envie : prendre ses jambes à son cou. L'exiguïté de la pièce l'oppresse, les murs semblent se rapprocher. Et les gémissements qui sortent de la bouche de Kim accentuent son malaise.

Malgré les efforts de Sam, malgré sa dévotion et ses encouragements, rien ne garantit que leur amie retrouvera un jour le chemin de la raison. C'est Josef lui-même qui le leur a annoncé, il y a quelques jours. Sara, la BOA chez qui ils se sont réfugiés après l'accident, a commencé une spécialisation en psychologie avant de devenir infirmière. Elle vient voir Kim quand elle a des moments libres, et son visage exprime parfaitement ses craintes sans qu'elle ait besoin de les formuler. L'esprit de Kim est rendu loin dans les abîmes de la démence. Il n'en tient qu'à elle de remonter à la surface. Mais qui aurait envie de revenir après avoir autant souffert ?

– Je vais me battre avec vous.

Josef et Oxana fixent Samantha comme si elle venait de parler pour la première fois de sa vie. Aucun ne réagit à la vue des larmes qui roulent sur les joues émaciées de l'adolescente. Et dire qu'un jour son visage a été rond et jovial. Il n'en reste plus que des traits durs et arides.

– Je vais devenir folle si je ne m'occupe pas l'esprit, ajoute-t-elle en essuyant ses yeux.

– Kael sera forcément d'accord, dit Oxana.

– Tu leur en veux encore pour ce qu'ils nous ont fait ?

– Qui ça ?

– Eh bien, les BOA.

Oxana ressent de la colère à l'idée que Sam puisse associer le nom de Kael à la mémoire des salauds qui ont croisé leur route, puis elle réalise que son amie ne connaît pas aussi bien le BOA qu'elle. Avec le temps, Oxana a fini par ne plus voir les veines sous sa peau ni ses yeux trop clairs. Elle voit juste Kael. Une énigme.

— Sam, tu sais très bien que j'en veux au monde entier, essaie de blaguer Oxana.

Ses lèvres s'étirent en un rictus difforme, comme si leurs commissures refusaient de se laisser manipuler.

— Dans ce cas, le monde mérite-t-il d'être sauvé ?

Le regard de Josef croise celui d'Oxana. L'adolescente cherche ses mots. Dans son monde à elle, tout n'est qu'obscurité, alors la lumière des autres, elle est loin de la voir.

Mal à l'aise, elle serre les poings et résiste à l'envie de quitter la chambre en courant.

— Oui, Sam, on doit lui donner une chance, répond finalement Josef. Il y a des gens bien, dehors, des gens qui n'ont rien à voir avec ce que vous avez vécu.

Des gens qui ne sont pas brisés, a envie de compléter Oxana.

Elle se retient d'ajouter cette pensée pessimiste aux incertitudes de Sam, et finit par tourner les talons pour ne pas exploser.

❖

Adossée au mur, dans le couloir, Oxana ferme les yeux et respire le plus calmement possible.

La tempête dans sa tête a redoublé d'intensité, renforcée par une vague d'amertume qui tente de défoncer les barrières de sa raison en la brutalisant sauvagement.

Elle songe à Alex pour apaiser son âme, mais son souvenir ne fait qu'accroître le cyclone sous son crâne. La seule pensée qui fait ralentir la pression de son sang contre ses tempes est celle du corps endormi de Kael, sécurisant et chaud, contre lequel elle parvient à trouver le sommeil.

Une fois détendue, elle ressent une légère douleur sur son avant-bras et réalise qu'elle a enfoncé ses ongles dans sa chair. Elle scrute les petits arcs de cercle avec hébétement et sursaute quand une voix résonne tout près d'elle.

— C'est ce matin qu'on enlève les bandages de Cléo, l'informe Josef.

Son regard est perçant. A-t-il vu les marques ?

— Déjà ? s'étonne Oxana en tirant sur les manches de son t-shirt.

— Elle récupère bien. Babette et Érik vont venir, mais je pense qu'elle aura besoin d'une amie pour la soutenir.

— Oui, bien sûr.

Elle se garde de préciser que Denys serait le mieux placé pour cette mission. Sans compter qu'elle doute d'être en mesure de soutenir qui que ce soit, en ce moment.

En plus, personne ne sait comment Cléo va réagir en découvrant son visage. Voilà des semaines qu'elle porte ses bandages. Ce qu'il y a en dessous ne doit pas être beau à voir. Oxana est-elle prête à encaisser la réaction de son amie ?

— On se retrouve là-bas vers onze heures, dit Josef en s'éloignant.

— Salut, fait Oxana en entrant dans la chambre.

— Tu n'étais pas obligée de venir, lui signale Cléo en se redressant légèrement sur le lit.

Ce simple geste lui coûte une grimace de douleur. Cléo revient de très loin. Si son immortalité a guéri quelques blessures en plus de détruire complètement le virus dans son organisme, certaines plaies sont demeurées profondes. En sautant, elle a fait exploser son foie et plusieurs autres organes internes. Qu'elle soit vivante, à l'heure actuelle, relève du miracle.

— Bah, tu sais, j'avais pas grand-chose à faire, dit Oxana. La vie dans ce sous-sol est chiante à mourir.

Les bandages recouvrent encore la totalité du front et la partie droite du visage de Cléo. La gauche a été épargnée. Sa peau à cet endroit est intacte. Oxana redoute néanmoins de voir l'autre côté, qui leur sera révélé sous peu.

— Comment va Denys ? l'interroge Cléo.

— Il va bien, mais tu lui manques.

Cléo détourne les yeux. Inutile de s'appesantir sur le sujet.

— Salut, les filles ! clame Babette Steel en entrant.

Son conjoint, Érik, la suit, et Josef ferme la porte derrière eux.

– On aurait pu faire ça en petit comité, grogne Cléo.

– Je suis ta sœur, rétorque Babette en s'asseyant sur le lit à côté de Cléo, c'est normal que je sois présente.

– Demi-sœur, la corrige Cléo.

Cette réplique jette un froid dans la pièce. Si elle atteint Babette, celle-ci ne le montre pas. La BOA hoche la tête et sourit.

– Érik est venu voir comment tu te portes.

Elle fait signe à son mari d'approcher et celui-ci s'exécute. Cléo se laisse examiner de la tête aux pieds sans broncher. Son humeur est massacrante.

– Les plaies sur tes bras guérissent bien, remarque-t-il.

Josef les observe du fond de la chambre. Il avait fait la même constatation, mais Babette s'obstine à ne prendre en considération que les propos d'Érik, comme si les examens de Josef ne comptaient pas. Oxana trouve le médecin sacrément patient. À sa place, elle aurait déjà insulté la BOA en l'envoyant se faire voir ailleurs.

– Tu es prête ? lui demande Érik.

Cléo prend une profonde inspiration et fait oui de la tête.

Érik défait les bandages. Babette pousse un hoquet d'horreur à la vue des cicatrices qui recouvrent la joue de sa demi-sœur. Alertée, Cléo interroge Oxana du regard.

– Ça va, l'apaise l'immortelle en se forçant à sourire.

Pourtant, le cœur d'Oxana manque un battement à chaque parcelle de peau dévoilée. Tout le côté gauche du visage de Cléo est ravagé. En plus des cicatrices, des boursouflures mauves gonflent exagérément sa pommette et le coin de ses lèvres. Vue de ce côté, Cléo est méconnaissable.

– Apportez-moi un miroir, ordonne-t-elle.

– Cléo, ma chérie, commence Babette, ce n'est pas une bonne idée. Tu devrais attendre que ton visage guérisse davantage avant de...

– Babette ! s'énerve l'adolescente. Arrête de me dire ce que je dois faire et apporte-moi un miroir ! Pas Érik, mais toi, ajoute-t-elle alors que sa demi-sœur s'apprête à transférer l'ordre à son mari.

– Je ne sais pas où je peux trouver...

– Débrouille-toi.

Vexée, Babette sort de la chambre, Érik sur les talons.

– Elle est insupportable, soupire Cléo.

– Je crois qu'elle s'inquiète pour toi, intervient Josef. Elle le montre de façon maladroite, c'est tout.

– Sa réaction m'a fichu la trouille. C'est si terrible que ça ?

Oxana se mordille l'intérieur des joues avant de répondre.

– Franchement ?

— Le plus franchement que vous pouvez, répond Cléo. Je veux savoir à quoi m'en tenir lorsqu'elle reviendra avec son miroir. Ne me ménagez pas.

— Tu ne retrouveras jamais ton visage d'avant, laisse tomber Josef, du moins, pas la partie droite. Les bleus se sont déjà atténués et l'enflure disparaîtra avec le temps, mais les cicatrices sont nombreuses. Sans compter ta jambe gauche. Érik et moi nous sommes attardés sur tes organes internes, pour que tu survives, et ta jambe n'a pas été correctement irriguée pendant ce temps. Tu boiteras certainement toute ta vie, comme je l'avais supposé.

Cléo accuse le coup en silence. Elle en a tellement bavé, elle aussi. En plus d'avoir été terrorisée par son demi-frère, elle gardera à jamais le souvenir de ces moments pénibles gravés sur son corps. Et elle ne pourra jamais avoir d'enfant. Au bout du compte, le prix à payer pour sa liberté a été exorbitant. Oxana est impressionnée du calme avec lequel son amie prend tout cela.

— Ne laissez plus Denys entrer, dit-elle. Il le fait chaque soir, et je... je ne veux plus.

— Il ne verrait pas les cicatrices, tente de la dissuader Oxana.

— Non. Je ne suis plus la même.

— C'est faux, Cléo...

— J'ai tout perdu dans ce manoir, parce que tout ce que j'avais, c'était mon corps. Je ne sais rien faire. Je ne suis bonne à rien. Comment pourrait-il s'intéresser encore à moi ?

— Tu ne penses pas que c'est à lui de décider ?

— J'ai demandé qu'il ne franchisse plus le seuil de cette porte, s'impatiente Cléo. C'est ma seule requête, respectez-la.

Les jours passent lentement.

Les attaques de Charognards continuent de façon sporadique et désorganisée. Josef envoie des équipes dans la ville pour protéger la population et soutenir les policiers qui ne semblent pas prendre la situation très au sérieux. Forcément, puisque ce sont les Sacs à sang qui se font attaquer ! Le médecin prévoit lancer une inspection en règle des couloirs souterrains de l'ancien métro, pour comprendre d'où vient le problème.

Oxana aimerait faire partie de l'expédition, mais elle n'a pas encore osé le demander au chef de la résistance. Il lui dirait certainement qu'elle n'est pas prête. Pourtant, elle a besoin de sortir du Nid. Ça devient presque vital. Il se passe des choses très étranges dans sa tête, des choses qu'elle n'arrive pas à comprendre. Souvent, après la douche, elle se surprend à enfoncer ses ongles dans la peau de ses avant-bras et, récemment, elle s'est servi d'une lame de rasoir pour creuser une lacération plus profonde sur son ventre. La douleur, vive et lancinante, lui a fait du bien. L'espace de quelques minutes, Oxana s'est attardée sur autre chose que la colère qui ravage tout à l'intérieur.

Par contre, cela a fait surgir une autre inquiétude. Tout comme sa blessure sous la fesse, ces petites entailles qu'elle s'inflige ne guérissent pas totalement, du moins, pas les plus profondes. Il reste toujours une petite marque rosée ou une boursouflure presque invisible. Oxana n'en a parlé à personne. Tout ce qui l'empêche de sombrer, c'est son désir de pouvoir agir et tuer Wolfe. Si elle devait rester enfermée dans le Nid sur ordre de Josef, elle disjoncterait.

Cette source de motivation la pousse à se dépasser aux entraînements. Elle s'améliore grandement au combat et son corps change. Il s'étoffe, surtout en muscles, et les repas équilibrés du Nid lui font gagner un peu de gras. Toutefois, les ecchymoses sur sa peau mettent de plus en plus de temps à disparaître, elles aussi.

Et puis, il y a son souffle. Avant, elle pouvait courir des kilomètres sans souffrir. Mais depuis quelque temps, ses poumons semblent se compresser lors d'efforts intenses, et elle doit prendre des pauses plus régulières.

Sam vient s'entraîner depuis qu'elle en a formulé le souhait devant Josef et Oxana. Pas d'amélioration du côté de Kim, malgré les visites régulières de Sara. Selon l'infirmière, soigner l'esprit est plus compliqué que soigner le corps.

Quant à Cléo, elle reste emmurée dans sa chambre, silencieuse, perdue dans ses souvenirs.

Une idée a germé dans la tête d'Oxana. Elle a trouvé un placard à rangement qu'elle a investi. Elle a aussi déniché du matériel de couture et des chutes de tissu, et elle s'emploie à fabriquer un cadeau pour son amie, en cachette. Et dire qu'elle détestait coudre dans le Cellier ! Cette activité l'ennuyait. Sans doute parce qu'elle lui était imposée.

Une espèce de ferveur maladive l'a prise après le dévoilement des cicatrices de Cléo. Elle n'arrive plus à s'arrêter de coudre depuis ce jour, s'énervant à cause de sa maladresse et de son manque de précision qui l'ont obligée à reprendre son travail à plusieurs reprises.

Ces moments de solitude lui offrent de longues heures pour penser, ce qui la tire toujours un peu plus profondément vers le tréfonds de son âme.

Parfois, elle craint de ne plus pouvoir sortir de ce placard.

Souvent, elle a l'impression de sombrer dans le néant, comme si seuls ses doigts agiles continuaient de vivre.

SAMANTHA

Une serviette enroulée autour de sa tête, une autre protégeant son corps nu des regards, Sam entre dans la chambre sur la pointe des pieds. Une lumière spectrale éclaire la pièce, comme chaque fois que Kim demande à ce qu'elle laisse les rideaux ouverts pour voir le ciel, la lune et les étoiles. En d'autres circonstances, cette exigence pourrait sembler romantique, mais Samantha sait que Kim redoute l'obscurité parce que ça la plonge dans des cauchemars éveillés, chaque ombre de la chambre se transformant en prédateur.

Pourtant, Sam trouve la lumière de la lune inquiétante. Froide aussi. Comme elle aimerait sortir de l'hiver de sa vie pour plonger dans un printemps vert et jaune, aussi juteux qu'une fraise sauvage comme celles qu'elle dégustait dans le Cellier, sur le bord du chemin menant au chenil, quand elle était affectée à son entretien. Elle détestait nettoyer ces grandes cages remplies d'excréments, appréhendant de voir les chiens infestés sortir brusquement des enclos dans lesquels ils étaient enfermés pendant le processus. Ça empestait et ça lui donnait envie de vomir, alors, pendant la belle saison, elle songeait aux fraises sauvages pour se donner du cœur à l'ouvrage, se promettant d'en avaler une grosse poignée sur le chemin du retour. Jamais à l'aller. Toujours au retour, pour faire disparaître l'odeur infecte qui avait imprégné sa langue.

Sam enfile un pantalon et un chandail propres avant d'ôter la serviette sur ses cheveux désormais un peu plus longs. Elle ne les a pas fait couper depuis la loterie, parce qu'elle admire ceux de Kim, longs et soyeux. C'est ridicule de penser qu'elle pourrait avoir les mêmes, puisque leur nature est différente, mais elle se sent plus féminine comme ça, et elle se surprend à espérer que ça plaise à son amie, quand elle reviendra complètement à elle.

Elle prend place sur la chaise confortable que Josef a placée dans la chambre juste pour elle, passant ses doigts dans ses cheveux pour les démêler, quand son regard croise celui de Kim. Elle se fige. Elle la croyait endormie.

— Tu es réveillée ? demande-t-elle tout en réalisant que cette question est ridicule.

— Oui, répond simplement son binôme.

Elles restent silencieuses quelques secondes. Sam ne sait pas si Kim est tout à fait là, alors elle préfère attendre sans bouger, de peur de la faire sortir de ses gonds si elle prononce un mot de travers.

— Je sais à quoi tu penses, ajoute finalement Kim.

— Ah oui ? dit Sam en essayant d'être le plus naturelle possible.

— Tu regardes les liens autour de mes poignets et tu songes que c'est préférable, qu'il vaut mieux que je sois attachée pour ma sécurité.

– Je ne pensais pas à ça, à vrai dire...

Sam se sent rougir. Après avoir comparé sa chevelure à celle de Kim, elle a fait le même exercice avec son visage, sa nuque, ses hanches... jusqu'à s'oublier un instant.

– J'aimerais que tu dormes contre moi, lâche Kim.

– Tu ?...

Les doigts de Sam se tordent sur ses cuisses. Kim sourit.

– C'est moi, Sam. Je suis là. J'ignore pour combien de temps, mais je suis là. Viens, je t'en prie, j'ai besoin de sentir ta présence.

Sam se lève, incertaine. Kim est toujours attachée et elle ignore comment s'allonger près d'elle sans l'écraser.

– Tu... Tu crois que je pourrais détacher l'un de tes bras ?

– Je crois que oui.

– OK...

Elle s'exécute lentement, analysant chacune des réactions de l'adolescente allongée devant elle. Mais Kim est calme. Ses yeux sombres l'observent avec attention. Se souvient-elle du baiser qu'elles ont échangé dans la chambre de leur propriétaire après la loterie ? Comment s'appelait-il, déjà ? José ! C'était José. Et il est mort pour elles, pour les protéger...

Sam sursaute en sentant les doigts frais de Kim sur sa main.

– Merci, dit celle-ci en se tournant sur le côté pour lui laisser un peu de place.

Sam s'allonge derrière son amie. Elle hésite, puis passe un bras par-dessus le buste de Kim pour la serrer contre elle. Cette chaleur imprévue lui fait monter les larmes aux yeux. Comme elle s'est attachée à ce petit bout de femme sans même s'en rendre compte ! Comme ça fait mal de la voir dépérir. Et comme ça fait du bien de la savoir présente, là, maintenant. Totalement.

La respiration de Kim devient progressivement plus profonde.

Et, alors que Samantha est persuadée qu'elle s'est rendormie, Kim prononce des mots qui poursuivront son binôme durant des semaines et lui donneront un peu d'espoir :

– Sam, je t'aime...

OXANA

Oxana est assise en tailleur dans un coin de la petite remise, absorbée une fois de plus dans ses pensées.

Un peu plus tôt, alors qu'elle marchait dans un couloir, elle a vu Kael au chevet de sa mère, toujours inconsciente. Un tuyau relie le bras de Sandra à une perfusion de sang. Même dans le coma, la BOA a toujours besoin du liquide carmin pour survivre.

Oxana les a observés en catimini, dissimulée derrière la porte entrouverte. Troublée, elle a vu le BOA saisir la main de Sandra et en porter les doigts à sa bouche, ses lèvres s'entrouvrant régulièrement dans une prière silencieuse. Lui qui ne montre presque jamais ses sentiments dégageait une telle sensibilité, à cet instant, qu'Oxana en a été émue. Le fait qu'elle se sente elle-même perdue y était sans doute pour quelque chose.

Elle sait ce que c'est d'être dure au point de tout cacher à l'intérieur, par orgueil, mais aussi pour se protéger. Dans le Cellier, Oxana a appris à recouvrir ses émotions d'une épaisse couche de glace, afin que quiconque s'approchant trop de son cœur le paye d'une bonne brûlure. Seul Alex la voyait telle qu'elle était vraiment. Il savait comment la désarmer. Existe-t-il quelqu'un d'autre, en ce monde, qui soit capable de faire ça à sa place ?

Oxana en était à ces réflexions, les yeux rivés sur Kael, quand Victor a toussoté à côté d'elle, la faisant sursauter.

— Tu espionnes.

— Non... je... hum... j'attends qu'il ait fini, s'est-elle justifiée en reculant dans le couloir pour que Kael ne les entende pas.

— Il en a certainement pour un moment. Si t'as un truc à lui dire, tu ferais mieux de le déranger.

— Non, ça peut attendre.

Victor a marché jusqu'à elle, puis il a levé ses yeux pâles pour les planter dans les siens.

— Je sais ce que tu ressens, a-t-il dit le plus sérieusement du monde. Ma mère, je ne sais pas ce que je deviendrais si elle devait mourir.

Oxana a plaqué son dos contre le mur en soupirant. Puis elle a essuyé une larme dans un geste rageur et s'est redressée.

— Ne t'en fais pas, a-t-elle dit pour le rassurer, ta mère va se réveiller bientôt, j'en suis persuadée.

Toujours concentrée sur sa couture, l'urne posée à côté d'elle, Oxana se mord l'intérieur de la joue à ce souvenir.

Qu'est-ce qui lui a pris de faire une telle promesse ? Elle n'est pas médecin, et encore moins devin. Que dira-t-elle si

Sandra ne se réveille jamais ? Pire, comment pourra-t-elle justifier ses propos si elle venait à cesser de respirer pour de bon ?

— Oxana, t'es là-dedans ?

Elle sursaute, et l'aiguille qu'elle tient entre ses doigts transperce le morceau de cuir pour venir s'enfoncer dans son pouce. Agacée, elle se lève et va ouvrir la porte. Victor se tient derrière.

— Réunion au sommet, lui apprend-il avec joie, certainement heureux qu'il se passe quelque chose.

Lui aussi doit se sentir à l'étroit dans le Nid.

— C'est important ?

— Apparemment, oui. Kael tenait à ce que je te trouve rapidement.

Il indique le placard derrière elle.

— On sait tous que t'es là-dedans, mais on ignore ce que tu y fais.

— Ça ne regarde que moi, répond-elle en sortant, refermant vivement la porte derrière elle. De toute façon, j'ai presque fini.

Babette, Érik, Kael, Denys et Josef discutent dans le bureau de ce dernier quand Oxana et Victor y entrent. Ils affichent une expression tourmentée, et Kael s'approche de son petit frère avec un air sérieux.

— Tu ne peux pas rester, lui dit-il en le forçant à rebrousser chemin vers la porte.

– Pourquoi ?

– Ce n'est pas une discussion qui te concerne.

– Tu me mets toujours à l'écart, je n'ai le droit de rien faire ici ! proteste Victor.

– Tu es trop jeune, insiste Kael d'un ton rude.

– Tu n'étais pas trop jeune, toi, quand papa t'a inscrit à la Brigade du Sang ? T'avais quel âge ? Douze ans, non ?

Oxana voit la mâchoire de Kael se crisper.

– Tu ne sais pas de quoi tu parles, lui reproche le BOA d'une voix basse mais autoritaire.

– J'en sais bien plus que tu ne le penses !

– Victor...

– C'est bon, j'ai compris ! se fâche le gamin en reculant d'un pas. Je m'en vais !

Il disparaît en courant. Kael demeure immobile jusqu'à ce que les pas de son petit frère aient cessé de résonner dans le couloir.

– Je suis trop jeune pour ces conneries, grommelle le BOA en se tournant vers les autres.

– Qu'est-ce qui se passe ? demande Oxana.

– Les Charognards sortent encore des sous-sols de la ville, lui apprend Josef. Déjà quinze victimes chez les humains.

– Vous savez pourquoi ?

– Toujours pas, admet le chef de la résistance. Je vais organiser une descente dans les couloirs du métro. Pendant ce temps, j'aimerais que des équipes parcourent la ville pour aider la population en cas de nouvelle attaque. Je vais composer six équipes, des duos. Denys et Oxana, je vous mets sur le coup, mais vous devez me promettre d'obéir aux ordres de votre mentor, d'accord ?

– Oui ! répond vivement l'adolescente.

Elle est prête à faire n'importe quoi, du moment qu'elle sort de ce trou !

– Denys, tu viendras avec moi. Oxana, avec Kael. Dites-vous que c'est une mise à l'épreuve, alors pas de gestes inconsidérés.

Josef se tourne vers Oxana.

– C'est Kael qui décide, c'est lui qui agit. Tu l'assistes et tu observes, c'est tout. Est-ce que je me suis bien fait comprendre ?

C'est la première fois qu'il adopte un ton aussi autoritaire, sans doute dicté par l'appréhension. Oxana secoue la tête avec enthousiasme.

– J'ai bien compris !

CLÉO

La peau est rugueuse et bombée, les cicatrices forment des petites montagnes sous ses doigts.

Cléo soupire et laisse retomber sa main le long de son corps.

Allongée dans l'obscurité, elle a encore du mal à croire que sa vie se résumera désormais à ce visage défiguré et à cette jambe infirme. Elle est brisée. À l'intérieur, comme à l'extérieur. Et pourtant, même mortelle, elle ne peut pas se résigner à s'ôter la vie.

Sur dix-sept années d'ennui, elle a connu quelques heures de joie véritable, avec Denys.

Elle ne vit plus que pour cela, désormais. Pour le souvenir des lèvres du garçon sur les siennes, de sa peau foncée contre son corps pâle, de ses sourires qui la faisaient chavirer à tous les coups.

Ces bons moments parviennent à occulter l'horreur de ce qu'ils ont dû vivre dans les derniers instants de leur amour. Difficilement, mais quand même.

Quand un cauchemar la réveille en sursaut, quand elle pense sentir la présence de Killian Steel près d'elle, quand elle imagine son sourire sadique se former dans l'obscurité, elle dessine la silhouette de Denys dans sa tête. Puis elle y ajoute les détails, jusqu'à ce qu'il prenne forme derrière ses paupières closes.

Sa pire crainte est de voir disparaître peu à peu ces détails, de ne plus pouvoir se les remémorer.

Alors, que lui restera-t-il ?

OXANA

— Ne bouge pas.

Concentré, Kael place un dispositif sur le boîtier du diadème d'Oxana. Le même que le jour où ils se sont rencontrés. Cette demi-sphère permet de crypter les données GPS, rendant la localisation de l'adolescente impossible, dans l'éventualité où la Liberté Chance et Jeux chercherait à lui mettre la main dessus.

— Tu crois que c'est réellement utile ? lui demande-t-elle.

— Je préfère être prudent. Denys en portera un, lui aussi.

— L'idéal, ce serait qu'on nous enlève ces diadèmes.

— Josef en a parlé à Érik.

— Vraiment ?

Kael prend un peu de recul tout en continuant de s'activer sur le boîtier d'Oxana.

— Oui, mais rien n'est gagné. Celui de Cléo a été facile à enlever, puisque le virus s'était déversé dans son corps. Il n'y avait donc pas de risque de le déclencher de nouveau. Érik ne veut pas se tromper en ce qui vous concerne, et l'opération semble très délicate. Même si on sait que votre corps peut lutter contre le virus, ce n'est plus une certitude depuis...

Il se tait. Oxana pince les lèvres.

Depuis la mort d'Alex.

Il plonge une main dans la poche de sa veste en cuir et en sort une tuque noire.

— Enfile ça jusqu'aux sourcils, dit-il, ça le cachera.

— Les gens ne doivent pas le voir, c'est ça ? demande Oxana en s'exécutant.

— Le diadème est une marque d'asservissement. Normalement, il faut un permis pour en installer sur des humains. Les bordels et d'autres organisations illégales le font malgré tout, comme tu le sais. N'empêche, si des BOA te voient avec ça dans la rue, on pourrait avoir des problèmes.

— Je pourrais être dénoncée ?

— Eh bien, la pénurie de sang se fait de plus en plus sentir depuis l'épidémie qui a ravagé l'un des Celliers. Des BOA pourraient s'en prendre à toi. Tu es une cible. Dans les faits, vider de son sang un humain qui porte un diadème n'est pas un crime.

— Je vois...

L'humeur d'Oxana s'assombrit. À force de vivre dans le Nid, elle a fini par oublier comment c'est, dehors.

Kael ouvre la lourde porte en métal et jette un coup d'œil à l'extérieur.

– La voie est libre.

Ils quittent le vestibule où sont entreposés des manteaux, des bottes et autres équipements d'hiver et sortent dans une cour intérieure entourée de bâtiments à l'abandon. Les deux camionnettes de la résistance attendent sagement. Celle qui a été impliquée dans l'accident après la crémation d'Alex a été réparée.

L'endroit est désert. Soit les autres groupes sont déjà sortis, soit ils sont sur le point de le faire.

Vêtue d'une veste épaisse tombant sur ses hanches, son bonnet bien vissé sur sa tête et des gants en cuir lui recouvrant les mains, Oxana a l'impression de partir en expédition. C'est la première fois qu'elle va inspecter les environs à pied, et une vague d'excitation fait frissonner tout son corps.

Elle traverse la cour intérieure à la suite de Kael. Le BOA ouvre une haute grille tout au fond, regarde dans la ruelle qui la longe et fait passer Oxana devant lui. Sur leur droite, une artère plus large coupe la ruelle en deux. Kael referme la grille et invite l'immortelle à le suivre d'un mouvement de tête.

Oxana a l'impression d'être montée sur ressort. Elle ne s'est pas sentie aussi bien depuis longtemps. Très vite, elle se retrouve mêlée aux citoyens de Liberté, avançant avec eux sur le trottoir, observant les voitures qui roulent lentement, s'arrêtent aux feux, tournent vers des destinations inconnues.

– On se rapproche du centre, lui révèle Kael. C'est là qu'il y a le plus de monde, alors ça m'étonnerait que les Charognards prennent le risque de s'attaquer aux humains ici.

– C'est pour ça que Josef m'a envoyée avec toi, maugrée Oxana, parce qu'on ne risque rien.

– C'est un peu ça, approuve-t-il en lui décochant un bref regard. Et puis, ça te fait du bien de sortir, de voir autre chose que ton placard. D'ailleurs, tu ne veux toujours pas me dire ce que tu y caches ?

– Non.

Elle lui jette un regard en coin.

– C'est rien de bien intéressant.

– Je crois que Josef prévoit te le louer, ce placard.

Oxana ne peut pas s'empêcher de sourire. Cet échange détend ses muscles et dénoue ses pensées. Respirer l'air extérieur et marcher aux côtés de Kael est plaisant. Elle observe les scènes qui se présentent à elle. Des hommes et des femmes rentrant certainement du travail. Des enfants qui sautillent sans se soucier de ceux qui les entourent. Des filles qui rigolent tellement fort qu'Oxana les entend du trottoir d'en face.

Adossés à des murs ou à des lampadaires, des BOA sont assis sur les trottoirs. Un BOA bien habillé s'arrête devant l'un d'eux, ouvre une bouteille contenant un liquide rouge et en verse quelques gouttes dans le contenant sale à ses pieds. Oxana est subjuguée. Ce que Kael et Josef lui racontaient prend encore plus de sens. Des BOA mendient du sang dans la rue !

Oxana et Kael marchent comme ça une bonne vingtaine de minutes, aboutissant dans un quartier mieux nanti. Les poubelles publiques ici ne débordent pas et les trottoirs ont été nettoyés.

Ils s'arrêtent finalement près de l'entrée d'une boutique. Devant l'édifice, il y a une dizaine de tables entourées de chaises en fer forgé.

– Assieds-toi là, fait Kael en indiquant la table la plus proche. Reste discrète, j'en ai pour une minute.

Il entre dans le magasin et Oxana s'assoit. Elle inspecte avec méfiance le lampadaire qui jouxte la table. Moins haut que ceux de la rue, il est doté d'étranges ampoules rouges qui dégagent de la chaleur. Au moins, elle peut enlever ses gants, mais elle garde sa tuque bien en place pour ne pas révéler son diadème, même si elle est seule sur la terrasse.

Kael la rejoint très vite, deux boissons chaudes dans les mains.

– Tu aimes le lait au chocolat ? l'interroge-t-il en posant la tasse en carton devant elle.

– C'est quoi ?

– Tu n'en as jamais bu ?

– Non. Ça sent bon.

– Vas-y, goûte.

Il la regarde tandis qu'elle porte le gobelet à ses lèvres. C'est brûlant et sucré. Elle se demande qui est le plus enthousiaste. Elle, qui découvre cette boisson exquise pour la première fois, ou Kael, qui semble heureux de la surprendre.

– Merci. C'est délicieux.

– Il n'y a pas que du mauvais à Liberté.

– Je sais. Dis, Kael... est-ce que tu m'emmèneras avec toi dans le métro ?

Le BOA se renfrogne légèrement et baisse les yeux vers sa propre tasse.

– Tu te sens prête ?

– Oui, répond-elle du tac au tac.

– Dans ce cas, je vais y penser.

Leurs regards se croisent. Oxana a l'impression de se perdre dans ce bleu trop pâle, presque surnaturel. La main de Kael s'approche de celle de l'adolescente, ses doigts frôlent le bout des siens. Ça lui rappelle ce soir-là, après leur virée à l'Amarante, quand elle s'est réveillée sur la moto, tout contre lui. Ce geste a le même goût de liberté.

Les sourcils de Kael se froncent.

– C'est quoi, ces cicatrices ? s'inquiète-t-il en prenant délicatement l'une des mains d'Oxana.

– Euh... rien du tout ! Des marques de mon enfance, ment-elle en retirant sa main. Tu ne devrais pas faire ça, Kael. Pas en public.

– Te prendre la main ?

74

Elle hoche la tête, heureuse d'avoir pu détourner la conversation.

– Je ne fais rien de mal.

L'intensité dans son regard est tellement puissante qu'Oxana finit par baisser les yeux, mal à l'aise. Il y a quelque chose d'indescriptible avec Kael. Quelque chose qu'elle ne comprend pas. Il peut se montrer successivement sympathique, réservé, taquin et taciturne.

Un éclat de rire retentit un peu plus loin. Ils tournent la tête dans cette direction. Deux enfants humains courent sur la grande place, balayant la fine couche de neige avec leurs pieds, sous le regard vigilant de leurs parents.

– Si j'étais à leur place, je n'oserais même plus sortir avec mes enfants, déclare Oxana. Entre la pénurie de sang et les attaques de Charognards, je les trouve courageux.

– La vie continue malgré tout. Et puis, ici, c'est quand même assez tranquille. Liberté regorge d'endroits plaisants comme celui-là, pour les humains. Du moins, tant que la nuit n'est pas tombée.

Oxana observe un couple de BOA amoureux qui traverse la place.

– T'en penses quoi, toi, des attaques de Charognards ?

Le jeune homme émet un grognement.

– Je ne sais pas, c'est comme s'ils étaient poussés vers la surface.

– Tu crois que c'est fait exprès ?

– C'est une possibilité. Ils sont dans les sous-sols de la ville depuis tellement longtemps, pourquoi sortir en si grand nombre, et si soudainement, alors qu'ils avaient peur auparavant ?

– Ils en ont peut-être assez de bouffer des rats, hasarde l'adolescente en haussant les épaules.

– Peut-être, mais ce qui est étrange, c'est qu'ils en ont assez... tous en même temps.

Comme elle n'a rien à répondre à cela, Oxana fait glisser de nouveau son regard vers la petite famille, un peu plus loin, tout en sirotant son chocolat. Elle fronce les sourcils lorsqu'elle voit un BOA se pencher vers la petite pour lui parler. La gamine, peut-être âgée de cinq ans, a l'air intimidée par cette intrusion soudaine. Aussitôt, les parents se rapprochent et un échange commence. D'un seul coup, le père de famille pousse le BOA, l'invectivant tout en le menaçant de l'index.

– Kael, regarde...

Oxana désigne la scène.

– Qu'est-ce qui se passe ? demande-t-elle.

– Il arrive que des BOA en manque proposent de l'argent contre du sang.

– Mais... on dirait qu'il veut l'enfant.

– Ouais, parfois ça marche, les parents acceptent.

– Ils mettent la vie de leur enfant en danger pour un peu d'argent ?

Kael acquiesce. Après tout, cela n'a rien de si étonnant. La mère d'Oxana l'a bien vendue à la Cellier inc. alors qu'elle n'était qu'un nourrisson !

— Par contre, je n'ai jamais vu ça par ici, fait remarquer Kael.

Sur la place, la discussion change de ton. Le BOA empoigne le bras de la gamine, qui se met à crier, tandis que le père se jette sur lui pour le frapper. La mère hurle à l'aide et le fils aîné tire sur la main libre de sa petite sœur pour la délivrer.

— Ça dégénère, dit Kael en se levant.

Oxana contemple la scène avec effarement. Bientôt, deux humains se précipitent vers le couple pour lui venir en aide. Toujours debout, Kael attend de voir s'il doit intervenir.

Soudain, Oxana écarquille les yeux.

— Là ! crie-t-elle en indiquant un point derrière lui.

Kael se retourne et jure entre ses dents. Quatre Charognards courent dans la direction des humains sur la place. Ces derniers, trop occupés à s'engueuler, ne les voient pas débouler sur eux.

— Reste là ! ordonne Kael en sautant par-dessus la petite barrière devant lui. Dégagez ! hurle-t-il à l'intention des humains et des BOA. Foutez le camp ! Des Charognards !

Ce dernier mot attire aussitôt leur attention. Ils se taisent et scrutent Kael comme si c'était lui, le démon prêt à les écorcher.

Arme au poing, Kael les rejoint en courant et se place devant le groupe. Il vise une première créature, tire et lui fait exploser la cervelle. Les trois autres dévient de leur trajectoire pour l'éviter et attaquer le groupe par le flanc, comme des loups qui s'en prendraient à un troupeau de moutons. De ce fait, ils s'approchent dangereusement d'Oxana.

L'adolescente se ratatine par instinct derrière la table au moment où les premiers cris retentissent sur la place. Bien que leur sang attire moins les Charognards, les BOA aussi peuvent être blessés s'ils se trouvent sur le chemin de l'une de ces créatures.

Un deuxième coup de feu retentit et un autre Charognard s'écroule sur les pavés. Mais de là où il est, Kael ne peut pas tirer sur les deux derniers sans risquer de tuer un humain ou un BOA.

Oxana se redresse légèrement pour mieux voir la scène. Ses yeux s'agrandissent de terreur. Les deux Charognards encore en vie se sont jetés sur l'un des humains venus secourir la petite fille quelques secondes plus tôt. Les autres courent en tous sens pour se mettre à l'abri, se fichant du pauvre gars qui se fait sauvagement vider de son sang. La vue de Kael s'en trouve dégagée. Le BOA vise et tire à deux reprises. Ses cibles étant presque immobiles, il fait mouche, et les deux Charognards s'effondrent lourdement.

Kael les repousse du pied, faisant rouler leurs carcasses repoussantes pour dégager l'homme en dessous. Oxana va à sa rencontre. Elle place une main devant sa bouche en voyant le cou en lambeaux de l'humain, dont le corps se convulse avant de s'immobiliser totalement.

Kael se passe une main dans les cheveux.

– Merde !

Il lève la tête vers Oxana et l'observe un moment en silence, l'air accablé.

– On ne peut pas rester ici. La police va débarquer.

Ils s'éloignent tous les deux du corps. Oxana éprouve de la culpabilité à laisser la dépouille de l'homme comme ça. Elle n'y restera toutefois pas longtemps. Il suffit de considérer la masse de curieux qui approchent lentement, certains le téléphone vissé à l'oreille. Déjà, une sirène retentit, au loin.

– Je n'arrive jamais à temps, lance Kael avec colère, les mâchoires serrées.

– Tu as limité les dégâts en tuant les quatre Charognards, lui rappelle Oxana tandis qu'ils descendent une ruelle qui débouche sur le fleuve, en contrebas. Tu ne dois pas te sentir mal.

Ils marchent jusqu'à la rambarde et s'y accoudent, contemplant les mouvements de l'eau verdâtre qui s'étend devant eux.

– Tu as une image très négative de la ville, regrette Kael. Pourtant, ça n'a pas toujours été comme ça. Je me rappelle, quand j'étais gamin, on trouvait du sang partout et à un prix abordable.

Oxana se dit qu'ils devraient peut-être rentrer au Nid, mais elle n'ose pas l'interrompre. Pour une fois qu'il se livre à elle...

– Les choses ont changé à la naissance de Victor. J'avais sept ans. Mes parents se sont retrouvés tous les deux au chômage presque en même temps, et ç'a commencé à aller de travers. Mon père a trouvé un boulot à la Brigade du Sang. Il n'a jamais été particulièrement affectueux, mais, à partir de là, il s'est mis à dérailler. Il n'y avait plus que la Brigade qui comptait. La Brigade et les BOA qui en faisaient partie. La première fois que ma mère lui a reproché de passer trop de nuits dehors, il l'a frappée. Victor hurlait dans sa chaise haute et j'ai cru qu'il allait aussi s'en prendre à lui. Je me suis interposé, naturellement, sans penser aux conséquences, et j'ai eu une côte fêlée. Ce n'était pas la première fois que mon père me frappait, mais la violence que j'ai lue dans son regard ce soir-là était nouvelle et terrifiante.

Troublée par ces confidences, Oxana pose une main sur l'avant-bras du BOA. Il tourne la tête vers elle, plisse le front, tend la main vers son visage et se ravise en grognant.

– Quoi ? lui demande-t-elle.

– Rien.

– Arrête de mentir et explique-moi.

Il se mord l'intérieur des joues, puis lance sans la regarder :

– Ton odeur... elle me met mal à l'aise.

– Pourquoi ?

– Nous manquons de sang au Nid, lui apprend-il. Je ne bois pas suffisamment, et ton sang... Je...

Il reporte ses yeux clairs sur le fleuve. Oxana pense alors à ce qu'Alex lui a dit, peu de temps après la loterie, sur le fait que des BOA pouvaient devenir accro au sang des Sacs à sang. Est-ce le cas de Kael ? Elle veut lui poser la question, mais il renifle et s'éloigne de la rambarde.

— Il commence à être tard. Rentrons, dit-il avec raideur avant de se remettre en marche.

Le retour au Nid se fait dans le silence. Après les révélations de Kael, Oxana réalise à quel point il a dû être difficile pour lui de dormir à ses côtés ces dernières semaines. Et dire qu'elle ne se doutait de rien... Que fera-t-elle, ce soir, quand elle ressentira le besoin de se coller de nouveau à lui ? Maintenant qu'elle sait qu'il est en manque, prendra-t-elle encore le risque ?

Voyons ! C'est Kael, un résistant, pas n'importe quel BOA ! S'il sent que la situation se complique, il agira, c'est certain.

Cette pensée la rassure tandis qu'ils entrent dans le Nid. Kael vérifie qu'ils n'ont pas été suivis avant de refermer la porte derrière eux. Pour le commun des mortels, ce petit bâtiment gris désaffecté ressemble à tous les autres dans le secteur, et personne ne doit y faire attention, mais la vigilance reste de mise. Si Claudius Wolfe et la Brigade du Sang venaient à apprendre l'existence du Nid, les membres de la résistance n'y seraient plus en sécurité.

À l'intérieur, Oxana frotte ses mains pour les réchauffer. Kael l'aide à se défaire de son manteau, qu'il suspend à un crochet, au mur. Il se penche ensuite sur elle pour enlever la sphère fixée à son diadème. Tout cela en silence, en évitant de la regarder.

Oxana regrette le Kael qui lui tendait un chocolat chaud, peu de temps auparavant. Maintenant qu'il s'est de nouveau replié sur lui-même, elle ne peut s'empêcher de chercher son regard, comme si ça pouvait l'aider à déchiffrer ce qui se passe dans sa tête. Elle l'observe tandis qu'il range l'objet sphérique dans sa poche, puis lui demande :

– Est-ce qu'on va s'entraîner ?

– Pas maintenant. J'ai une réunion avec Josef dans une demi-heure.

Oxana hoche la tête. Elle est sur le point de se détourner lorsqu'il lui attrape le bras.

– Si tu veux, tu peux venir me retrouver au gymnase dans deux heures. Je t'enseignerai un nouveau coup de pied.

– Avec les autres ?

– Eh bien, ça dépend, fait-il en se grattant la joue. Seule, tu progresseras sans doute plus vite.

C'est la première fois que Kael lui propose de l'entraîner seule, et Oxana ne sait pas trop quoi en penser. Au mystère de cette réponse se superpose toutefois l'intérêt d'en apprendre plus que les autres, et l'adolescente sourit.

Pour meubler l'attente, Oxana s'est de nouveau enfermée dans son placard à balais. Elle a inspecté ses bras avec inquiétude avant de chasser ses cicatrices de son esprit. Ce ne sont pas quelques marques sur sa peau qui doivent faire la différence. Elle devra toutefois cesser de se faire mal, parce que les autres vont finir par s'en rendre compte.

Alors, pour ne plus penser aux cendres d'Alex dans l'urne à côté d'elle ni à Besma, sa « collègue » de l'Amarante qu'elle a dû tuer de ses mains, ou encore au visage défiguré de Cléo, à la détresse dissimulée de Denys et à la folie de Kim, elle laisse son esprit serpenter de lui-même vers la seule personne solide de son entourage : Kael. Elle se surprend même à sourire en repensant à sa gêne, lorsqu'il lui a proposé de s'entraîner seule avec lui. Pourquoi a-t-il fait cela ? La vraie raison, pas celle qu'il lui a fournie, si toutefois il y en a une.

Le regard d'Oxana glisse jusqu'à l'urne de son frère. Elle dépose son ouvrage de couture sur ses cuisses et prend l'objet entre ses mains.

– Avais-tu vu clair dans mon jeu depuis le début ? demande-t-elle en sondant son reflet déformé sur la surface brillante. Savais-tu des choses que j'ignorais moi-même ?

Kael. Un BOA.

Sa chaleur apaisante. Son regard à la fois inquisiteur et protecteur. Les veines chargées de sang sous sa peau, comme autant de sillons de vie... Est-il normal qu'elle ait eu des papillons dans le ventre quand il lui a frôlé la main, un peu plus tôt ?

Elle soupire.

– Alex, si tu savais comme tu me manques. Je ne voulais pas de tes conseils quand tu étais là, mais je les prendrais bien, maintenant, parce que je ne sais plus du tout où j'en suis.

Elle serre l'objet contre son cœur d'une main et se ronge les ongles de l'autre, nerveuse.

Quand ses pensées se diluent enfin, Oxana constate qu'il est l'heure de retrouver Kael au gymnase. Elle dépose l'urne sur une étagère, place le meilleur élément qu'elle a confectionné dans la poche de son pantalon et ouvre la porte avec un peu plus d'enthousiasme que d'habitude. Parce qu'après l'entraînement, elle ira voir Denys. Elle a un cadeau pour lui. Et parce qu'elle va apprendre quelque chose de nouveau, quelque chose qui la rendra plus forte et la rapprochera davantage de son objectif. Et parce qu'elle va retrouver Kael, mais ça, elle préfère ne pas s'y attarder.

Le gymnase est silencieux quand elle y entre.

– Kael ?

Personne ne répond, et Oxana consulte une nouvelle fois la montre que lui a offerte Josef. Elle est à l'heure, mais la réunion a peut-être duré plus longtemps que prévu.

Soucieuse de prendre de l'avance, l'adolescente commence à courir pour s'échauffer. Elle en est à son troisième tour quand la porte s'ouvre... sur Denys. Oxana balaie sa déception d'une pichenette mentale.

– Qu'est-ce que tu fais là ? lui demande-t-elle en arrivant à la hauteur du garçon.

– Kael m'a dit que tu serais ici, l'informe Denys en ôtant son chandail.

Il lance le vêtement sur un banc et roule les épaules pour s'échauffer à son tour. Oxana réalise qu'elle est en train de le fixer. Ses paupières papillotent.

– Euh... d'accord, mais... Kael, il est où ?

– Il est parti avec Mélissa il y a une heure.

– Où ça ? l'interroge Oxana sur un ton qu'elle trouve un peu trop abrupt.

– Dans le métro.

Les épaules de l'adolescente s'affaissent. Il a choisi Mélissa pour y aller. Pourtant, il avait dit qu'il réfléchirait à la possibilité de l'emmener avec lui... Eh bien, il n'a pas tergiversé longtemps, apparemment !

— Oxana, ça va ? T'es bizarre.

— Ouais, c'est bon, lance-t-elle en marchant vers la sortie.

— Tu ne t'entraînes pas ?

— Plus tard ! Je... je ne me sens pas bien, là...

Elle s'arrête brusquement, porte une main à la poche de son pantalon et revient sur ses pas.

— Tiens, j'ai fait ça pour Cléo, dit-elle en posant le morceau de cuir entre les mains du garçon. Je crois que tu dois aller le lui offrir toi-même. Ça peut aider...

Denys contemple l'objet avec des yeux ronds.

— C'est toi qui as fait ça ?

— C'est deux fois rien.

— Merci, c'est... incroyable.

— Tu me remercieras si ça plaît à Cléo, rétorque-t-elle avant de sortir.

Une larme de rage roule sur sa joue tandis qu'elle arpente les couloirs du Nid au hasard.

Au bout d'un moment, elle réalise que chaque section du bâtiment la conduit inévitablement vers la douleur, la tristesse et l'amertume. Tout ici n'est que désillusion et désespoir. Une main sur le cœur, elle voit les murs se tordre et se rapprocher comme dans un cauchemar. Le souffle court, elle s'arrête et ferme les yeux avec force pour ne plus avoir à affronter cette vision angoissante.

Elle songe à retourner dans son placard et se ravise. Elle a besoin d'air ! Et elle se met à courir.

Elle pousse la porte du Nid et sort dans l'air froid en inspirant bruyamment, le visage tourné vers le ciel gris, une tuque et un manteau sous le bras. Ses larmes semblent ne pas vouloir se tarir. Elle se sent trahie. Kael ne l'a pas prévenue qu'il partait et elle s'est rendue au gymnase pour rien. Pire, il a choisi Mélissa pour l'accompagner en mission, parce qu'il a plus confiance en elle et parce qu'elle est bien meilleure qu'Oxana. Bien plus jolie aussi.

– Non, arrête ! se sermonne-t-elle en frappant son front du plat de sa main. Stop ! Stop ! Stop !

Elle lève les yeux et voit la moto de Kael stationnée dans la cour. Ça lui rappelle sa première escapade en ville. Le sentiment de liberté qui l'avait envahie à ce moment-là a disparu. Elle se sent prisonnière désormais. Du Nid, de la solitude, de la colère. Tout ce qu'elle souhaite, c'est qu'on lui fasse confiance, mais c'est visiblement trop demander.

Furibonde, elle enfonce sa tuque sur sa tête et enfile le manteau. Puis elle ouvre la grande barrière métallique et sort dans la ruelle. C'est une pure folie, mais elle rêve de croiser un Charognard. Elle veut frapper, hurler et se défouler.

Son couteau bien en place dans sa ceinture, à l'arrière, elle vérifie qu'elle peut le dégainer rapidement. Un coup d'œil de chaque côté lui indique que la ruelle est déserte. Selon ce que lui dicte son instinct, le fleuve doit être à gauche.

Son sens de l'orientation l'épate, car elle se retrouve devant les eaux calmes sans tourner en rond. De gros morceaux de glace flottent encore à la surface du fleuve. Les températures sont peut-être plus clémentes que durant la loterie, mais l'eau doit être glacée. Elle hume les embruns marécageux qui s'en dégagent pour se calmer... ce qui ne fonctionne évidemment pas !

Un vent léger glisse sur son visage et la somme d'apprécier le silence. Ce n'est pas le même que celui de son placard. Celui-ci est plus naturel, moins oppressant. Là, tout de suite, et si elle se concentre bien, elle pourrait presque croire qu'elle est normale. Une humaine parmi les BOA, libre de se déplacer à sa guise, de travailler, d'avoir une famille...

Un navire gigantesque passe sous un pont, un peu plus loin. Sa coque est large et basse, et sur son pont long d'au moins cent mètres sont alignés un nombre incalculable de conteneurs, sur deux rangées. Oxana plisse les yeux. Le logo gravé sur la surface rouge des premiers conteneurs lui saute en pleine figure. Un C majuscule, presque totalement fermé, comme une prison, l'antre du sang et de la mort. La Cellier inc.

La méditation est terminée. Retour à la réalité.

Oxana frémit et s'éloigne légèrement de la rambarde. Par instinct. Les hommes qui s'agitent sur le porte-conteneurs ne risquent pas de la reconnaître et se fichent très certainement de la présence d'une humaine sur le quai. Non, c'est la vue des immenses boîtes métalliques qui révulse l'immortelle. À l'intérieur, ça ne fait aucun doute, sont entassées des milliers de pochettes de sang. Ça la renvoie au Cellier, à ces hommes, à ces femmes et à ces enfants qui vivent sous la cruelle volonté de Claudius Wolfe. Ça lui rappelle qu'ils ne savent toujours pas ce qu'il est advenu d'Elza et des autres. La petite fille dans la cage de Denys est-elle toujours vivante ? Et le garçon qui partageait sa chambre avec Alex, que lui est-il arrivé après la loterie ? Est-ce que le fait d'avoir échappé à leurs propriétaires et à la Brigade du Sang fait des six immortels des meurtriers ? À cause de cela, ceux dont ils étaient proches ont peut-être trouvé la mort.

Cette pensée fait remonter la colère en elle. Ses poings se contractent et...

– T'es perdue ?

Oxana sursaute et se tourne vivement vers la voix derrière elle. Un humain un peu plus jeune qu'elle l'observe avec un sourire. Il rajuste son pantalon trop grand dans un geste nerveux et se passe un pouce sous le nez en reniflant.

– L'air est frais près du fleuve, ajoute-t-il en faisant un pas vers elle.

– Ça va, j'ai connu pire.

– Et tu viens d'où ?

– Ça ne te regarde pas.

Le garçon se met à rire.

– D'accord, je vois, t'es pas du genre bavarde, c'est ça ?

Oxana ne répond pas.

– Tu fais quoi dans le coin ?

– Je voulais passer un moment seule.

– T'as mal choisi ton secteur.

L'adolescente inspecte les environs.

– Il n'y a personne, remarque-t-elle avec mauvaise humeur.

– Ça, c'est ce que tu vois. Les apparences sont trompeuses.

Le garçon la détaille de haut en bas.

– T'es pas mal appétissante. Si l'un d'entre eux te voit, t'es foutue, tu le sais ?

– De qui tu parles ?

Il fronce les sourcils.

– Tout le monde les connaît, surtout par ici.

– OK... disons je ne suis pas d'ici. De qui tu parles ?

– Des Cueilleurs.

L'expression d'Oxana trahit sa confusion, ce qui fait se marrer l'adolescent.

– Merde, t'es une extraterrestre, ma parole !

Son rire se répercute sur le mur rocheux derrière lui. Oxana se demande s'il a pris de la drogue, parce qu'il n'arrête pas de renifler. Son regard est fuyant, ses mouvements, très saccadés. Elle a déjà vu des Sacs à sang, dans le Cellier, se confectionner de la drogue avec des plantes et des champignons, et ils avaient une attitude un peu similaire à celle du garçon, les hallucinations en prime.

— Les Cueilleurs, ce sont les recruteurs de la Brigade du Sang.

— Ils recrutent qui ?

Nouvel éclat de rire de la part de son interlocuteur. Agacée, Oxana serre les poings. Ce gars est non seulement louche, mais s'il a pris de la drogue, il risque de réagir de façon imprévisible.

— Tu sais, le marché noir..., explique le garçon en la regardant comme si elle était attardée.

Il agite soudainement un canif devant lui. Oxana se crispe. D'où il sort ça ?

— Bref, reprend-il, les Cueilleurs sélectionnent les Sacs à sang capables de leur rapporter un max d'argent, tu comprends ? En échange, ils les logent et les nourrissent. C'est le *deal*. Sauf que, depuis quelque temps, les BOA sont plus agressifs, à cause de la pénurie de sang. Du coup, les Sacs à sang sont plus méfiants.

Ses yeux bruns s'ancrent à ceux d'Oxana. Son visage recouvre tout son sérieux.

— Avec cette crise de popularité, les Cueilleurs prennent tout ce qu'ils trouvent. Et quand on les aide, ils améliorent un peu nos conditions de vie, tu vois le genre ?

Il fait un nouveau pas en avant, la courte lame de son canif tendue devant lui.

— Tu vas me dénoncer à eux, c'est ça ?

Le garçon fait mine d'hésiter.

— Dénoncer n'est pas le meilleur mot. J'utiliserais plutôt livrer. Ouais, je vais te livrer à eux.

Il sourit, et le sang d'Oxana ne fait qu'un tour.

Elle lève une jambe et le repousse violemment du talon. Ce n'est certes pas le coup de pied du siècle, mais c'est suffisant pour déstabiliser l'adolescent, qui ne s'attendait pas à une résistance.

Oxana hésite à se servir de son couteau. Est-elle prête à tuer un être humain ? Consciente que ses habiletés au combat sont encore loin d'être au point, l'immortelle décide de laisser son couteau en place et d'adopter une autre stratégie. Profitant de la mince brèche créée, elle se lance sur son terrain de prédilection : la course. Elle contourne le garçon et se met à détaler en direction de la ruelle par laquelle elle est arrivée un peu plus tôt. Malheureusement, deux autres humains lui font rapidement face.

Pas le temps de s'attarder sur leur aspect douteux.

Oxana fait demi-tour et se met à courir le long du fleuve. La voie semble dégagée. Derrière elle, les trois garçons ne parviennent pas à la talonner, et l'adolescente se sent reconnaissante de toutes ces années passées à cavaler dans le Cellier.

Elle s'arrête subitement, considérant avec accablement le mur qui se dresse devant elle. Plus qu'un mur, il s'agit de cinq conteneurs posés les uns sur les autres et bloquant complètement le passage.

– Merde !

Ses trois poursuivants gagnent du terrain. Comme elle ne peut pas contourner les conteneurs à cause du fleuve, elle se met à les escalader. Son agilité l'aide beaucoup. Visiblement drogués, ses agresseurs ont de la difficulté à la suivre, et Oxana arrive au sommet alors qu'ils amorcent à peine leur montée. Là, elle comprend que les conteneurs sont posés les uns à côté des autres sur au moins cent mètres.

Elle court sur ces énormes boîtes métalliques qui doivent s'élever à environ dix mètres de hauteur. Leur nombre est impressionnant. On dirait un cimetière à conteneurs. Ils sont peut-être les témoins rouillés d'un temps révolu. Une époque d'avant les BOA, les Celliers et les Cueilleurs.

Elle en est à ces réflexions lorsqu'elle parvient au bout de la montagne corrodée. Les autres ont réussi à atteindre le sommet de peine et de misère, et elle n'a d'autre choix que de redescendre pour reprendre sa course de l'autre côté. Pas de répit ! Elle commence à se fatiguer. C'est comme lors des dernières séances d'entraînement, elle manque de souffle et la tête lui tourne. Le stress des derniers mois se fait sentir.

Ne prenant pas le temps de s'attarder sur la question, elle entame sa descente avec précaution. L'adrénaline dans son corps rend toutefois ses gestes plus nerveux. Soudain, une poignée rongée par la rouille cède sous son poids et son corps bascule dans le vide alors qu'elle n'est qu'à la moitié du chemin. L'air est violemment expulsé de ses poumons quand son dos frappe le sol, des points noirs se mettent à danser devant ses yeux.

Il lui faut quelques secondes pour reprendre ses esprits.

Trois têtes apparaissent au-dessus d'elle, tout en haut des conteneurs.

– Elle est là !

Oxana grogne de découragement et se relève. Rien de cassé, c'est déjà ça.

Elle se retourne pour reprendre sa course, puis s'immobilise. La terreur glace tout le sang qu'elle a dans les veines.

À seulement une dizaine de mètres devant elle, lui barrant la route, trois Charognards se sont rendu compte de sa présence. Dissimulés par un autre conteneur, ils n'étaient pas visibles d'en haut.

Oxana dégaine lentement son arme. En quittant le Nid, elle voulait massacrer du Charognard. Elle est servie ! Pourtant, elle n'est plus aussi sûre d'elle. Pourquoi faut-il qu'elle s'accroche ainsi à la vie ? Il suffirait qu'elle les laisse fondre sur elle et tout serait fini. Ça impliquerait qu'ils enfoncent leurs dents sales dans sa peau, qu'elle entende les bruits de succion de leurs bouches, qu'elle accepte de mourir comme ça...

Oxana fait face aux trois créatures qui avancent dans sa direction. Elles sont répugnantes.

Elle lève la tête vers ses poursuivants, eux aussi figés mais bel et bien à l'abri. L'un d'eux lui envoie la main. Ils ne lui viendront pas en aide, elle ne doit pas compter là-dessus. Pire, la scène semble beaucoup les amuser.

– OK, dit-elle tout bas, c'est parti...

C'est le moment de voir si les leçons de Kael portent leurs fruits.

Sans attendre que les Charognards entament le combat, Oxana bondit sur la gauche, lève le bras et abat le poing vers la créature la plus proche. Manqué ! Trop présomptueuse, elle n'a pas considéré le fait qu'il s'agit de cibles mouvantes, et le Charognard, étonné de sa manœuvre, a pivoté sur lui-même, reculant un peu par la même occasion.

– Si c'est comme ça que tu te bats, tu ne vas pas faire long feu ! lance l'un des garçons depuis le sommet du conteneur.

Ses amis se mettent à rire, mais Oxana a d'autres chats à fouetter.

Ce sont deux Charognards qui lui font face simultanément, cachant la silhouette de leur camarade derrière eux. Et, cette fois, ils n'attendent pas qu'elle attaque la première, se ruant sur elle avec toute l'énergie de leur féroce appétit.

Persuadée qu'elle ne pourra pas s'en sortir, l'adolescente recule et se laisse tomber sur les fesses en hurlant au moment où ils se jettent à son cou. Le premier Charognard se cogne au conteneur au-dessus d'elle, titube sous le choc et empêche son copain d'atteindre Oxana.

Ne croyant tout d'abord pas à sa chance, l'immortelle reprend ses esprits et balaye l'espace devant elle avec sa jambe, fauchant celles des deux buveurs de sang qui s'effondrent grotesquement.

Furieuses, les deux créatures se chamaillent avec férocité sans parvenir à se dégager rapidement. Oxana, qui s'est mise à genoux, en profite pour planter la lame de son couteau dans le front du Charognard le plus proche. L'autre se met aussitôt à vociférer dans sa direction, sa gueule béante à quelques centimètres seulement de sa main, ses dents claquant dans tous les sens. Surprise, la jeune fille a un mouvement de recul, ce qui la sauve une seconde fois !

Le dernier buveur de sang ne reste pas en retrait plus longtemps. Il se jette en avant, percute du pied le corps de ses deux congénères et s'écroule lui aussi.

Il faut quelques secondes à Oxana pour y croire : les trois Charognards sont affalés les uns sur les autres, deux d'entre eux s'agitant pour tenter de se remettre debout. Le troisième, heureusement, semble avoir rendu l'âme. Ces créatures sont aussi immondes que stupides !

Comptant en finir une bonne fois pour toutes, l'immortelle tend le bras et perfore le front du Charognard tout en haut de la pile avec son couteau. Elle s'apprête à achever la dernière créature lorsqu'elle est tirée sauvagement en arrière.

Croyant tout d'abord qu'il s'agit d'un quatrième Charognard, elle pousse un cri horrifié et se débat furieusement. C'est en voyant l'un de ses trois poursuivants achever le dernier Charognard qu'elle comprend qu'elle s'est fait avoir.

– Lâchez-moi !

– Après ce qu'on vient de voir, se marre le garçon avec lequel elle a discuté plus tôt, tu seras parfaite pour une arène ! Le public adorera ta manière singulière de mettre trois Charognards hors d'état de nuire.

Il se place devant elle et plante ses poings sur ses hanches, un immense sourire aux lèvres. Celui qui retient Oxana par la taille ricane à l'oreille de l'adolescente. Elle fusille son vis-à-vis du regard, et celui-ci s'apprête à dire quelque chose quand ses yeux se posent sur la main d'Oxana. Il réalise qu'elle a encore son couteau. Son sourire disparaît. Il crie pour prévenir son complice, mais c'est trop tard. Oxana frappe au hasard derrière elle, sent la lame s'enfoncer dans quelque chose et se réjouit du beuglement qui suit. Les doigts qui la tenaient prisonnière la lâchent. Elle saute en avant, frappe l'autre adolescent en espérant effacer la suffisance sur ses traits, le rate et titube jusqu'à la rambarde.

– C'est pas des conneries, les gars ! entend-elle hurler. Il nous la faut vivante !

La suite est confuse. La hanche d'Oxana frappe la rambarde rouillée, qui cède dans un couinement strident. Elle agite les bras en avant, s'accroche à la main que lui tend l'un des jeunes hommes et l'emporte avec elle dans sa chute.

Frapper le sol, un peu plus tôt, était une partie de plaisir. Lorsque son corps entre en contact avec l'eau glacée, sa respiration est brusquement coupée. Des milliers de lames minuscules se plantent dans sa peau. Elle ne trouve plus son oxygène.

C'est terriblement douloureux. Et très rapide.

En seulement quelques secondes, Oxana perd connaissance.

La douleur dans son cou, Oxana ne la connaît que trop bien.

Elle grogne, remue et finit par ouvrir les yeux. Le BOA qui buvait son sang, ses canines artificielles plantées dans le cou d'Oxana, sursaute et recule sur les fesses, les yeux exorbités.

– Tu... T'étais morte...

L'adolescente se redresse sur les coudes. Elle porte une main à son cou, voit le sang qui coule sur ses doigts et lance un regard assassin au BOA.

– Je te jure, lui assure-t-il. Tu n'avais plus de pouls, j'ai vérifié.

La pointe du couteau d'Oxana lui pique les fesses. Elle remercie sa chance de ne pas l'avoir perdu dans le fleuve. Trempée de la tête aux pieds, elle frissonne et rabat ses jambes contre son torse.

– Ç'aurait changé quoi, de toute façon, si j'avais été vivante ?

Ses muscles sont endoloris, comme si elle avait couru pendant des heures sans s'arrêter.

– Je ne bois pas directement sur les humains, se justifie le BOA. Du moins... pas quand ils sont vivants.

Oxana l'observe du coin de l'œil. Son accoutrement est plutôt misérable, ses cheveux, longs et sales, ses ongles, noirs. Difficile de lui donner un âge.

– Tu vis dans la rue ? Comme ces gens qui mendient du sang sur le trottoir ?

Il fait oui de la tête.

Le hangar dans lequel ils se trouvent est calme. La machinerie poussiéreuse autour d'eux n'a pas servi depuis un bon moment, apparemment. Le BOA la regarde avec incrédulité. Il n'a pas l'air dangereux, à première vue. Sauf qu'il était bel et bien en train de lui pomper le sang une minute plus tôt.

Si ce qu'il dit est vrai, Oxana est revenue à la vie. Grâce à son immortalité, pas aussi défaillante qu'elle l'aurait cru. C'est à n'y rien comprendre...

– C'est ici que je dors, lui révèle le BOA. Attends, je vais te trouver quelque chose pour t'essuyer.

Il fait le tour du hangar et revient avec un immense chiffon. Oxana l'accepte en plissant le nez. Le tissu pue. Des taches de graisse le maculent.

– Ça va aller, grogne-t-elle en se levant.

Ses vêtements mouillés collent à sa peau. Elle laisse le chiffon retomber à ses pieds et se rend jusqu'à l'une des fenêtres crasseuses qui donnent sur l'extérieur. Le fleuve est tout proche, de l'autre côté du quai.

– Je t'ai vue plonger dans l'eau.

– Je n'ai pas plongé, je suis tombée. J'ai été attaquée par des Charognards et des...

– Des Charognards ? la coupe-t-il, l'air inquiet. Il y en a un peu partout dans la ville depuis un moment. Ils compliquent notre existence déjà difficile.

Oxana acquiesce distraitement, n'ayant pas très envie de raconter sa vie.

– Il y a un lavabo ? lui demande-t-elle.

– Dans la pièce, là-bas. Fais comme chez toi. Mais avant, j'aimerais encore m'excuser. J'ai dû mal tâter ton pouls, je croyais vraiment que tu étais morte.

– C'est pas grave, dit-elle en haussant les épaules.

– C'est moche, quand même. Les Celliers devaient permettre d'arrêter ça, je ne comprends pas ce qui se passe depuis quelque temps. La pénurie de sang, l'inflation, les Charognards... Les choses changent, mais pas pour le mieux.

Oxana repense aux rumeurs qui circulent à propos des Celliers. Produire des humains immortels pour leur pomper le sang à volonté, ça réglerait bien des problèmes de rendement.

– Il y a autre chose que j'aimerais te dire, poursuit le BOA en suivant Oxana jusqu'à la minuscule salle de bain, à l'arrière.

– Quoi ?

– Ton sang, il est spécial.

La main sur le robinet, elle fait pivoter sa tête vers le BOA.

– Comment ça ?

– J'ai l'habitude d'en boire de toute sorte. Du bon et du moins bon. Parfois, je n'ai pas le choix, je prends ce qui vient, et j'aime pas forcément quand il est mélangé à d'autres substances, comme la drogue ou la pisse. Ça le dénature et ça me tourne la tête. Ben tu vois, ton sang, il me fait le même effet, mais différemment. Je n'en ai pris que quelques gouttes. Il en faut plus, généralement, pour me faire ça.

– Comme si j'étais droguée ?

– Dans le genre, mais pas tout à fait. La drogue, elle me donne l'impression de perdre le contrôle. Ton sang à toi, il me fait du bien...

Il tapote sa tempe de l'index.

– ... là, dans ma tête.

– J'ignore pourquoi ça te fait ça, avoue Oxana en lavant son cou à l'eau froide.

Le petit miroir brisé au-dessus du lavabo lui apprend non seulement qu'elle a perdu sa tuque, mais qu'elle a en plus une mine affligeante et... Bordel ! Elle réalise qu'en sortant du Nid, elle a oublié un détail : son diadème ! Personne n'a eu le temps d'y ajouter la demi-sphère qui crypte les données de sa localisation, puisqu'elle est partie comme une voleuse. La colère est vraiment une saloperie ! Quand elle s'empare d'Oxana, elle l'empêche de raisonner. Maintenant qu'elle a les idées plus claires, l'immortelle est certaine d'une chose : si Josef apprend qu'elle est sortie comme ça, sans protection, il lui passera un savon dont elle se souviendra longtemps. Il n'y a plus qu'à espérer que Wolfe ne soit pas à sa recherche...

– Au fait, je m'appelle Brice, se présente le BOA.

– Oxana.

– Je n'ai pas grand-chose à moi, mais, si tu veux, tu peux prendre le chandail accroché à la porte.

Il lui sourit et retourne dans le hangar, la laissant seule.

Oxana regarde le chandail en question. Il a l'air plutôt propre. Dix fois trop grand, mais ce n'est pas grave, elle aura plus chaud, au moins, avec ça.

Elle enlève son manteau et son propre chandail trempé, puis demeure un instant immobile. Ce vêtement, c'est peut-être tout ce que Brice possède. Elle le prend dans ses mains, tâte la laine et hausse les épaules. C'est juste un emprunt. Elle trouvera un moyen de le lui rendre très rapidement.

En tout cas, elle ne doit pas traîner là. Traverser une partie de la ville sans son bonnet, cependant, n'est pas une bonne idée. Peut-être que Brice aurait quelque chose à lui prêter pour cacher son diadème. Elle a l'impression d'abuser de son hospitalité, mais a-t-elle seulement le choix ?

Elle retourne dans le hangar et trouve le BOA devant l'une des fenêtres.

– Dis, tu n'aurais pas...

Brice se tourne vers elle et place un index sur ses lèvres pour lui intimer de se taire. Puis il lui fait signe de le rejoindre.

– Est-ce que des gens te cherchent ? lui demande-t-il tout bas.

Il lui indique un point près du fleuve. Oxana jure entre ses dents. Deux des trois adolescents qui l'ont pourchassée plus tôt inspectent les quais et se rapprochent dangereusement. Le troisième doit être mort. Elle-même ne serait plus de ce monde si elle n'avait pas été immortelle.

– Ce sont les gars qui me poursuivaient avant que je me retrouve face à face avec des Charognards, soupire-t-elle. Ils bossent pour un Cueilleur.

– T'as des journées intéressantes, toi.

Elle le gratifie d'un sourire crispé.

– Je ne savais pas que tu avais ces gens à tes trousses. Je n'ai peut-être pas été assez discret quand je t'ai sortie de l'eau.

Il désigne une longue perche au bout crocheté, posée contre un mur.

– C'est avec ça que tu m'as sauvée ?

– Sans ça, tu aurais continué à dériver lentement jusqu'à je ne sais où. Tu vois le pont, sur la droite ?

– Oui.

– Ton corps a été ralenti par l'un de ses piliers, ça m'a donné le temps de te repêcher. T'es chanceuse. Sans moi et sans ce crochet, tu serais sans doute encore dans l'eau, à l'heure qu'il est.

– Et maintenant, on fait quoi ?

– On sort par l'arrière. S'ils m'ont vu te sortir du fleuve, ils doivent se douter qu'on n'est pas loin. Allez, suis-moi.

Brice pousse une porte rouillée dont les gonds font un bruit d'enfer, et ils débouchent à l'extérieur.

Oxana soupire. Encore des conteneurs. Des dizaines, alignés pour former un mur. Heureusement, Brice semble savoir dans quelle direction aller. Il franchit une brèche et s'engouffre dans une allée artificielle, plongeant au cœur d'un nouveau cimetière de boîtes métalliques.

– On va regagner la ville par là, dit-il.

Oxana ne peut que lui faire confiance. Ce qui l'inquiète, toutefois, c'est de se retrouver nez à nez avec une horde de Charognards. Dans ce dédale, ce serait la mort assurée !

Les minutes qui suivent sont encourageantes. Ils ne croisent personne jusqu'à la sortie du labyrinthe. En plus, ils semblent s'être éloignés du fleuve, et donc des deux adolescents. Oxana en profite pour poser quelques questions à son ange gardien improvisé.

– Qu'est-ce que tu sais à propos de ces humains qui vendent leur sang sur le marché noir ?

– Ils sont généralement recrutés parmi la population la plus pauvre de Liberté, répond-il sans s'arrêter de marcher. Parfois, ce sont même leurs parents qui les vendent. Je ne dis pas que c'est fréquent, ajoute-t-il devant l'air indigné d'Oxana, mais ça arrive. De toute façon, les gamins qui se font kidnapper n'ont aucune chance de retrouver leur vie d'avant. La Brigade du Sang est trop puissante, les gens ont peur de réclamer leur progéniture. Ils craignent les représailles.

– La Brigade du Sang ?

– À ton avis, quelle organisation serait assez puissante pour agir ainsi en toute impunité ?

– Ouais, je vois..., grommelle Oxana. Comme si les Celliers n'étaient pas suffisants, il faut en plus qu'ils s'en prennent aux Sacs à sang de la ville.

– Les Celliers garantissent un minimum d'hygiène et de sécurité, rétorque Brice. La vie n'y est pas toujours rose, mais elle n'est certainement pas pire qu'ici.

Oxana s'arrête et il en fait autant.

– Tu as l'air de bien connaître les Celliers...

– Je bossais pour la Cellier inc., avoue Brice. J'étais gardien. J'ai fait ça pendant dix ans, et puis j'ai été viré.

– Pourquoi ?

– Bah, ce n'est pas très intéressant.

– Dis toujours.

Il la dévisage longuement avant de soupirer.

– J'ai aidé une humaine à s'évader.

– Quoi ?! Mais... son diadème, comment as-tu fait ?

– J'ai piraté le système.

Devant l'air ahuri d'Oxana, Brice éclate de rire.

– Si tu voyais ta tête ! Tu as vécu dans un Cellier, c'est ça ?

Elle porte instinctivement une main à son diadème.

– J'ai l'impression que c'était dans une autre vie...

– Je ne t'ai pas reconnue tout de suite, sans le maquillage et tout. Mais t'es bien de l'un des six lots qui ont été gagnés en début d'année ? Ça expliquerait pourquoi je te croyais morte. En fait, tu l'étais vraiment...

Lasse d'entendre de nouveau cette rengaine, elle détourne la tête. Elle n'a pas envie de repenser à tout cela, parce que ça fait rejaillir des images déplaisantes. Brice semble réaliser son malaise, car il se remet à marcher sans ajouter un mot.

Quand ils gagnent l'une des grandes artères bondées du centre-ville, Oxana sent ses muscles se relâcher. Brice défait le bandana qu'il porte autour du poignet et le lui tend.

— Mets ça autour de ton front, ça cachera ton diadème.

Bien que le morceau de tissu ait traîné elle ne sait où, Oxana ne se fait pas prier.

— Tu as une idée de la direction que tu dois prendre ? l'interroge le BOA.

— Franchement, non.

— Donne-moi un nom de rue ou un bâtiment, pour que je t'indique la route.

— Je me souviens d'avoir vu une entrée de métro, pas loin de là où je vis.

— Il y avait quoi d'écrit dessus ?

— Je ne sais pas lire, marmonne Oxana en détournant les yeux.

— Faut pas en avoir honte.

— Ouais...

— Tu te souviens d'un détail, au moins ?

Elle réfléchit.

– Un bâtiment. Plutôt gros, en béton, mais avec une partie en verre. Plusieurs morceaux étaient cassés. Ce qui m'a frappée, c'est que certaines vitres étaient vertes.

– Je vois où c'est.

– C'est loin ?

– Non, quinze minutes environ. Tu continues sur cette artère jusqu'à...

Il se tait subitement.

– Jusqu'à quoi ? fait Oxana.

– Dis-moi, ton diadème, il est bien désactivé ?

– Pourquoi tu me demandes ça ?

Brice désigne un point derrière elle. Oxana se retourne et grimace en voyant les deux adolescents du fleuve marcher dans leur direction. Ils ne semblent toutefois pas les avoir repérés.

– J'ai perdu la demi-sphère qui allait sur mon boîtier, ment-elle pour ne pas avoir à se justifier.

– Le GPS est toujours actif, c'est ça ?

– Oui.

– Ça veut dire qu'ils savent qui tu es, sinon ils ne prendraient pas la peine de te pister. Ils ont dû contacter leur Cueilleur après ta rencontre. Un spécimen comme toi...

– ... ça vaut son pesant d'or, ouais, je sais.

– Jeune fille, je ne plaisante pas, la prévient le BOA. Tes copains et toi, vous êtes recherchés par la Brigade du Sang, c'est sérieux. Ils passent vos photos à la télévision. Ce sont celles de la loterie, elles sont loin d'être naturelles avec les retouches et le maquillage, mais ça n'empêchera pas certaines personnes de te reconnaître.

Une chape de plomb écrase les épaules d'Oxana. Pourquoi Kael et Josef ne lui ont-ils rien dit ? Pour la protéger, encore et toujours. Eh bien, c'est gagné ! Elle n'aurait jamais pris le risque de sortir seule si elle avait su. C'est sans doute pour cette raison que Kael lui a demandé d'enfoncer son bonnet jusqu'aux sourcils, lors de leur dernière escapade...

Elle regarde les deux adolescents fendre la foule dans leur direction. Brice lui saisit le bras et la tire vers l'arrière.

– Où tu m'emmènes ?

– Il te faut un annihilateur. Ça brouillera les ondes de ta puce GPS pendant quelque temps, lui explique le BOA.

– Tu sais où en trouver ?

– J'ai ma petite idée, oui.

Le soleil disparaît rapidement derrière la cime des immeubles de la ville et les ombres s'allongent. Oxana n'a pas envie d'être dehors quand la nuit se sera installée. Ses récentes expériences avec les Charognards lui disent qu'il vaut mieux se trouver à l'abri lorsqu'il sera difficile d'y voir à deux mètres.

Dans ce qui semble être les bas-fonds de Liberté, Brice pousse la porte bancale d'un immeuble abandonné.

Pourtant, l'artère principale n'est pas si loin. Le contraste est flagrant.

Ils grimpent les deux premiers étages et entrent dans un appartement envahi par la poussière et les toiles d'araignées. La vaisselle sale, dans l'évier, témoigne pourtant d'une présence récente, tout comme le lit de camp et la couverture qui le recouvre.

– Faut avoir plusieurs planques dans cette ville, si on veut survivre, dit Brice avant de disparaître dans une autre pièce. Ici, c'est le grand luxe, ajoute-t-il de l'autre côté du mur. C'est mon chez-moi.

Il revient avec une boîte en métal. Le couvercle rabattu, il en vide le contenu sur la table, dévoilant une paire de canines en bois, un porte-clés sans clés, des pansements et tout un tas d'objets. Une demi-sphère tourbillonne dans le lot. Brice s'en empare vivement.

– J'espère qu'il fonctionne encore.

– Où l'as-tu trouvé ?

– Ça vient du Cellier pour lequel je bossais. Je le gardais en souvenir.

Il inspecte l'annihilateur, s'approche d'Oxana et place la demi-sphère sur son boîtier. L'adolescente n'ose pas demander si c'est l'objet qu'il a utilisé pour délivrer l'esclave du Cellier.

– Elle ne colle plus, déplore-t-il avec agacement.

Oxana s'empare d'un pansement adhésif.

– Essaye avec ça.

Cette fois, ça tient. Ça ne doit pas être très esthétique, mais Oxana s'en fout. Brice se rend jusqu'à la fenêtre brisée, y jette un coup d'œil et tire le rideau opaque pour cacher la lumière déclinante. Il se frotte les yeux.

— Ça prend généralement entre vingt et quarante minutes pour franchir la barrière d'un annihilateur de ce type. Il en existe des plus puissants, mais je ne sais pas où en trouver.

— Dans ce cas, je pars tout de suite, dit-elle à contrecœur.

— Pas seule.

— Hors de question que tu prennes encore des risques pour moi, tu en as déjà fait beaucoup.

— Ce n'est pas comme si j'avais dix mille choses à faire. J'ai vu que tu es armée.

— Un couteau, c'est tout.

— Tu sais t'en servir ?

— J'ai appris, oui.

— Bien. Suis-moi.

Ils ont à peine redescendu l'escalier qui mène au rez-de-chaussée que des aboiements les surprennent.

— Des chiens ? s'inquiète Oxana.

— Ceux qui te poursuivent sont tenaces, grogne Brice en lui prenant la main pour l'entraîner dans la ruelle, maintenant plongée dans les ténèbres.

– Wolfe n'aime pas qu'on s'oppose à lui.

– Sans blague ! Moi, je peux semer des humains et des BOA, mais des chiens, c'est une autre histoire. Ça ne va pas être facile, heureusement que je connais bien la ville.

Il lui sourit brièvement et s'engage en courant dans la direction opposée aux aboiements. Oxana le suit sans protester.

Les rues sont désertes. La nuit semble avoir balayé toute vie dans ce secteur de la ville. N'eût été quelques têtes qui osent un regard curieux par les fenêtres souvent brisées des bâtiments, Oxana pourrait penser qu'ils sont bel et bien seuls.

Les chiens les rattrapent. Leurs aboiements résonnent contre les façades des bâtiments.

– Par là ! indique le BOA en s'engouffrant dans une ruelle si sombre qu'Oxana lui rentre dedans lorsqu'il s'arrête sans crier gare.

– Pourquoi tu t'arrêtes ?

– Chut... Dégaine ton couteau, chuchote-t-il. On doit se débarrasser des chiens.

Oxana s'exécute avec appréhension. Est-elle prête pour ce combat ? La dernière fois qu'elle a dû affronter des chiens, c'était dans une cage, et Alex y a laissé la vie.

Le premier chien ralentit devant la ruelle. À bien regarder, Oxana réalise qu'il s'agit d'une impasse. Ce qu'elle a pris pour de l'obscurité opaque, derrière elle, n'est autre qu'un mur qui fait deux fois sa taille.

Un deuxième chien rejoint le premier. Un éclat de lune, vif et éphémère, fait reluire les yeux sombres et le pelage épais des deux bêtes. Aucun signe de contamination. Ces chiens ne portent pas le virus. Ce qui ne les rend pas moins menaçants. Ils se mettent à grogner. Qu'est-ce qu'ils attendent pour attaquer ?

— Ils ont été dressés pour pister, pas pour tuer. C'est à nous d'attaquer, ajoute Brice en s'approchant des chiens.

Tout d'abord surprise, l'adolescente se ressaisit, rassemble son courage et marche derrière lui. Une fois à la hauteur des bêtes, elle remarque les colliers qui entourent leur cou. Une minuscule lumière rouge y clignote. Des balises ! Brice a déjà levé son couteau vers l'un des chiens. Celui-ci saute sur le côté en jappant pour éviter le coup. Puis il se repositionne correctement, la gorge haute et le corps bien droit.

— Les colliers, souffle Oxana, on doit les leur enlever.

Elle s'accroupit devant le chien le plus proche, consciente que les BOA à leurs trousses ne doivent plus être loin. Elle tend une main vers l'avant.

— Viens là, mon chien...

— Qu'est-ce que tu fais ? s'étonne le BOA. T'es folle ! Recule !

L'immortelle ne l'écoute pas. Sa main s'approche du chien, qui l'observe calmement. Elle fait un pas en avant, en canard. Puis un deuxième. Le chien se met à grogner. Troisième pas. Les doigts d'Oxana frôlent le museau du chien. L'animal grogne toujours, en guise d'avertissement. La main de l'adolescente glisse sur l'encolure fauve du chien, touche le collier et en cherche l'attache.

C'est alors que le chien ouvre une gueule béante et enfonce profondément ses crocs dans le bras d'Oxana. Elle hurle de douleur, se relève et comprend avec horreur que le chien ne veut pas la lâcher. Il va rester comme ça jusqu'à ce que ses maîtres arrivent !

Brice s'approche, mais l'autre chien se place devant lui, lui barrant le passage. Les joues baignées de larmes, Oxana plante la lame de son couteau dans la gorge du chien, qui n'émet aucun couinement.

L'animal libère le bras de l'immortelle, ravivant la douleur. Oxana enfonce davantage la lame avant de l'extraire. Une rivière de sang macule l'encolure du chien, qui s'effondre pour ne plus bouger. L'autre bête l'observe en grognant. Brice en profite pour lui balancer un coup de pied en pleine tête. L'animal recule en poussant un aboiement à fendre l'âme. Le BOA est déjà sur lui. Son couteau tranche la gorge du chien. Les espions ont été neutralisés.

— La ruelle derrière le mur mène à une épicerie, dit Brice en indiquant le fond de l'impasse avec la lame ensanglantée de son couteau. Prends à gauche, puis tout droit jusque chez toi. Ton bras, ça va aller ?

— Ça ira, prétend-elle.

La main appuyée sur la plaie, elle sent un liquide chaud s'en échapper abondamment.

— Mais toi, que vas-tu faire ? demande-t-elle.

— Je vais m'assurer qu'ils ne te suivent pas.

— Non, viens avec moi.

– Inutile, je ne ferais que m'éloigner encore plus de chez moi.

– Tu pourrais me suivre, tente Oxana. Tu aurais ta place avec nous.

Elle ne veut pas que Brice retourne à sa vie de mendiant. Il lui a sauvé la vie à plusieurs reprises, et il se bat bien. Josef l'aimerait beaucoup.

– Quelle place ? demande-t-il en plissant les yeux.

– Je fais partie d'un groupe de résistants. Il y a des BOA aussi. Tu y serais accepté, logé et nourri.

– J'ai entendu parler de ça. Les gens dans la ville parlent de commandos qui auraient comme mission de libérer les jeunes de la rue.

– Ce n'est pas une légende, Brice. C'est vrai. Et on s'apprête à en faire plus. On veut changer la vie à Liberté. Et tu peux faire partie de ce...

Une détonation.

Une seule.

Et la tête de Brice explose. Son front s'ouvre, des morceaux de sa cervelle jaillissent dans tous les sens, éclaboussant l'adolescente, se répandant dans l'impasse.

Tétanisée, Oxana regarde le corps du BOA se désarticuler et basculer vers l'avant. Elle ne comprend pas. Puis elle lève les yeux et voit une silhouette rengainer son arme à une cinquantaine de mètres.

Un dernier regard pour Brice, une nouvelle blessure dans son cœur, et Oxana se précipite vers le mur. Elle trouve une grosse poubelle, grimpe dessus du mieux qu'elle peut malgré les larmes qui lui brouillent la vue et son bras douloureux, saute par-dessus le mur et atterrit lourdement de l'autre côté.

À gauche, puis tout droit jusqu'au Nid.

Oxana s'accroche aux recommandations de Brice pour ne pas perdre pied.

À gauche. Tout droit.

Des morceaux du BOA dégoulinent sur son visage.

Tout droit...

La porte du Nid s'ouvre quand Oxana se jette dessus. Son corps dérape sur le battant. Elle tombe à plat ventre dans le vestibule, des cris désespérés déchirant ses cordes vocales. Elle tente de se relever, mais un vertige la saisit.

Une lumière jaillit devant elle, puis des voix. On crie son nom, on remercie le ciel, on la saisit et on la porte jusqu'aux étages inférieurs. Pendant tout ce temps, Oxana ne parle pas. Elle ne répond pas aux questions qu'on lui pose. Elle ne voit pas les visages de ceux qui tentent de communiquer avec elle.

Elle revoit Brice, le front troué, sa cervelle giclant sur elle dans une explosion sanguinolente.

Tout cela parce qu'il voulait l'aider. Parce qu'elle a joué les gamines écervelées et égoïstes.

– Oxana, qu'est-ce qui s'est passé ?

Elle est allongée sur son lit et prend enfin conscience des visages qui l'entourent.

Sam, Kael et Josef.

L'adolescente roule sur le côté et remonte ses genoux sous son menton. La honte la submerge. Elle est incapable de leur parler. Ses yeux fixent le plancher.

– Elle est en état de choc, dit Josef. Il faut lui laisser un peu de temps...

Le temps passe sans qu'Oxana parvienne à le mesurer. Elle reste dans la même position, les yeux fixes. Josef a tenu à nettoyer son visage, ses cheveux et le sang sur son bras. Comme la blessure ne s'était pas encore totalement refermée, Oxana a laissé faire le médecin sans protester, prenant la douleur pour une punition. Elle mérite toutes les souffrances du monde pour ce qu'elle a fait. Si elle n'avait pas quitté le Nid, si elle n'avait pas croisé la route de Brice, si elle ne l'avait pas retenu pour lui proposer de la suivre...

Elle entend les pas de Kael autour d'elle, les ressorts de son lit, sa respiration de plus en plus profonde.

À un moment, elle se lève et va le rejoindre.

Pour la première fois en plusieurs nuits passées dans son lit, il la prend dans ses bras. Là, la tête enfouie contre le torse de son ami, elle explose en larmes.

Le t-shirt de Kael est humide lorsqu'elle parvient enfin à se calmer. Le BOA s'est contenté de lui caresser les cheveux lentement, la laissant expulser un peu du mal qui noircit son âme. C'est à cela qu'elle ressemble : un morceau de charbon, noir comme la nuit.

– Je veux mourir, Kael..., laisse-t-elle échapper, à demi-consciente, avant de s'endormir.

CLÉO

On toque doucement à la porte.

Cléo porte un regard au réveil qui émet une faible lueur verte dans la pièce. L'heure n'est pas indécente, mais il est quand même tard.

Ce doit être Babette. Sa sœur ne lui a pas encore rendu visite depuis la veille. Elle semble contrariée depuis que Cléo l'a envoyée balader.

Pourtant, Babette ne cogne jamais avant d'entrer dans la chambre. Elle est plutôt du genre à faire irruption sans s'inquiéter des bonnes manières.

Cléo invite la personne à entrer d'une voix incertaine.

Une silhouette se découpe dans le cadre de la porte. Le cœur de la jeune fille fait un bond. Elle fait remonter le drap jusqu'à son menton.

— Est-ce que je peux entrer ? demande Denys.

— Non.

La réponse a fusé comme un coup de tonnerre, sans équivoque. La réaction de Denys rend donc Cléo confuse : il pénètre dans la pièce et referme la porte derrière lui.

– Je te demande de partir, reprend Cléo d'une voix tout aussi tranchante malgré les tremblements de son corps.

– Et je te dis que je ne le ferai pas. Je suis prêt à le répéter, s'il le faut, alors inutile de gaspiller ta salive. Je reste, quoi que tu en penses.

– Comment oses-tu ?...

– Quoi ? la coupe Denys avec une once de colère dans la voix. Comment j'ose te parler ? Comment j'ose explorer cette chambre du regard à la recherche de ton ombre, parce que nous sommes dans une obscurité presque totale ? Merde, Cléo, ce n'est pas comme si j'étais sur le point de t'agresser !

Cléo en a le souffle coupé. La bouche ouverte, elle regarde la silhouette fantomatique du garçon, toujours immobile devant la porte. Elle veut qu'il parte. Elle veut qu'il reste. Elle veut qu'il l'aime comme l'ombre qu'elle est devenue, mais c'est impossible. Personne ne peut désirer un visage tuméfié et zébré de cicatrices, un corps charcuté, une âme en charpie...

– Je t'en prie, Denys, laisse-moi seule, tente-t-elle d'un ton toutefois moins convaincant. Je suis fatiguée.

– D'accord, mais tu dois faire quelque chose avant.

– Quoi ? demande-t-elle avec appréhension.

– Accepter que je m'approche et que j'installe quelque chose sur ton visage. Je n'allumerai pas, c'est promis.

Elle hésite. Le drap toujours coincé sous son menton, elle se surprend à en mâchonner un morceau et le repousse en grimaçant.

— Après ça, tu t'en vas ?

— Attends d'abord de savoir ce que j'ai dans les mains.

— Tu m'as dit que tu partirais !

Un long soupir parvient jusqu'à elle.

— D'accord, ça va. Tu as ma parole.

— Bon, alors, vas-y...

Elle n'en a pas envie, mais il ne partira pas tant qu'il n'aura pas fait ce qu'il a en tête, et Cléo a suffisamment confiance en lui pour savoir qu'il tiendra parole.

Il s'approche. Elle se recroqueville sous le drap. Son cœur bat aussi fort que dans le manoir, quand Killian Steel la rejoignait dans son lit, et elle doit faire un effort colossal pour obliger son cerveau à enregistrer le fait que c'est Denys qui se tient près d'elle cette fois, et non le BOA.

— J'ai quelque chose pour toi, dit-il. C'est Oxana qui l'a fait.

— Qu'est-ce que c'est ?

— Si tu m'autorises à te toucher un peu, je vais l'installer sur ton visage.

— Me toucher ? répète Cléo, surprise.

– Juste un peu. Je ne profiterai pas de la situation. As-tu confiance en moi ?

Si elle a confiance en lui ? Elle mettrait sa vie entre ses mains. Et pas seulement parce qu'elle sait qu'il l'aime, mais aussi parce qu'il n'a pas sauté de l'autre côté du mur. Au lieu de mettre fin à ses souffrances en acceptant de devenir un Charognard, il l'a suivie alors qu'elle se jetait volontairement dans les bras de Killian Steel. Il aurait préféré souffrir mille morts plutôt que de l'abandonner.

– OK, consent-elle en se redressant légèrement.

Le drap glisse sur sa poitrine et elle le remonte vivement jusqu'à son nez, comme si le regard de Denys pouvait percer l'obscurité, traverser le tissu de sa chemise de nuit et la voir dans toute sa monstruosité.

Denys s'assoit sur le lit. Ses doigts glissent dans les cheveux de Cléo. Le corps de l'adolescente se crispe. Puis elle sent un objet ferme et froid sur la partie droite de son visage. Elle sursaute.

– Fais-moi confiance, murmure-t-il.

Les muscles de Cléo se relâchent un tout petit peu. Denys s'emploie à fixer ce qu'il a posé avec des gestes lents, nouant ce qui ressemble à des lacets à l'arrière de son crâne, son visage à quelques centimètres de celui de l'adolescente, qui a cessé de respirer.

– Voilà, dit-il finalement.

Cléo porte une main à l'objet, ses doigts effleurent sa surface lisse. Son regard cherche celui de Denys, mais la pénombre est presque totale et elle ne peut pas sonder le magnifique vert de ses yeux. Il a promis de partir, alors Cléo goûte chaque seconde de cet instant fébrile. Si elle n'était pas brisée, elle pourrait tendre une main vers lui et toucher sa joue. Elle en a envie. Mais elle a peur qu'il prenne cela pour une invitation à la toucher à son tour.

– Cléo, j'ai une demande à te faire, finit-il par formuler.

– Je ne garantis pas d'y répondre.

– Je sais, mais c'est important.

– D'accord.

– J'aimerais allumer la lampe de chevet.

– Quoi ?

– Sa lumière n'est pas très forte...

– C'est non !

– Il faut que tu voies ce que je viens de t'installer.

– Tu as promis de partir !

– Et je ne le ferai pas ! rugit-il.

Tétanisée, Cléo sonde l'obscurité avec terreur, ses yeux fouillant la silhouette devant elle comme un animal apeuré devant un prédateur.

– J'ai menti et je m'en excuse, reprend-il d'un ton radouci. Mais tu ne peux pas rester dans cette chambre toute ta vie. Et tu n'as pas le droit de me tenir à distance, pas après ce qu'on a traversé. Je me fous de tes cicatrices, Cléo.

Si tu voyais celles que j'ai à l'intérieur, tu voudrais sans doute me fuir. Mais je suis là, avec toi. Je n'ai pas peur que tu me voies comme je suis, anéanti, accablé de doutes et de reproches. Je m'en veux de t'avoir laissée entre ses griffes. J'aurais dû faire quelque chose, j'aurais dû...

– Arrête.

Prise de nausée, Cléo ferme les yeux et porte une main à ses lèvres.

– Tu étais terrifiée, ajoute-t-il quand même d'une voix brisée. Tu étais dans ses bras tandis que je...

– ARRÊTE !!

Cléo éclate en sanglots si soudains et si puissants qu'elle suffoque presque. À court d'oxygène, elle se met à gémir.

Elle sursaute quand les bras de Denys entourent ses épaules, mais elle ne les repousse pas. Sa main se pose sur sa nuque, puis il l'attire doucement vers lui. Alors elle laisse son âme se déverser sur lui et s'unir à la sienne. Elle le laisse faire parce qu'elle n'a plus la force de résister. Elle en voulait à la vie et elle lui en veut toujours. C'est elle qui aurait dû mourir, et non Alex. Il aurait été plus utile pour la résistance. C'était un garçon fort et souriant, un pilier dans leur groupe. Mais elle, qui est-elle ? Elle n'a jamais vécu que pour plaire et attirer l'attention. Pourquoi la vie l'a-t-elle choisie, elle ? Pourquoi Denys s'entête-t-il à vouloir l'aimer ?

– Cléo, reviens-moi, je t'en supplie, souffle Denys à son oreille. Tu es l'unique lumière dans ma vie. Tout n'a jamais été que noirceur pour moi, mais tu as éveillé des choses que je ne peux expliquer, parce que tu t'es montrée si forte, si déterminée. Tu as pris des décisions insensées pour nous protéger. Si tu savais comme je me sens minable...

Elle s'écarte légèrement pour lui faire face, comme si elle pouvait le regarder dans les yeux.

– Je ne me sens pas forte du tout.

– Et pourtant, tu l'es.

– Je suis la fille d'un meurtrier.

– Qu'est-ce que ça change ?

– J'ai tué Killian.

– Tu n'avais pas le choix. Cléo, les décisions de ton père ne sont pas les tiennes. La vie n'est pas en train de te punir ou je ne sais quoi. Tu te punis toute seule en restant prostrée dans ta douleur. Oxana veut s'en prendre à Claudius Wolfe, et je crois que nous devons participer à sa destruction. Tu es comme ça, Cléo, que tu le veuilles ou non. Tu es une battante.

L'adolescente digère tout cela, les lèvres tremblantes.

Une battante... Vraiment ?

– Je ne serai rien si tu me repousses, dit-elle tout bas.

– Comment peux-tu seulement l'imaginer ?

– Tu ne m'as pas encore vue.

– Alors montre-moi. Fais-le une bonne fois pour toutes, et tu seras fixée.

Les doutes de Cléo sont effroyables. Ces dernières semaines, elle s'est complu dans des certitudes absurdes qui l'empêchaient de prendre le risque d'être confrontée à la vérité. Il y avait quelques flottements dans son refus catégorique de voir Denys, parce qu'elle le voyait tout de même en pensée, dans ses moments de solitude. Elle le revoyait poser ses yeux sur elle pour la première fois, dans le bâtiment Wolfe. Maintenant, elle sait que leurs regards se sont accrochés parce qu'il se passait déjà quelque chose entre eux. En une fraction de seconde, leur sort était scellé.

– La lampe de chevet ? chuchote-t-elle.

– Celle-là seulement, oui, confirme-t-il.

– D'accord...

Il se lève et marche jusqu'à la petite table en bois, près de la fenêtre. Quand la lumière éclaire la pièce, la respiration de Cléo s'accélère. Dos à elle, Denys semble hésiter à se retourner. Quand il le fait enfin, avec lenteur, l'adolescente ne peut s'empêcher de se couvrir de nouveau du drap, jusqu'au menton. Les yeux posés sur lui, sur son visage, elle sent une boule se former de nouveau dans sa gorge.

Denys n'a pas changé. Ses traits sont toujours parfaits, ses yeux, d'un vert intense, sa peau, foncée. Il porte un chandail blanc à manches longues sous lequel elle devine sa musculature puissante. Sa peau se souvient du contact chaud de celle du garçon. Elle frissonne.

Denys lève une main et dévoile le miroir rectangulaire qui était posé sur la table de chevet de Cléo.

– Es-tu prête ?

– Je n'ai pas pu regarder jusqu'à maintenant. J'ai demandé un miroir, mais... je n'ai pas été assez forte...

Elle déglutit.

— Dis-moi ce que tu vois.

Il sourit.

— Je te vois toi, Cléo. Je vois mon binôme, ma partenaire. Et tes yeux... J'ai rêvé de ce bleu toutes les nuits.

Il fait quelques pas pour rejoindre le lit et s'accroupit au chevet de l'adolescente.

— C'est ce que je vois. Et toi ? demande-t-il en lui tendant le miroir.

Les gestes de Cléo sont malhabiles, mais elle se redresse. Sa main se tend vers le visage de Denys, et le contact de leurs peaux lui fait l'effet d'un choc électrique. Lui ne bronche pas. Il se contente de l'observer de ce regard intense qui lui a toujours donné l'impression d'être importante.

Elle prend finalement le miroir, pince les lèvres et le porte devant son visage.

Ses yeux s'agrandissent de stupeur.

— Ça va ? s'inquiète Denys.

— Oui... Laisse-moi quelques secondes.

Ce qu'elle voit est stupéfiant. Un masque en cuir bleu foncé recouvre la moitié défigurée de son visage, dissimulant les cicatrices et les boursouflures, faisant disparaître les rougeurs et les vaisseaux éclatés. Il cache même la moitié de son nez et se termine en pointe effilée à la base de son menton. L'élégance et l'exactitude du travail d'Oxana désarçonnent Cléo. Même les coutures sont discrètes.

– Alors ?

Elle lève les yeux vers lui.

– C'est incroyable.

– Ouais, Oxana a beaucoup de talent. Elle a besoin de toi, tu sais ? On a tous besoin de toi, même Babette.

Cléo ne peut s'empêcher de sourire.

– C'est pas des blagues, dit Denys. Tout ce qu'elle a fait pour la résistance, c'était dans le but de te protéger. Elle a pris beaucoup de risques. Je crois qu'elle réagit exagérément pour cacher sa détresse.

– Tu as peut-être raison, acquiesce doucement Cléo. Et maintenant, je fais quoi ?

– Rien pour cette nuit. On verra demain.

Il se lève et pose une main sur le lit.

– Je peux ?

Cléo fait oui de la tête. Un oui timide, incertain.

Denys s'allonge près d'elle et l'attire contre lui. À l'écoute de ses sens, Cléo soupire et respire l'odeur de son partenaire. Cette odeur masculine qui lui a tant manqué. La première odeur qu'elle a captée à l'extérieur de son appartement de la Sang et Prestige.

Ils restent lovés ainsi jusqu'à ce que leurs ventres grognent de faim, conscients que de nouveaux combats sont à venir, mais soucieux de profiter de leur liberté l'espace d'une nuit.

Parce qu'il n'y a plus de Cellier. Plus de prison dorée. Plus de manoir.

Juste cette chambre. Et c'est parfait.

OXANA

Oxana se réveille péniblement. Elle se place sur les coudes pour inspecter son environnement et constate qu'elle se trouve dans son lit. Elle tourne la tête vers celui où dort habituellement Kael. Le BOA n'est pas là.

Affamée, elle se lève et ferme les yeux pour faire passer un vertige. Quand elle peut de nouveau marcher sans tituber, elle enfile un pantalon de sport ainsi qu'une veste pardessus la camisole qu'on lui a mise. Elle se fout de qui l'a déshabillée, ce genre de détail ne lui importe plus depuis longtemps. Par contre, elle passe une main sur son visage pour s'assurer qu'il n'est plus couvert de morceaux de cervelle. Sa peau est propre. Et son bras a été soigné. Cette fois, aucune trace de la morsure, ce qui la rassure.

Elle appuie son dos contre le mur et fronce le nez pour refouler ses larmes. Inutile de ressasser ce qui est arrivé à Brice, sauf pour alimenter la soif de vengeance qui ne cesse de grossir dans son ventre. C'est tout. Pas de douleur. Pas de tristesse. Juste de la colère.

Le visage fermé, elle quitte la chambre et marche jusqu'à la cuisine. Elle ne croise personne en route, simplement parce que tout le monde est en train de manger. Quand toutes les têtes se tournent vers elle, elle sent ses barrières se fissurer. Elle relève le menton et avance droit devant, sans croiser le moindre regard. Une fois près du buffet, dos aux autres, elle se permet de reprendre son souffle. Elle s'apprête à se servir de la salade quand quelqu'un se place à côté d'elle. Bien qu'elle ne le regarde pas directement, Oxana reconnaît Kael. Le BOA ne parle pas. Il se contente de l'observer, ce qui pousse l'adolescente à tourner la tête vers lui.

La dureté de son regard la fige tout d'abord. Les yeux bleu trop clair de Kael expriment une froideur qu'elle a rarement vue chez lui, sauf quand il voulait la maintenir à distance. Si c'est le cas aujourd'hui, pourquoi est-il là, devant elle ?

– Qu'est-ce que tu veux ? lui demande-t-elle avec méfiance.

Elle sait qu'elle a fait quelque chose de mal, mais il est hors de question qu'elle l'admette, parce qu'elle lui en veut encore terriblement de ne pas l'avoir emmenée avec lui dans le métro. Et la tendresse qu'il lui a procurée la nuit passée n'efface rien.

– C'est tout ce que tu trouves à dire ? répond-il d'un ton brusque. Tu te fous de moi ?

Il ne lui a jamais parlé de la sorte, et Oxana se sent quelque peu déstabilisée. Elle n'en laisse toutefois rien paraître.

– Je ne vois pas ce que tu attends de moi, réplique-t-elle en terminant de se servir.

Elle se détourne et la main de Kael lui empoigne le bras sans délicatesse. Dans la cuisine, tout le monde se tait. Oxana reconnaît Sam, Victor et Mélissa, ainsi que cinq autres résistants. Son amie la regarde la bouche ouverte et les yeux écarquillés. Elle n'ose pas intervenir.

Se donner en spectacle est la dernière des intentions d'Oxana, alors elle tire d'un coup sec et se dégage de la poigne du BOA. Agacée, elle regagne le couloir d'un bon pas et prend la direction de sa chambre. Mais Kael la rejoint rapidement.

– Arrête-toi !

Comme elle n'obéit pas, il lui attrape l'épaule et l'arrête brusquement. Le bol glisse des mains de l'adolescente et se fracasse à ses pieds, répandant sur le sol des morceaux de salade et de tomate et de petites flaques de vinaigrette.

– Merde, Kael ! C'est quoi, ton problème ? hurle-t-elle en le défiant du regard.

– Mon problème ? s'offusque-t-il en fronçant les sourcils.

– Exactement ! Je veux juste manger en paix, c'est trop demander ?

Il fait deux pas vers elle à la vitesse de l'éclair, écrasant de la nourriture au passage. Oxana sursaute quand il place son nez tout près du sien, hors de lui.

– Tu n'es qu'une petite merdeuse, Oxana, l'insulte-t-il, les dents serrées. Une merdeuse égoïste et complètement inconsciente.

L'immortelle encaisse le coup sans broncher. À l'intérieur, pourtant, son cœur bat bien trop fort, parce que Kael lui fait peur, tout comme il lui a fait peur après la loterie, quand il lui a pris le cou, ou à l'Amarante, quand il a défié l'autre BOA de s'en prendre à elle. Quand il est dans cet état, Oxana a l'impression qu'un animal qui sommeillait en lui est prêt à bondir pour la dévorer. C'est terrifiant.

— Tu avais dit que tu m'emmènerais avec toi, parvient-elle à articuler sans le quitter des yeux.

— Quoi ?

— Tu avais dit que je pourrais descendre dans le métro avec toi !

L'expression de Kael change aussitôt. Il recule, comme si cette phrase l'avait sonné.

— C'est pour ça que tu es sortie ? Parce que je ne t'ai pas emmenée avec moi ?

Formulé de la sorte, ça sonne comme un caprice d'enfant. Oxana secoue la tête.

— J'avais besoin de sortir. Je n'en pouvais plus d'être enfermée ici, impuissante. Parfois, je sens que je vais exploser. Et tu avais promis...

— J'ai dit que j'allais y penser, la corrige-t-il sèchement avant de rabattre une longue mèche de cheveux vers l'arrière. Il y a eu une urgence. Mélissa et moi, on a dû partir en catastrophe. Jamais je n'aurais cru que...

Il ne termine pas sa phrase, se contentant de regarder Oxana comme si elle débarquait d'une autre planète.

— On était morts d'inquiétude, poursuit-il. Quand tu es rentrée en état de choc, avec tout ce sang sur toi, on a d'abord cru qu'il s'agissait du tien. Et ton bras... As-tu seulement pensé aux conséquences de ton geste ? On a vu que tu avais un autre inhibiteur sur ton diadème, et on ignore d'où il vient, mais ça veut dire que tu es sortie sans protection. En plus des risques que tu courais, tu aurais pu guider Claudius Wolfe jusqu'à nous.

– Non, j'ai tout fait pour que ça n'arrive pas, se défend-elle.

– Et comment peux-tu en être certaine ? Tu nous as tous mis en danger ! explose-t-il.

Oxana veut répliquer, mais elle ne trouve rien à répondre. La bouche ouverte, elle sent de nouveau la barrière céder à l'intérieur, parce que Kael a raison : elle a agi comme une égoïste, elle n'a écouté que sa colère, ses doutes et sa rancœur.

– Je suis désolée, dit-elle en baissant les yeux.

Le silence qui suit est tellement pesant qu'elle a l'impression de le sentir autour d'elle. Après avoir perdu Alex, elle ne peut pas se permettre de perdre Kael. Même quand il lui fait peur, même quand il la déteste, elle a besoin de lui.

– On a eu du nouveau pendant que tu récupérais, lance-t-il avec aigreur. Le projet de loi concernant les mères porteuses n'est pas passé auprès de l'Administration. Du coup, Wolfe ne peut pas compter là-dessus pour renflouer ses Celliers. C'est sans doute voulu, parce que depuis cette annonce, les journalistes ne cessent de parler de l'immortalité des Sacs à sang comme d'une solution au problème de rendement. Wolfe est en train d'obtenir exactement ce qu'il veut.

Prise de nausée, Oxana garde la tête baissée. Les poings serrés, elle digère en silence les révélations de Kael.

– Te mettre à l'écart était une erreur de ma part, conclut-il.

Cette fois, l'immortelle lève les yeux, mais le BOA a déjà tourné les talons. Elle le regarde disparaître dans la cuisine sans comprendre le sens de ses derniers mots.

La nuit qui suit est une torture.

Kael s'est couché bien après elle, pensant sans doute qu'elle dormait. Et cela doit faire des heures qu'elle se ronge les ongles en refoulant son envie de le rejoindre dans son lit. L'urne contenant les cendres d'Alex calée sous son bras, elle la caresse comme s'il s'agissait d'un animal de compagnie. Elle n'arrive pas à s'endormir sans la chaleur du corps du BOA, même avec son frère contre son cœur. La peau de Kael est devenue une drogue, mais elle doit s'en passer, à présent. Elle l'a déçu, et c'est à peine si elle peut croiser sa route sans avoir honte, parce qu'il ne consent même plus à la regarder dans les yeux.

Elle finit par se lever et sort de la chambre sans faire de bruit.

Elle marche comme un automate jusqu'aux salles de bain communes. Les couloirs du Nid sont déserts, les douches aussi. Ne prenant même pas la peine d'enlever ses vêtements, Oxana se glisse dans l'une d'elles et ouvre l'eau chaude.

Le sang sur sa peau et ses vêtements se mélange à l'eau et s'écoule en rivière rose pâle jusqu'à la bonde...

Le sang ?!

Elle écarquille les yeux pour réaliser que ce n'était qu'un mirage, un sale tour de son imagination.

Plus angoissée que jamais, elle ferme le robinet et sort de la douche.

Les miroirs qui font face aux cabines de douche lui renvoient son reflet. Oxana détourne les yeux, incapable de se regarder en face plus de quelques secondes.

Ses ongles se mettent à gratter la peau fine de son avant-bras. À gratter de plus en plus vite, de plus en plus fort, jusqu'à ce que des sillons rougeâtres strient son épiderme. La brûlure devient intense. Elle continue d'écailler sa peau, les yeux humides, les lèvres tordues dans un rictus dégoûté, tant et si bien qu'une minuscule goutte de sang se met à perler. Ses doigts s'arrêtent et son index recueille le nectar, le portant devant ses yeux. La petite bosse écarlate ne se disperse pas. Voici donc ce pourquoi ils l'ont condamnée. Un grain de vie, luisant comme le péché, rouge comme la mort.

Oxana porte son doigt à sa bouche, faisant disparaître la goutte de sang sur sa langue. Le goût est métallique. Elle ne lui trouve rien d'agréable. Pourtant, les BOA se damneraient pour vider son corps de ce fluide. Pour tuer, encore, comme ils l'ont fait avec Alex. Pour meurtrir aussi, et blesser de façon irréversible. Les cicatrices de Cléo témoignent des sévices que chaque immortel a subis.

Depuis qu'elle est sortie de l'Amarante, Oxana a l'impression que des mains invisibles compressent sa cage thoracique, l'empêchant de prendre de grandes respirations. C'est encore pire depuis que Brice a été tué par sa faute. Dans des moments comme celui-ci, elle a le sentiment que sa vie est foutue, que rien ne s'arrangera jamais. Alors, elle aimerait avoir le courage de saisir une arme, d'en caler le canon sur sa tempe et d'appuyer sur la détente.

Trouver un flingue dans le Nid, ce n'est pas ce qu'il y a de plus difficile. Non, c'est le courage qui lui manque.

Elle retourne dans la chambre à pas de loup, frissonnant à cause de ses vêtements trempés, et demeure quelques secondes debout à côté du lit de Kael. L'attraction de son corps endormi est si forte qu'Oxana doit reculer pour y échapper. L'arrière de ses jambes frappe l'unique chaise, et elle s'empare du dossier avec panique pour éviter qu'elle ne tombe. Ses doigts empoignent un tissu épais et doux posé sur le dossier. Son corps réclame aussitôt de s'y enfoncer. Oxana revêt silencieusement le chandail à capuche. Ce doit être celui de Kael, car son parfum enveloppe aussitôt Oxana. Il est deux fois trop grand, alors elle doit en retrousser les manches pour qu'elles ne lui recouvrent pas les mains. Mais au moins, il est sec.

Elle prend l'urne qu'elle avait laissée sur son lit, ressort de la chambre et rejoint son placard. Une fois assise à l'intérieur, elle scrute l'obscurité épaisse.

Ici, personne ne peut remarquer la laideur de son âme. Elle est noirceur dans la noirceur, ombre parmi les ombres.

Elle s'endort contre toute attente, les larmes bloquées dans l'un des mécanismes tortueux de son corps, les jambes repliées contre son torse, l'urne sous le menton. Perdue et seule.

Des coups à la porte. Oxana se réveille en sursaut. Paniquée, elle met un instant à se rappeler où elle se trouve.

– Oxana, si t'es là-dedans, ouvre-moi.

C'est la voix de Kael. Il semble inquiet. Oxana se rend jusqu'à la porte et constate qu'elle l'a fermée à clé.

– Je faisais un peu de couture, ment-elle en découvrant Kael dans le couloir.

Le front du BOA se plisse.

– Dans le noir ?

– Euh... ouais. Enfin, là, je faisais une pause.

Si elle est heureuse que Kael lui reparle enfin, Oxana n'en remarque pas moins son ton froid et distant.

– Érik a trouvé le moyen de vous enlever vos diadèmes, lui annonce-t-il.

Oxana ouvre la bouche d'hébétement.

– Quand ?

– Dès que tu te sentiras prête.

Il indique le chandail d'Oxana d'un mouvement de tête.

– Est-ce qu'il est confortable ?

Sa question relève de la simple constatation, et Oxana regrette les petits sourires en coin et les yeux rieurs qui accompagnaient parfois ses railleries. Il leur reste du chemin à parcourir pour que les choses redeviennent comme avant.

– Il me tient au chaud, dit simplement Oxana. Je vais te le rendre...

Elle s'apprête à le passer par-dessus sa tête, mais Kael lève une main.

– Ça va, garde-le pour la journée. Josef veut que tu me parles de ce qui s'est passé dehors. Il pense que ça te fera du bien. Tu dois avoir faim, on pourrait en discuter dans la cuisine.

Josef...

Bien sûr, si Kael se tient devant elle en ce moment, c'est sur ordre de Josef et non de sa propre initiative. L'adolescente sent son moral descendre encore plus bas. Toutefois, sa petite expédition a soulevé quelques questions auxquelles le BOA pourra sûrement répondre.

– Je te suis, acquiesce-t-elle en refermant la porte de son petit atelier derrière elle.

– Le sang est apporté par conteneurs, l'informe Kael avant de tremper ses lèvres dans une tasse de café. Le quai de livraison se trouve un peu plus loin, au sud de la ville.

Oxana mastique sa bouchée d'omelette.

– Vous n'avez jamais songé à attaquer le quai ?

– Nous ne sommes pas des lâches, réplique Kael avec agacement. Nous ne sommes pas nombreux et Josef pense qu'il serait injuste de mettre la vie de ceux que nous engageons bénévolement en danger. Ils donnent déjà tellement de leur temps, de leur énergie et de leur argent quand ils le peuvent, c'est assez comme ça.

– Alors, rien ne changera jamais.

– Tu penses vraiment qu'une poignée de résistants pourrait renverser l'ordre des choses ? lui demande le BOA avec ironie. Arrête de rêver, ça n'arrivera pas.

Oxana lâche sa fourchette.

– Ce n'est pas ce que tu disais chez Sandra, après l'accident, quand on revenait de l'hôpital. Tu disais qu'il fallait agir, que la résistance devait en faire plus...

– Beaucoup de choses ont changé depuis.

Il la dévisage durement, et l'adolescente sent un filet de bile remonter dans sa trachée. Elle refuse cependant de céder aussi facilement, car la vie de nombreux citoyens de Liberté est en jeu, sans compter celle de leurs amis, dans le Cellier.

– Je ne comprends pas, Kael. Depuis quand fuis-tu tes responsabilités ?

– Depuis que j'ai compris que ce n'est pas moi qui décide, s'irrite-t-il.

Oxana croise les bras sur sa poitrine.

– Tu t'es déjà opposé à l'opinion de Josef par le passé, je te signale.

– C'était une erreur. Il y a des choses sur lesquelles nous n'avons pas de pouvoir. Le courage, parfois, c'est accepter d'attendre dans l'ombre.

Il ne pense pas un seul mot de ce qu'il dit, ça se voit, et ça met Oxana hors d'elle.

– Le courage, c'est mettre ses peurs de côté et agir pour le bien commun, réplique-t-elle en penchant le buste au-dessus de la table.

Les narines de Kael se gonflent d'agacement.

– Sans Josef, je serais peut-être l'un de ceux qui t'ont poursuivie dehors, riposte-t-il froidement. Je lui dois tout. Victor compte sur moi, ma mère a été sacrifiée à cause de mon entêtement à vouloir changer les choses. Leur vie a volé en éclats à cause de moi. Je ne sais pas si je suis prêt à poursuivre dans cette voie.

– Moi oui.

Il secoue la tête en ricanant et pose son dos contre le dossier de sa chaise pour s'éloigner d'elle.

– Quoi ?

– De quelle voie tu parles ? Celle du suicide, de la muti-nerie... ou de l'automutilation ?

Le corps de l'adolescente se crispe. Elle reste muette, les lèvres pincées, son regard défiant celui de Kael.

– Ta soif de vengeance t'aveugle à tel point que tu mets tout le monde en danger, toi y compris, lance-t-il en se levant. Penses-tu vraiment avoir le droit d'émettre ton opinion ? Tu es quoi au juste pour la résistance ? Un atout ou un poids mort ?

– Tu ne penses pas ce que tu dis, marmonne-t-elle d'une voix tremblante.

Kael soupire avec dédain avant de sortir de la cuisine.

Mortifiée, l'immortelle continue de regarder l'ouverture de la porte longtemps après que le BOA a disparu. Il ne pense pas ce qu'il vient d'affirmer, c'est impossible. Et dire que cette conversation devait lui faire du bien ! C'est tout le contraire ! Elle a soudainement l'impression d'être un imposteur. Pour ne pas flancher, elle se raccroche à son objectif : tuer Wolfe. Après cela, il n'y a rien. Absolument rien.

Tout le monde s'immobilise en voyant Cléo entrer dans la salle d'entraînement avec Denys, son corps appuyé sur une béquille.

Oxana remarque tout de suite le masque qui cache la moitié de son visage, ce qui lui fait du bien. Elle aura au moins apporté son aide à quelqu'un dans le groupe. Sans compter que... Non, elle ne rêve pas ! Cléo et Denys se tiennent par la main !

– Merci, sourit Cléo en serrant Oxana dans ses bras.

Incapable de formuler la moindre parole, l'adolescente retourne l'étreinte de son amie en refoulant les larmes qui lui picotent les yeux. Sam s'empresse de faire de même, tout en affichant un sourire rayonnant. Ça fait des semaines que personne n'a ressenti une telle joie ! Voir Cléo se tenir debout, dans le gymnase, a quelque chose de stimulant. C'est comme un encouragement à persévérer malgré tout.

Cléo balaye la salle des yeux, constate que tous les regards sont posés sur elle et rougit.

– J'aimerais pouvoir m'entraîner avec vous, dit-elle, mais avec ma jambe...

Elle lève sa béquille avec résignation. Sam lui caresse amicalement le dos.

— Comment va Kim ? l'interroge Cléo.

— Elle a des jours avec et des jours sans. Disons qu'aujourd'hui, ça va plutôt mal. Tu es venue nous regarder, alors ? ajoute Sam avec un peu trop d'enthousiasme, sans doute pour échapper à un sujet très sensible pour elle.

— Si Josef accepte, oui, j'aimerais bien.

— C'est Kael qui commande, ici, lui apprend Denys en désignant le BOA du pouce.

Kael s'entraîne avec Victor un peu plus loin. Le jeune BOA se débrouille très bien, réussissant à donner des coups de poing précis et puissants dans le bouclier tenu par son aîné. Le regard de Kael croise celui d'Oxana, puis se pose sur le petit groupe qu'ils forment tous les quatre près de la porte d'entrée du gymnase. Difficile de savoir ce qu'il pense. Son visage est impassible.

— On vous a dit pour les diadèmes ? demande Sam.

— Oui, répond Denys en souriant. On m'enlève le mien demain matin.

— Demain après-midi pour moi, dit Sam. Oxana est la plus chanceuse, c'est ce soir.

— Je suis le cobaye, réplique l'intéressée.

— Je prendrais volontiers ta place, soupire Sam. J'en peux plus de le voir. Maintenant qu'on est libres, il me rappelle constamment la loterie et tout ce qui a suivi.

Oxana constate qu'il ne manque plus que Kim pour que le groupe soit de nouveau complet. Et Alex...

Prise d'une soudaine envie de se gratter l'avant-bras, Oxana ressent un certain soulagement quand Cléo s'adresse à elle :

– Ça te dirait de m'accompagner à la cuisine ?

– Tu as faim ? s'enquiert aussitôt Denys. Je peux t'emmener, si tu veux.

Cléo lui sourit.

– C'est gentil, mais j'aimerais discuter un peu avec mon amie. Ça fait longtemps...

– Je croyais que tu étais venue pour nous regarder nous entraîner, lui rappelle Sam avec une pointe de déception.

Un léger sourire étire les lèvres d'Oxana. Cléo est à peine sortie de son lit qu'elle redevient tout de suite le centre d'attention. Si Oxana se souvient d'en avoir ressenti une petite jalousie durant la loterie, elle constate qu'elle s'en fout complètement à présent.

– Et je viendrai, promet Cléo d'une voix douce et apaisante. Donnez-nous juste vingt minutes.

Curieuse de savoir pourquoi Cléo tient tant à lui parler, Oxana cherche son regard en espérant y lire un indice. Parce qu'elle n'est pas dupe au point de penser que c'est juste pour potiner ! Cléo cache quelque chose, mais quoi ?

CLÉO

Maintenant qu'elles sont assises l'une en face de l'autre, Cléo ne sait plus très bien comment aborder le sujet qui lui trotte dans la tête depuis plusieurs jours. Oxana doit sentir son hésitation, parce qu'elle la regarde avec insistance, les sourcils froncés, l'air de dire : « Vas-y, c'est bon, tu peux y aller, je suis à l'écoute. »

— Je ne t'ai même pas demandé comment tu vas depuis qu'on est ici, commence Cléo.

— Ne me dis pas que tu veux qu'on parle de moi ? rétorque Oxana en faisant suivre sa réflexion d'un clin d'œil. Il n'y a rien d'intéressant à dire, alors tu peux cesser de tourner autour du pot sans culpabiliser.

Cléo éclate de rire, ce qui fait du bien à entendre.

— Je m'inquiète pour toi, vraiment, dit-elle après un court silence, mais tu as raison, j'ai quelque chose d'important à te dire.

— Je t'écoute.

— Eh bien... j'ai eu tout le temps de réfléchir, comme tu le sais. Et j'en suis venue à la conclusion que notre liberté est un leurre. Nous devons vivre cachés et nous ignorons combien de temps ça va durer.

– Je suis d'accord, soupire Oxana. Après tout ce qu'on a traversé, je trouve ça injuste. Mais j'ai beau insister auprès de Josef, il ne semble pas vouloir s'en prendre directement à Claudius Wolfe. Il affirme que ça viendra, mais je crois qu'il cherche à gagner du temps parce qu'il ignore comment s'y prendre.

– J'ai peut-être une idée...

Les yeux d'Oxana s'arrondissent d'intérêt, ce qui encourage Cléo à poursuivre :

– Il faut que quelqu'un intègre le nid de vipères. Wolfe est trop puissant pour qu'on l'atteigne de l'extérieur, mais on a une chance si on parvient à créer une brèche dans sa défense.

– Tu penses à quoi ?

– À mon père. Je ne le porte pas dans mon cœur, mais il peut nous être utile. Tant qu'à avoir un père haut placé, autant s'en servir, tu ne crois pas ?

– Ç'a du sens..., lâche Oxana en réfléchissant. Comment nous y prendre ?

– Il doit se morfondre actuellement, parce qu'il ignorait que j'étais sa fille quand il m'a envoyée dans cette loterie infâme. Son propre fils, mon... demi-frère, a tout organisé pour me détruire, tout ça pour l'atteindre. C'est tellement monstrueux que j'ai parfois du mal à réaliser que ça s'est vraiment passé.

– Je sais.

— Bref, je crois être en mesure de profiter de la situation. Avec quelques subterfuges, il pourrait m'aider à infiltrer le monde de Claudius Wolfe et à créer cette fameuse brèche dont je t'ai parlé.

— Tu te mettrais en danger ! s'exclame Oxana avant de placer une main devant sa bouche.

Trois résistants dans la cuisine ont tourné la tête vers elles, et l'adolescente leur sourit brièvement avant de reporter son attention sur Cléo.

— Ce serait de la folie, Josef n'acceptera jamais.

— Je ne lui dirai rien, affirme Cléo.

Devant l'air ahuri d'Oxana, elle s'explique :

— Babette serait folle de joie à l'idée que je vienne vivre avec elle et son mari. Et comme ils résident dans le même bâtiment que mon père, il me sera facile de créer des liens.

— En seras-tu capable ? Je veux dire, émotionnellement ? Tu as tué Killian, le fils de William Steel. Tu n'as pas peur qu'il t'en veuille pour ça ?

— M'en vouloir ?

Cléo réfléchit. Elle n'y avait pas pensé.

— J'aviserai le moment venu, reprend-elle. On m'a appris à jouer la comédie, je trouverai bien quelque chose à dire s'il aborde le sujet... Quant à mes sentiments, ne t'en fais pas, tout ira bien. Ce n'est pas comme si je comptais vraiment faire partie de cette famille.

— Et après ?

Cléo grimace.

– Je ne sais pas encore. Mon plan s'arrête là, pour le moment. Toutefois, rendue sur place, il me sera facile d'improviser. Wolfe et mon père sont associés. Je ne pense pas qu'il existe de meilleure façon de l'atteindre.

L'exaltation se lit sur les traits d'Oxana, et Cléo est heureuse de constater qu'elle pourra compter sur son appui.

– Mais tu dois me promettre une chose, ajoute-t-elle tout bas. N'en parle pas à Denys.

– Je comprends. Tu as ma parole.

OXANA

– Cesse de remuer, à moins que tu ne veuilles te retrouver avec un bleu sur le bras.

Oxana jette un bref regard à Érik. L'homme s'applique à la piquer à l'aide d'une seringue. Il lui lance un sourire sincère.

– Je comprends ton anxiété, dit-il.

Vraiment ?

Ce n'est pas à cause de l'opération qu'Oxana ne tient pas en place. Enfin oui, un peu. Mais ce sont surtout les mots de Cléo qui l'agitent de la sorte. Depuis le temps qu'elle rêve d'agir, l'heure est peut-être enfin venue. Elle en trépigne d'impatience, voyant déjà sa vengeance s'accomplir. L'aiguille s'enfonce dans sa peau au moment où elle remue sur ses fesses.

– Aïe !

– Je t'avais prévenue, lui rappelle Érik d'un air taquin. Allonge-toi. L'anesthésiant va faire effet très vite.

Il s'éloigne, dévoilant la silhouette de Kael au fond de la pièce. Oxana est surprise de le voir. Était-elle à ce point plongée dans ses exaltantes pensées qu'elle ne l'a pas entendu entrer ? L'esprit d'un seul coup embrumé, elle obéit et pose son buste sur l'oreiller.

– Tu tiens le coup ? lui demande Kael sans bouger de sa place, c'est-à-dire loin d'elle, comme si elle avait contracté la peste en sortant seule du Nid.

L'adolescente soupire.

– J'attends ce moment depuis longtemps. C'est... c'est gentil d'être passé.

Elle aurait aimé qu'il lui sourie, qu'il lui dise que c'est normal de se soutenir entre amis. Mais il n'en fait rien. Il se contente de l'observer avec cette froideur qui rend Oxana mal à l'aise depuis qu'il s'en est pris à elle.

Les paupières de la jeune fille papillotent. L'anesthésiant commence à faire effet.

D'un seul coup, elle panique. Et si l'opération se passait mal ? Et si le virus se déversait dans son corps et la transformait en Charognard, comme Alex ? Elle est censée s'en foutre, mais son instinct de survie est toujours plus fort, et ça l'enrage !

Son corps semble s'enfoncer peu à peu dans une grosse boule de coton. L'image de Kael se brouille jusqu'à disparaître complètement. Oxana entend Érik donner quelques consignes, mais elle ignore à qui. Et puis plus rien. La réalité glisse entre ses doigts et se dissout dans les limbes d'un sommeil noir.

CLÉO

Le cuir est lisse et mat. Bleu comme la nuit. Les doigts de Cléo le parcourent, se promènent sur le tissu épais qui forme comme une seconde peau sur son visage. Elle essaye de faire abstraction de ce qu'il y a dessous, mais c'est encore très difficile.

L'adolescente recule d'un pas et contemple son image dans le miroir sur pied. Bien que légèrement amaigri, son corps affiche encore des formes généreuses. S'il n'y avait les cicatrices sur son bras droit, il serait difficile de croire qu'il a subi une chute de plusieurs dizaines de mètres. Avec une belle robe et des cheveux lustrés, elle pourrait encore séduire. À condition d'oublier son visage. Ce monstre qui hante ses cauchemars. Elle ne doit plus y penser. Elle doit rester concentrée sur l'objectif qu'elle s'est fixé. Pour prendre sa place aux côtés de son père, elle doit retrouver son assurance d'avant, son charme qui les faisait tous fléchir.

Denys entre dans la chambre. Ses yeux se posent sur elle et, en une fraction de seconde, Cléo perd toute conviction.

– J'étais à l'entraînement, l'informe-t-il. Tu es passée ? Sam a dit que tu voulais me parler.

– C'est le cas, en effet.

Elle tend un bras dans sa direction et il approche aussitôt, l'œil pétillant. Cléo prend le temps de se blottir contre lui, de fermer les yeux et de sentir la petite veine dans le cou de Denys battre contre son front. Cette simple veine, torrent de vie, d'amour et de douleur. Après tout ce qu'ils ont traversé, acceptera-t-il de la perdre de nouveau ?

– Que veux-tu me dire ? lui demande-t-il en la serrant plus fort contre lui.

Le ton de sa voix fait naître la chair de poule sur la peau de Cléo. Elle cherche ses mots tout en reculant légèrement pour lui faire face.

– Je vais partir, lui annonce-t-elle sans détour.

Le corps de Denys se raidit, son teint blêmit. Il se force à sourire, mais ses lèvres ont du mal à s'étirer.

– Ce n'est pas drôle...

– Je ne plaisante pas.

Il recule. Cléo hésite à poursuivre.

– Qu'est-ce que tu prépares ? la questionne-t-il, les mâchoires serrées.

Elle baisse les yeux.

– J'ai besoin de me rapprocher de ma famille, ment-elle.

– Ta famille ? répète Denys en haussant les sourcils.

– Babette, Érik et... mon père.

– Je croyais que tu le détestais.

— J'ai bien réfléchi, Denys. J'ai une famille, et Babette a démontré qu'elle tenait beaucoup à moi. Je dois leur donner une chance.

Il se détourne en secouant la tête. Il a rasé ses cheveux récemment, ce qui lui donne un air plus mûr.

— Je comprends, acquiesce-t-il après un moment de silence. Mais si tu pars, je viens avec toi.

— Je ne sais pas si c'est une bonne idée.

Ces mots sont à peine sortis de sa bouche qu'elle les regrette déjà. À voir l'expression de son partenaire, elle comprend qu'il se méprend sur leur sens.

— Ce n'est pas ce que tu crois ! s'empresse-t-elle d'ajouter. Denys, je t'aime, c'est vrai. Je ne t'ai pas menti et je ne cherche pas à m'éloigner de toi. C'est juste que j'ignore comment mon père réagira à ma demande, et il serait sans doute préférable que tu me rejoignes plus tard, quand il aura digéré la situation.

— Je refuse d'être mis à l'écart, Cléo.

Les yeux verts de Denys expriment une telle conviction que Cléo sent son cœur se liquéfier. Elle comprend sa détermination, elle-même n'ayant pas envie de le quitter, même si c'est temporaire. Mais elle sait aussi qu'il n'acceptera jamais la mission qu'elle prépare. S'il venait à l'apprendre, il ferait tout pour la faire changer d'avis, et c'est hors de question. Elle doit aller jusqu'au bout.

Parviendrait-elle à approcher Wolfe sous le nez de Denys sans que celui-ci s'en rende compte ? Avec un peu d'imagination et beaucoup de précautions, c'est possible, mais sa présence rendra la tâche plus difficile. De toute façon, a-t-elle le choix ? Denys ne la laissera jamais partir seule, et son entêtement à le mettre à l'écart pourrait avoir deux conséquences désastreuses : soit il se méfiera et découvrira le subterfuge, soit il pensera qu'elle ne l'aime plus et s'éloignera d'elle. Dans les deux cas, c'est inacceptable.

– D'accord, conclut-elle finalement en tendant une main vers lui.

– Tu le veux, au moins ?

– Bien sûr, dit-elle en souriant.

Et ce n'est pas un mensonge.

Visiblement rassuré, Denys lui prend la main. Il se rapproche et entoure les épaules de Cléo de son bras pour l'attirer contre lui.

– Je t'aiderai à traverser cette nouvelle épreuve, murmure-t-il. À nous deux, on est plus forts.

OXANA

Wolfe s'approche, un sourire mesquin sous un regard aussi perçant que celui d'un rapace.

« Oxana... »

De sa main droite, il tend un diadème devant lui. Le virus dans le petit réceptacle en son centre n'est pas vert, mais rouge sang.

« Oxana. »

Si elle ne le tue pas maintenant, il l'asservira de nouveau. Malgré son acharnement, et bien qu'elle l'ait enfin en face d'elle, Oxana tremble de tous ses membres. Le couteau entre ses doigts se réchauffe de plus en plus, jusqu'à devenir tellement brûlant qu'elle doit le lâcher. Wolfe sourit. Il sait qu'elle ne le tuera pas. Parce qu'elle est lâche.

« Oxana ! »

– Hummm...

– Oxana, tu peux te réveiller, maintenant. Tout s'est bien passé.

Elle ouvre un œil, puis l'autre. Érik est penché au-dessus d'elle, son habituelle expression bienveillante accrochée au visage.

– Tu parlais dans ton sommeil, lui dit-il. Ça n'avait pas l'air agréable. Pardonne-moi, j'ai pris l'initiative de te réveiller.

– C'est bon, soupire-t-elle en remuant légèrement le cou, je ne t'en veux pas.

Elle a mangé de la cendre ou quoi ? Sa bouche a un goût infect !

– L'opération s'est très bien déroulée, reprend Érik.

L'opération...

Oxana fait un léger bond dans son lit et porte une main à ses tempes. Ses doigts rencontrent un tissu râpeux.

– Tu as des pansements, l'avise Érik. Tu vas pouvoir les enlever très vite, vu la vitesse avec laquelle tu récupères.

Oxana grommelle. Si les plaies ne cicatrisent pas comme il faut, elles éveilleront les soupçons des autres.

– Alors... je suis libre ?

– Oui.

Le sourire qu'Érik lui offre est sincère.

Oxana fait glisser ses doigts sur son front, là où ils caressaient d'ordinaire le diadème. L'objet n'est plus là et elle n'est pas devenue un Charognard. C'est un miracle !

– Merci..., dit-elle, les yeux embués. Si vous saviez ce que ça représente pour moi. Pour nous tous.

– Je peux l'imaginer.

– Il est quelle heure ? lui demande-t-elle en cherchant à se redresser sur les coudes.

Un vertige l'empêche d'aller bien loin, et elle laisse son corps retomber mollement sur l'oreiller.

– Vas-y doucement, tu es encore sous l'effet de l'anes-thésiant.

Érik consulte sa montre.

– Il est vingt-deux heures. Tu as toute la nuit pour récu-pérer.

L'excitation est à son comble. Oxana doute de réussir à se rendormir. Plus de diadème, c'est terminé. Ce qui vient enterrer le cauchemar qu'elle vient de faire. Wolfe ne peut plus rien contre elle !

– Vous êtes talentueux, Érik, dit-elle alors qu'il s'apprête à sortir.

– Ce n'est rien, répond-il en souriant timidement.

– Tout de même, vous avez trouvé le moyen de nous enlever nos diadèmes en toute sécurité. Vous n'auriez pas un truc pour que les BOA arrêtent de boire notre sang, par hasard ? ajoute-t-elle avec ironie.

Devant sa mine sombre, elle se reprend aussitôt.

– Enfin, je veux dire... pas tous les BOA, juste ceux qui...
qui... Enfin, vous voyez ?

Elle rougit jusqu'aux oreilles. Heureusement, Érik la
gratifie d'un sourire amical.

– J'ai compris, ne t'en fais pas. Et tu as raison, ce serait
formidable s'il existait un moyen de calmer la soif des BOA...

La main posée sur le cadre de la porte, il contemple un
moment le vide devant lui, l'air songeur.

– Mais c'est malheureusement impossible ! s'exclame-t-il
finalement. Allez, dors, tu as besoin de reprendre des forces.

– Vous aussi, le taquine-t-elle. Vous opérez mes amis,
demain !

Une fois seule, Oxana passe ses doigts sur son front dans
un va-et-vient qui finit par lui irriter la peau. Le diadème la
reliait encore à sa vie d'avant. À Alex. Maintenant qu'il a
disparu, c'est comme si on venait d'effacer son passé. Elle
pensait que ce serait une bonne chose, mais il lui semble
désormais qu'elle n'a pas d'avenir. Alors quoi ? Elle est
perdue pile au milieu, comme en attente ? Mais en attente
de quoi ?

De tuer cette saloperie de Wolfe, pense-t-elle en fermant
ses paupières devenues lourdes.

Elle bâille.

Trouer la peau de Wolfe.

Elle sombre peu à peu.

La vengeance sera encore meilleure que la liberté...

CLÉO

Le bleu trop clair des yeux de Babette se met à pétiller. Ses lèvres s'étirent. Elle jubile.

— Je savais que tu finirais par lui pardonner.

— Pas si vite, rétorque Cléo. Pour le moment, j'accepte juste de lui parler.

L'adolescente porte machinalement une main à son masque, s'assurant qu'il est toujours bien en place. Un réflexe qu'elle devra éliminer si elle veut cacher ses inquiétudes et ses complexes au reste du monde.

— Il me faut une tenue présentable, commande Cléo. Une nouvelle coupe de cheveux aussi, et du maquillage.

— Tu auras tout ce que tu voudras. Papa va être si content !

Babette vient s'asseoir sur la chaise à côté de sa demi-sœur. Elle lui entoure les épaules du bras. Gênée, Cléo adresse un regard confus à un résistant qui prend un café à la table d'à côté et dont elle ignore le nom. L'homme ne semble même pas avoir remarqué qu'elles étaient toutes les deux dans la cuisine avec lui.

– J'ai toujours su qu'un jour ou l'autre nous formerions une famille, soupire Babette.

Sa voix se brise légèrement. Elle baisse les yeux vers le carrelage.

– J'ai échoué avec Killian, j'étais trop jeune. Il a vu des choses qu'un gamin ne devrait jamais voir et il n'avait personne pour le rassurer.

– Ça n'excuse pas son comportement, tranche froidement Cléo.

– Sans doute, mais il aurait peut-être été différent si j'avais pris la peine de voir ce qu'il devenait.

– Tu n'es pas responsable, lui assure Cléo.

C'est notre père qu'il faut blâmer, a-t-elle envie d'ajouter.

Babette joue un moment avec un fil qui dépasse de la couture de sa ceinture, puis elle l'arrache et le laisse retomber sur le sol.

– Je vais te trouver ce dont tu as besoin, dit-elle finalement en se levant. Tu verras, tout rentrera dans l'ordre. Tu finiras par aimer notre père, j'en suis certaine.

Cléo lui sourit nerveusement et la regarde sortir.

Comment pourrait-elle aimer l'homme qui a été assez lâche pour tuer sa mère ?

Pour Cléo, il ne vaut pas mieux que Claudius Wolfe. Il n'est que l'instrument qui fera éclater Liberté.

OXANA

Victor frappe sur un sac de sable, dans un coin du gymnase. Ses coups puissants retentissent, couvrant les efforts des autres résistants qui s'entraînent seuls ou en groupe.

Assise sur un banc, Oxana observe le jeune BOA. Elle est trempée de sueur, ses muscles renâclent à obéir et, pourtant, il lui semble qu'elle n'en a pas eu assez. Elle voudrait s'entraîner jusqu'à l'épuisement. Jusqu'à fondre totalement sous l'effet de la sueur et de la douleur.

Comme Victor. Cet enfant qui n'en est plus un depuis un moment déjà, dont la mère n'est toujours pas sortie du coma et dont le père est mort en ordure, les yeux révulsés, le crâne perforé par son propre fils.

– Ça va ?

Kael s'assoit à côté d'elle. Ses cheveux dégoulinent et quelques mèches barrent son regard tandis qu'il l'observe, la tête tournée dans sa direction.

– J'ai connu pire, répond Oxana sans le regarder.

Le BOA lui reparle depuis l'opération. Leur relation n'a pas atteint son niveau d'avant l'escapade d'Oxana hors du Nid, mais ça s'arrange. Kael semble moins lui en vouloir.

Elle porte instinctivement sa main à son front, ne trouve pas le diadème et continue de gratter doucement sa peau comme si ça pouvait le déterrer. Trois jours après l'opération, ses anciens réflexes persistent. Heureusement, les marques sur ses tempes avaient bel et bien disparu quand elle a enlevé les pansements.

Kim a accepté de s'entraîner, ce matin. S'entraîner est toutefois un bien grand mot. Disons qu'elle fait quelques étirements. C'est un bon jour pour elle. Mais c'est un peu flippant de ne pas savoir à quel moment sa cervelle va se remettre à dérailler. Qu'elle accepte de sortir de sa chambre est encourageant, mais il ne faut pas non plus se créer trop d'attentes.

Sam l'accompagne, comme toujours, surveillant ses gestes et ses réactions. Oxana se demande ce qu'elle espère. Kim ne redeviendra jamais cette jeune fille effrontée et fonceuse, elle ne verra jamais les sentiments qui consument Sam un peu plus chaque jour. C'est terrible, d'aimer quelqu'un qui n'est plus tout à fait là.

Elles non plus ne portent plus de diadème. C'est étrange de les voir sans. C'est un peu son reflet à elle qu'Oxana voit quand elle les regarde. L'immortelle n'a pas encore réussi à parler de l'opération avec les autres. Les mots sont bloqués quelque part dans sa gorge. Elle n'arrive pas à se réjouir totalement de ce premier pas vers la liberté et ça la trouble.

– On fait une sortie ce soir, lui apprend Kael. Un résistant a repéré un petit groupe d'adolescents dans un restaurant plus au sud. Ils seraient au menu, d'après ce qu'il a entendu.

Oxana tourne la tête vers lui.

– Josef pense qu'il est temps que vous veniez, dit-il sans laisser paraître la moindre émotion dans sa voix ni dans son regard.

Impossible de savoir s'il est d'accord ou pas avec cette décision. Toutefois, elle se souvient des mots qu'il a lancés après leur dispute : « Te mettre à l'écart était une erreur de ma part. »

Dans le ventre d'Oxana, des papillons battent férocement des ailes. Sortir. Pas comme la dernière fois. Pas n'importe comment. Avec Josef et Kael, et pour une bonne cause, avec des armes et un encadrement approprié.

– Josef ne m'en veut pas, alors ? lui demande-t-elle tout de même, incertaine.

– Il n'en veut jamais à personne. Au contraire, il pense qu'à force de rester enfermés, vous devenez plus à risque de faire des conneries.

Il la dévisage et elle détourne les yeux, mal à l'aise.

– Eh bien... je crois qu'il a raison, approuve-t-elle. Qu'en pensent les autres ?

– Tu es la première que j'informe. Denys et Sam sont prêts. S'ils veulent nous accompagner, ils sont les bienvenus.

Il regarde Sam et Kim terminer une série de redressements assis.

– Kim devra rester ici, elle est trop instable.

– Et Victor ?

Kael l'observe d'un air surpris.

– Tu comptes le faire venir ? précise Oxana.

– Il est trop jeune, répond le BOA avec cet air qui signifie qu'il n'avait même pas envisagé l'ombre d'une réflexion à ce sujet.

– Il ne restera pas dans le Nid pour toujours. Imagine que la situation vienne à changer à Liberté. Il devra peut-être prendre les armes, tôt ou tard. Et ce qui vaut pour nous vaut aussi pour lui. À force de rester enfermé, il finira par péter les plombs.

– Il n'a que douze ans.

– Ça ne change rien. Tous les humains seront concernés par les projets de Wolfe. Les plus jeunes seront les plus vulnérables. Victor a toutes les qualités d'un résistant. Donne-lui la chance de progresser.

Les mâchoires de Kael se contractent. Il n'est pas d'accord. Pire, les réflexions d'Oxana le mettent en colère et il fait visiblement un effort pour ne pas l'envoyer balader.

– Il n'est pas immortel, réplique-t-il.

– Toi non plus.

Une pointe d'angoisse la saisit quand elle songe à sa propre immortalité qui déraille. Elle a parfois tendance à l'oublier, mais l'une de ses dernières entailles, encore visible sur sa cuisse, est là pour le lui rappeler. Et si sa prochaine blessure ne guérissait pas du tout ?

— C'est différent, grommelle Kael.

— Uniquement parce que tu as peur de le perdre. Ce sont tes craintes, pas les siennes.

— Il ne viendra pas, tranche le BOA en se levant. Je te laisse avertir Denys et Sam. Ceux qui veulent venir doivent être prêts pour vingt-trois heures.

Oxana le regarde s'éloigner. Une onde de tristesse l'envahit. Elle se morfond beaucoup, mais elle ne doit pas oublier qu'elle n'est pas la seule à avoir perdu quelqu'un dans cette histoire. La mère de Kael ne se réveillera peut-être jamais, et le BOA doit vivre quotidiennement avec ce doute. Qu'il ne veuille pas mettre la vie de Victor en danger est tout à fait normal, mais le jeune BOA risque de se rebeller un jour ou l'autre. L'empêcher de grandir n'est pas une solution.

Elle finit par se lever.

Comme elle s'approche de Sam pour lui apprendre la décision de Josef, elle voit Kim glisser et tomber. Sam s'empresse de lui venir en aide. Elle fait glisser une main sous la nuque de son amie et l'incite à continuer à grand renfort d'encouragements.

Oxana soupire intérieurement. La vie est vraiment une chienne.

Assise dans la camionnette, l'urne contenant les cendres de son frère sur les genoux, Oxana ne tient pas en place. Les palpitations dans sa cage thoracique dopent son énergie, et elle doit fournir un gros effort pour ne pas agiter nerveusement les jambes. Au moins, Alex l'accompagne pour cette première vraie mission. Il lui semblait important de le faire participer, et personne n'a posé de questions sur sa présence dans le véhicule. Tant mieux. L'immortelle n'a pas l'esprit à se trouver des excuses.

Assise en face de Kael, Josef et Mélissa, et encadrée de Sam et Denys, elle n'arrive pas à croire qu'ils partent en mission. Une vraie mission, pas une balade dans les rues de Liberté.

– Ils sont trois, les informe Josef. Deux filles et un garçon d'à peu près votre âge. Peut-être même moins pour l'une des filles, mais nous n'en sommes pas sûrs.

– Est-ce qu'ils portent des diadèmes ? l'interroge Sam.

– Non.

– Pourquoi ?

– Parce qu'ils ne resteront certainement pas en vie très longtemps.

– Oh...

– C'est comme ça, intervient Mélissa en s'étirant. Dans le lot, on récupérera un ou deux bons résistants et les autres seront renvoyés à leurs familles.

– Jusqu'à ce qu'ils se fassent voler ou vendre une seconde fois, ajoute sombrement Kael. C'est un cycle interminable.

– Au moins, on arrive à en récupérer quelques-uns, reprend Josef en jetant un regard en biais à Kael. Nous ne faisons pas cela pour rien. Certains peuvent être sauvés.

Le BOA n'insiste pas. Il se contente de croiser les bras, le regard lointain. Oxana se demande s'il a bu suffisamment de sang, ces derniers temps, parce qu'il a toujours l'air de mauvaise humeur. Comme elle le dévisage, il finit par lever les yeux vers elle, un sourcil en l'air. Oxana détourne aussitôt la tête. Quelque chose s'est fissuré entre eux, et elle n'ose pas lui demander comment il va.

Josef pointe un endroit du pouce à travers le pare-brise de la camionnette.

– Voilà le restaurant en question.

Le véhicule roule devant le bâtiment à une allure normale, pour ne pas attirer l'attention. Josef en profite pour passer côté passager et analyser la situation. Derrière le volant, le chauffeur ne bronche pas. Oxana se souvient de lui. C'est celui qui conduisait la camionnette le soir où les résistants ont fait irruption à l'Amarante.

– Les lumières sont éteintes, constate Josef, perplexe.

– Le restaurant est fermé ? dit Mélissa en se levant pour aller voir à l'avant.

– On dirait bien...

– Qu'est-ce qu'on fait ? demande le chauffeur. Je ne peux pas continuer de faire rouler cette camionnette à deux à l'heure.

– Gare-toi dans une ruelle transversale un peu plus loin.

Le groupe reste silencieux jusqu'à ce que leur chauffeur arrête le moteur.

– Et maintenant ? demande Mélissa.

– On va aller jeter un œil, répond Josef. Kael et Oxana, en civil, avec moi. Prenez juste vos masques au cas où. Mélissa et Denys, vous furetez en hauteur. J'ai remarqué que le bâtiment avait une toiture de verre. Sam, tu restes ici pour nous couvrir si on doit filer d'urgence. Est-ce que ça va pour tout le monde ?

Toutes les têtes acquiescent.

– On se déploie et, surtout, on ne se montre pas.

Oxana dépose l'urne sur le siège et sort à la suite de Kael. Elle a à peine posé un pied dans la ruelle qu'il se tourne vers elle, l'air malcommode.

– Tu restes près de moi, OK ?

– C'est bon, je ne suis pas une gamine, s'énerve-t-elle en rejoignant Josef qui les attend quelques pas plus loin.

Malgré la nervosité qui fourmille dans ses membres, Oxana se force à sourire pour le rassurer.

CLÉO

Cléo lève le nez.

Ce n'est pas le bâtiment de la Sang et Prestige dans lequel elle a grandi qui s'élève devant elle, mais ça y ressemble beaucoup.

– C'est le centre de recherche, lui apprend Babette, comme si elle avait lu dans ses pensées. C'est ici qu'Érik travaille, et c'est ici que nous vivons, notre père et nous.

Notre père...

Cléo ravale la remarque cinglante qui lui démange les lèvres. Son humeur est exécrable. Non seulement parce qu'elle va devoir s'entretenir avec William Steel, mais aussi parce qu'elle a menti à Denys. Elle est partie sans lui. C'est temporaire, bien sûr, Babette sait qu'elle doit aller le chercher demain matin et elle le fera, Cléo n'a aucun doute là-dessus.

– Le dernier étage appartient à papa, explique Babette en ouvrant la porte du bâtiment. J'ai grandi tout en haut de cette tour et j'y ai vécu jusqu'à ce que j'emménage avec Érik. J'ai toujours mes appartements là-haut, et Killian y venait de temps en temps...

Un silence gêné suit cette phrase. Killian est mort. C'était un cinglé doublé d'un sadique.

– Entrons, ajoute Babette en prenant sa demi-sœur par le bras pour l'entraîner à l'intérieur.

Érik leur emboîte le pas. Cléo se demande s'il lui arrive de quitter sa femme de temps à autre, ne serait-ce que quelques minutes. Leur relation est si fusionnelle qu'il pourrait finir par se fondre littéralement en elle.

Ils traversent le hall désert du bâtiment. L'agent de sécurité qui somnolait une seconde auparavant se redresse en les voyant approcher.

– Bonsoir, mademoiselle Steel, dit-il à Babette, tout en dévisageant Cléo.

Sans doute l'effet du masque. Ce n'est pas commun de voir quelqu'un se promener avec ça sur la figure.

– Bonsoir, Jack ! lance Babette sans même lui adresser un regard.

L'habitude ou l'indifférence, allez savoir. Cléo, quant à elle, plante son regard bleu acier dans celui du gardien et il détourne la tête presque instantanément.

Devant les ascenseurs, elle pose une main sur l'avant-bras de Babette.

– Comment je suis ? l'interroge-t-elle en faisant semblant d'être intimidée.

– Parfaite, la rassure sa sœur. Papa nous attend, allons-y avant qu'il ne meure d'impatience.

William Steel semble avoir pris dix ans en quelques semaines. Ses joues sont creusées et son teint, blafard. Debout en plein milieu d'un luxueux salon, le BOA regarde Cléo sortir de l'ascenseur sans bouger.

De son côté, Cléo est un peu confuse. Oui, elle le déteste toujours pour ce qu'il a fait, mais le voir aussi diminué lui inspire de la pitié. C'est finalement Babette qui brise la glace.

— Cléo, est-ce que tu veux boire quelque chose ?

— De l'eau, répond la jeune fille.

— Il y a plein d'autres choses, tu sais.

— De l'eau, ça ira, insiste-t-elle.

Le goût de l'alcool lui rappellerait trop son passage au manoir. Elle n'en boira certainement plus une seule goutte de toute sa vie.

Érik est figé devant l'ascenseur. Contrairement à sa femme, il doit ressentir le malaise ambiant.

— Viens t'asseoir, Cléo, fait Babette en agitant une main devant elle.

Elle tend le verre d'eau à Cléo, puis prend place sur l'un des canapés. Comment fait cette femme pour avoir autant d'énergie en toute circonstance ? La situation est terriblement embarrassante. Cléo se force au calme, rabat ses cheveux vers l'arrière et va s'asseoir en silence en face de sa sœur, sur un large pouf moelleux monté sur quatre pieds en bois. Elle prend quelques gorgées d'eau tout en regardant William Steel se servir un verre d'alcool et s'asseoir à côté de Babette. Érik, quant à lui, disparaît discrètement. Il n'a pas sa place dans ce triangle familial.

– Je suis heureux que tu aies changé d'avis, finit par dire William Steel.

Il a prononcé ces mots sans oser regarder Cléo en face. Il faut dire que leur dernière conversation s'est plutôt mal terminée. L'écho des insultes lancées par Cléo semble encore retentir autour d'eux.

– Il faut aller de l'avant, s'entend prononcer l'adolescente.

Elle a assurément été mise au monde pour jouer la comédie !

– Ton... ton visage...

– Ça va. Je me suis faite à l'idée de porter ce masque.

Babette les observe un moment, avant de se lever.

– Je vais mettre un peu de musique !

– S'il te plaît, laisse-nous.

La BOA tourne la tête vers son père, un sourire incertain sur les lèvres.

– Pardon ?

– J'ai besoin de m'entretenir seul avec Cléo, ajoute William Steel.

Figée, Babette les fixe l'un après l'autre avant de tirer nerveusement sur le bas de son chandail en cachemire.

– Bien sûr, dit-elle, les lèvres pincées.

Elle sort à petits pas rapides, vexée. Dans un sens, Cléo aurait aimé qu'elle reste pour faire diversion durant les blancs qui ponctueront inévitablement la conversation, mais aussi parce que sa présence était rassurante. Bien que terriblement agaçante, la BOA n'en demeure pas moins une valeur sûre dans cet univers tout nouveau pour Cléo, et c'est encore plus vrai maintenant, alors que William Steel se tient devant elle avec cet air un peu accablé qui lui rappelle celui qu'il adoptait parfois durant la loterie. Par contre, Cléo est contente que le BOA ait pris l'initiative de la renvoyer, car l'adolescente n'aurait pas pu mettre son plan à exécution avec Babette dans les pattes.

– Maintenant que nous sommes seuls, reprend William Steel, dis-moi pourquoi tu es là.

– Je veux tourner la page, répond Cléo.

– Ça, c'est la version officielle. Tu es intelligente, Cléo, et, contrairement aux autres produits de la Sang et Prestige, tu n'as pas été programmée dans l'œuf pour obéir aveuglément et te conformer aux règles. Tu as une idée derrière la tête et je veux savoir laquelle.

Le silence qui suit s'étire. Cléo a bien noté les légers tremblements dans la voix du BOA, comme autant d'indices de son incertitude. Il sait qu'elle n'est pas là pour lui, mais ça ne l'empêche pas d'espérer le contraire, et c'est exactement sur cette corde sensible que Cléo compte jouer.

– Je veux vivre dans le monde auquel j'appartiens.

Steel ose enfin la regarder dans les yeux, et l'adolescente redresse le buste.

– C'est une requête légitime, répond-il. Tu as tout à fait le droit de réclamer ce qui te revient.

Il détourne de nouveau les yeux.

– Malgré... ce qui s'est passé, je... j'espère que tu parviendras à m'accepter dans ta vie. Pas comme un père, je ne suis pas stupide ! s'exclame-t-il, anticipant sans doute une remarque de Cléo. Mais comme un partenaire. Quelqu'un sur qui tu peux compter.

Elle n'en espérait pas tant, et elle doit se retenir de sourire. Miser sur la culpabilité de Steel était un pari gagné d'avance. Abagail ne lui a-t-elle pas répété que les hommes sont faibles ? Étrange comme l'enseignement de cette employée de la Sang et Prestige se retourne aujourd'hui contre son plus haut actionnaire.

– Je veux appartenir à votre monde, renchérit Cléo, ce qui implique que vous me présentiez aux gens importants de Liberté. Vous me garantirez un avenir éclatant, celui pour lequel vous m'avez élevée.

– Bien sûr, soupire William Steel en faisant tinter les glaçons dans son verre. Mais nous devons rester prudents. Tu n'es pas censée être ma fille, puisque tu es humaine, et il me sera difficile d'expliquer pourquoi je te place soudainement sous ma protection.

– Je changerai d'apparence.

– Ce ne sera pas suffisant. Les gens vont se demander qui tu es. Je suis une figure importante de cette ville, les projecteurs sont braqués sur moi en permanence.

– Exhibez-moi comme un trophée.

Steel manque de s'étouffer avec la gorgée d'alcool qu'il était en train d'avaler. Pris d'une quinte de toux, il tire un mouchoir de la poche de sa veste et s'essuie la bouche tout en dévisageant l'adolescente.

– Tu es folle.

– C'est la seule solution.

– Je ne peux pas faire cela ! Tu es ma fille !

– Vous ignoriez que j'existais il y a encore quelques semaines.

– Non, c'est...

Il fouille du regard le tapis à ses pieds, en quête du mot le plus juste.

– ... immoral.

– Ne venez pas me parler d'immoralité, riposte Cléo, les dents serrées.

Mal à l'aise, Steel s'agite dans son fauteuil, cherchant une meilleure position.

– Vous n'aurez qu'à jouer le jeu durant les réceptions, argumente la jeune fille. Personne ne sait que la Cléo de la loterie porte un masque, et avec une nouvelle coupe de cheveux et quelques modifications ici et là, les citoyens de Liberté n'y verront que du feu.

– Quand même..., hésite toujours le BOA.

– Ne me dites pas que les gens ignorent votre penchant pour les Sacs à sang jeunes et bien fraîches ! lance Cléo avec une once de méchanceté, un sourire en coin.

Affolé, les yeux écarquillés, William Steel ouvre la bouche pour se défendre, mais rien n'en sort. Il est piégé et il le sait. Cléo savait qu'elle frapperait là où ça fait mal avec cette affirmation, parce qu'il ne peut pas contester. Il a lui-même avoué ce penchant dans le Nid, quand il s'est présenté à elle en tant que père biologique.

– Sais-tu seulement ce que cela impliquerait ? réussit-il à formuler. Le regard que les autres porteraient sur toi ?

– Ça, je peux vivre avec. Si vous ne le faites pas, je balance tout, le menace froidement Cléo. Votre relation extraconjugale doublement interdite, le meurtre de ma mère, mon infiltration frauduleuse dans le programme Prestige, les affaires secrètes de votre fils sadique. Tout.

– Tu ne sais rien de moi.

– J'en sais suffisamment pour vous faire tomber. L'Administration a beau être vérolée, elle ne pourra pas soutenir longtemps votre cause devant l'indignation populaire. Votre entreprise crée de nombreuses insatisfactions, le sentiment d'injustice gonfle au même rythme que les réserves de sang baissent. Le peuple ne supporte plus de vous voir vendre des êtres humains aux plus riches pendant qu'il doit se battre pour ne pas crever.

William Steel s'enfonce dans son siège, sonné. Il la regarde comme s'il prenait soudain conscience d'avoir créé un monstre.

– Accédez à ma demande, reprend Cléo un ton plus bas, pour la mémoire de ma mère. Si vous l'avez aimée comme vous me l'avez affirmé, c'est le moment de vous racheter.

– Tu lui ressembles tellement...

Il se passe une main sur le visage, comme s'il peinait à croire ce qui est en train de se passer.

— Elle voulait mon argent, elle...

— Je me fous de votre argent, le coupe Cléo. Je ne veux que le prestige, la vie telle que votre programme me l'a décrite. Je ne chercherai jamais à vous doubler ou à dépouiller Babette de son héritage, vous avez ma parole. Je vous demande juste de m'exhiber comme un nouveau produit de votre création. Une poupée brisée. Vous verrez, dans peu de temps, vos clients vous supplieront de leur fournir des esclaves munis de masques tels que le mien.

Le ton de Cléo est implacable, son visage, de marbre devant l'expression atterrée de Steel.

Le BOA se gratte le crâne, fait tourner le liquide dans son verre et se lève. Il marche jusqu'à l'une des grandes fenêtres du salon, contemple les lumières de la ville au-dehors.

Il pivote vers Cléo.

— Ta mère, non seulement tu as sa beauté, mais tu possèdes aussi son opiniâtreté.

— C'est pour cela que vous l'avez tuée.

Leurs regards se croisent. Celui de William est teinté de culpabilité. Il finit par détourner les yeux une fois de plus. Quand il porte le verre à ses lèvres, ses doigts tremblent. Il paraît si vieux.

Cléo se lève à son tour et va le rejoindre. Déterminée à ne laisser planer aucune zone d'ombre entre eux, elle lui fait face en essayant d'adopter une expression plus douce. Son cœur se met à battre férocement dans sa poitrine.

– William, j'ai tué quelqu'un, moi aussi. Et Killian était votre fils. Je...

– Il ne l'était plus depuis longtemps, la coupe-t-il. Je savais que Killian était irrécupérable. Tu n'as pas eu le choix d'agir comme tu l'as fait.

Les mots ont été prononcés avec fermeté, mais la voix du BOA est légèrement chevrotante. Lui aussi doit apprendre à vivre avec ses cicatrices. Touchée par l'apparente vulnérabilité de son père, Cléo ressent également du soulagement à l'idée que les choses soient claires au sujet de Killian.

– Tout se passera bien, dit-elle.

– Comment peux-tu en être aussi sûre ? lui demande-t-il d'une voix un peu rauque.

– Parce que je ne suis pas ma mère, répond-elle. Je suis votre fille.

OXANA

Légère comme une plume, Oxana se hisse à la fenêtre du premier étage, aidée par Kael qui pousse sur ses pieds avec ses mains.

– Tu vois quelque chose ? lance Josef, le plus silencieusement possible, d'en bas.

– C'est noir. Attendez...

Bien que sa position soit inconfortable, l'adolescente ne veut pas redescendre tout de suite. Elle voit une mince bande de lumière filtrant certainement d'une porte mal fermée et plisse les yeux pour essayer de discerner ce qui se trouve dans la pièce.

– On dirait des chaises, rapporte-t-elle.

– C'est un bar à sang, rappelle Kael, ça doit être des sièges-abreuvoirs.

– Des sièges-abreuvoirs, vraiment ?

Elle lève les yeux au ciel sans même attendre de réponse. Bien qu'ayant elle-même expérimenté ce genre d'engin de torture lors de son passage à l'Amarante, elle ignorait que les BOA étaient allés jusqu'à lui donner un nom.

– C'est illégal, Oxana, lui apprend Josef.

– Ouais, eh bien, pour quelque chose d'illégal, je trouve qu'il y en a beaucoup dans cette ville.

Pas de réponse en dessous. Oxana tend un bras et pousse sur la fenêtre. À son grand étonnement, le battant glisse facilement, offrant une ouverture vers l'intérieur.

– C'est ouvert !

– OK, redescends, on va... Oxana, attends. Non, n'entre pas ! Merde...

Kael essaye d'attraper l'un des pieds de la jeune fille pour la retenir, mais elle a déjà la moitié du corps dans la pièce. Quand Kael apparaît dans l'ouverture, quelques secondes plus tard, c'est un regard assassin qu'il lance à Oxana. L'adolescente hausse les épaules et reprend son inspection de la pièce. Il s'agit effectivement de sièges-abreuvoirs. Une bonne dizaine, à vue de nez.

– Il t'arrive d'écouter ce qu'on te dit ? la gronde Kael en la rejoignant.

– Vous m'auriez laissée en bas si j'étais redescendue, je me trompe ?

– Ce n'est pas à toi de prendre les décisions.

– Tu vas arrêter de bougonner, oui ? Allez, viens, on va voir ce que cache ce restaurant.

– Oxana ! chuchote-t-il d'un ton ferme avant de grommeler de nouveau en voyant qu'elle est déjà en train d'ouvrir la porte. Josef va m'assassiner, ajoute-t-il en la rejoignant.

– Pourquoi ça ? lui demande-t-elle en le dévisageant.

– Parce que j'étais censé te ramener dans la ruelle, pas t'envoyer dans la gueule du loup.

– Tu lui diras que je n'en ai fait qu'à ma tête, comme d'habitude.

Elle lui tire comiquement la langue, ce qui ne le déride pas pour autant.

L'étage semble désert. Aucun son ne provient d'en haut.

– Le restaurant a dû être fermé pour une raison qu'on ignore, émet Kael. Les humains sont sûrement ailleurs. On va informer Josef.

– Attends, dit Oxana en le retenant par le bras, il reste le rez-de-chaussée.

– C'est inutile, il n'y a personne.

– Et si tu te trompes ?

Le BOA soupire.

– Quoi ? Tu penses qu'ils ont ligoté les humains dans le restaurant, toutes lumières éteintes, juste pour le plaisir ? Ah non ! Ils savaient qu'on allait venir et ils se sont dit qu'ils allaient s'enfuir parce qu'ils avaient trop peur, nous laissant leurs Sacs à sang en prime !

Oxana le frappe à l'épaule.

– Arrête de te foutre de moi !

Cette fois, Kael ne peut pas s'empêcher de sourire.

– J'admire ta détermination, vraiment, mais il n'y a rien à voir dans ce bâtiment.

Oxana acquiesce avec résignation.

Ils s'apprêtent à faire demi-tour lorsqu'un bruit résonne au rez-de-chaussée, comme le son d'une chaise tirée brusquement contre un plancher de bois.

– Il y a quelqu'un en bas ! s'exclame Oxana, heureuse d'avoir raison.

Kael a déjà dégainé son arme, et l'adolescente l'imite sans tarder. Le contact froid du pistolet est intimidant. Théoriquement, elle sait comment s'en servir. Kael lui a montré comment enlever et remettre le cran de sûreté, comment viser et comment bloquer sa respiration juste avant de faire feu. Mais elle n'a jamais pu mettre ces notions en pratique que dans une salle de tir du Nid.

– On devrait aller chercher Josef, souffle-t-elle.

– Parce que maintenant, tu ne veux plus foncer tête baissée à cause d'un simple bruit ? rétorque Kael avec un brin de malice dans la voix.

– C'est pas ça du tout...

– Ne t'en fais pas, j'ai un instrument magique, la coupe le BOA en exhibant un téléphone cellulaire.

Il compose un numéro et se met bientôt à parler.

– Josef, on a entendu du bruit au rez-de-chaussée. Rien aux deux étages supérieurs. On va aller jeter un coup d'œil avec Oxana... Bien sûr... Non, ne t'en fais pas... Je comprends... Josef, je raccroche, assure nos arrières.

Il range son téléphone et décoche un regard embêté à Oxana.

– Quoi ? demande-t-elle.

– Il est furieux.

– Josef, furieux, vraiment ?

– Il m'a traité de triple imbécile, je peux te garantir qu'il est exaspéré.

– On fait quoi, alors ?

– Je veux en avoir le cœur net. Si les humains sont ici, on doit le savoir.

– T'es conscient que c'est dangereux ?

– Pour moi, précise-t-il. Ton immortalité te protège, ça me rassure. Sinon, tu peux me croire, je ne t'embarquerais pas là-dedans.

Une pointe de culpabilité transperce le cœur d'Oxana. Personne n'est au courant pour les blessures qui n'ont pas totalement cicatrisé sur son bras et sur sa cuisse, et elle s'en veut un peu de devoir mentir à Kael. Mais sans cela, elle serait confinée au Nid, alors elle décide de ne pas s'attarder sur la question.

Kael s'élance dans l'escalier qui mène au rez-de-chaussée. Oxana lui emboîte le pas, un mélange d'appréhension et d'excitation lui piquant les reins.

En bas, le silence est revenu. Kael lui désigne une porte, dans le fond du couloir, et ils s'en approchent avec précaution. Ils n'ont toutefois pas le temps de l'atteindre. Un coup de feu retentit derrière eux. La balle siffle aux oreilles d'Oxana avant de se loger dans le mur en face d'elle. Kael se retourne avec vélocité et tire à plusieurs reprises dans la direction du tireur, qui se cache derrière une autre porte, un peu plus loin.

– Remonte ! hurle-t-il à l'intention d'Oxana.

L'adolescente ne se fait pas prier. Kael sur les talons, elle grimpe les marches deux par deux, puis ils foncent en ligne droite vers la pièce par laquelle ils sont entrés. Un nouveau tir les oblige à se plaquer contre le mur, et le BOA riposte de nouveau pour forcer le nouvel assaillant à se replier. Ça leur donne un répit suffisant pour qu'ils se jettent dans la pièce contenant les sièges-abreuvoirs.

Kael referme la porte derrière eux juste à temps. Un poids se jette sur le battant, et le BOA colle son dos contre le panneau de bois, plantant les pieds au sol pour maintenir la porte fermée. Oxana fouille la pièce du regard avec empressement. La porte n'étant pas munie de serrure, il faut trouver quelque chose pour la bloquer.

– Les sièges sont pesants, indique Kael, le front plissé par l'effort. Tires-en un par ici.

Oxana pose son arme sur une table, puis elle pousse de toutes ses forces contre le siège le plus proche de la porte.

Pesants ? Le mot est faible ! De quoi sont faites ces chaises, au juste, pour être aussi lourdes ? Elle parvient malgré tout à traîner l'engin jusqu'à Kael, puis à le placer contre le battant. Au moment où le BOA relâche ses efforts sur la porte, une balle la traverse, déchirant un morceau de vêtement au niveau de sa hanche.

— Kael ! s'écrie Oxana.

— Ça va ! La balle n'a fait que traverser le tissu. Sors, vite !

Oxana obéit. Un simple regard à l'extérieur lui confirme que Josef est toujours là. Il lui fait signe de sauter. Elle sort par la fenêtre et suspend son corps dans le vide avant de lâcher prise sur le châssis.

— Où est Kael ? l'interroge le médecin en l'aidant à atterrir.

— Il arrive.

Leurs mentons se lèvent de concert vers la fenêtre. Le corps de Kael apparaît bientôt, au grand soulagement d'Oxana. Le garçon se hisse dans l'ouverture. Au même moment, un vacarme d'enfer retentit au-dessus de leurs têtes. Leurs assaillants ont réussi à défoncer la porte ! Kael écarquille les yeux et saute maladroitement dans le vide quand une nouvelle détonation résonne. Une seconde plus tard, une tête dépasse, et Josef lève son flingue pour tirer dans sa direction. Le BOA recule avant que la rafale ne l'atteigne. Cette diversion permet à Oxana de rejoindre Kael qui gît sur le dos un peu plus loin. La panique la gagne. Il ne bouge pas.

— Kael ? dit-elle en posant une main sur sa joue.

La tête de Kael roule légèrement, puis il pousse un grognement de douleur. Oxana tâtonne sa propre combinaison avant de jurer entre ses dents. Elle a laissé son arme à l'étage ! Elle court jusqu'à Josef et lui prend littéralement la sienne des mains.

— Allez rejoindre Kael, lui ordonne-t-elle en pointant le canon du pistolet vers la fenêtre. Il a besoin de soins. Je vous couvre.

Une tête tente une percée au-dessus d'elle, et elle tire avec le plus de précision possible malgré ses mains tremblantes. La balle ricoche sur la brique qui entoure la fenêtre. Le BOA rentre aussitôt le cou et disparaît de nouveau. Mais Oxana n'est pas dupe. Ils sont plusieurs, là-haut, et ils doivent déjà savoir qu'elle est seule à couvrir ses amis. Ils ne tarderont pas à passer à l'offensive.

Elle jette un bref regard derrière elle et soupire de soulagement : Kael est debout.

— Mettez-vous à couvert ! leur lance-t-elle.

D'un signe de tête, Josef indique qu'il a entendu. Sa nuque se glisse sous le bras de Kael tandis qu'il le dirige vers l'angle du bâtiment. Une fois qu'ils sont à l'abri, Oxana tire une dernière fois en direction de la fenêtre et court à leur suite. Le répit sera de courte durée. Pendant qu'un BOA faisait diversion au premier étage de l'immeuble, d'autres sont descendus et ont atteint la ruelle.

Une balle siffle à l'oreille d'Oxana et elle se recroqueville instantanément. Devant elle, Josef et Kael plongent derrière une benne à ordures. Elle les imite, écrasant le médecin de tout son poids tandis que des détonations précèdent le bruit des impacts sur le métal. Leur abri de fortune se fait littéralement bombarder. Kael se tient le genou en grommelant.

– Comment tu vas ? lui demande Oxana avec inquiétude.

– Un peu sonné, mais ça va.

– Et ton genou ?

– Je n'en sais rien, il fait sacrément mal.

– On verra ça plus tard, intervient Josef en tendant une main pour récupérer son arme.

Oxana la lui rend à contrecœur et il inspecte le réservoir.

– Ils sont au moins quatre et il me reste deux balles, annonce-t-il.

– Trois en ce qui me concerne, dit Kael.

De l'autre côté de la benne, les coups de feu ne faiblissent pas. Leurs assaillants doivent avancer vers eux tout en les mitraillant pour s'assurer qu'ils ne s'échapperont pas. S'ils ne bougent pas rapidement, ils sont foutus. Kael tente une percée sur le côté, mais se ravise avant même d'avoir pu tirer le moindre coup de feu, une rafale l'obligeant à se replier.

– Donne-moi ton flingue ! lui ordonne Oxana.

– Quoi ?

– Ce n'est pas grave si je suis blessée.

– Une balle dans la tête et c'est fini pour toi, lui rappelle Josef.

– Ça ira, j'ai vu pire.

L'adolescente plante ses yeux gris dans ceux de Kael.

– On n'a pas le choix et on doit retrouver les autres au plus vite. Qui sait dans quelle posture ils se trouvent, eux aussi, maintenant qu'on a foutu la merde. Kael, je t'en prie, donne-moi ton arme !

Le BOA grommelle, mais il obtempère malgré tout.

– Sois prudente, dit-il en lui prenant le poignet.

– Je vais vous sauver les fesses, sourit Oxana pour dissimuler son appréhension.

La prochaine balle pourrait lui être fatale, mais elle ne doit pas y penser. Elle prend une grande inspiration et se lève d'un bond. Tirer pour s'entraîner et tirer pour sa survie sont deux choses bien différentes. Elle rate sa première cible, pourtant à seulement quelques mètres. Le BOA la voit et tire immédiatement dans sa direction, vite soutenu par ses partenaires. L'immortelle se décale légèrement mais ne fléchit pas. Les deux balles qui restent dans le chargeur font mouche, mais une douleur désormais bien connue lui arrache un cri, et elle se plie en deux, les larmes aux yeux.

– C'est pas vrai ! s'exclame-t-elle en posant une main sur son épaule.

Le sang lui glisse entre les doigts.

– J'en ai eu deux, parvient-elle à dire.

Josef empoigne son arme et se redresse à son tour. Oxana entend plusieurs nouveaux échanges de tirs alors que Kael inspecte sa blessure.

– Je sais que ça fait mal, tente-t-il de la rassurer, mais ça va aller, d'accord ?

– Et si ça n'allait pas ? rétorque-t-elle en grimaçant.

Le BOA fronce les sourcils. De son côté, Josef sort complètement de leur abri et s'enfonce dans la nuit. Ni Oxana ni Kael n'ont eu le temps de le retenir. Un ultime coup de feu retentit, faisant sursauter Oxana. Le médecin réapparaît quelques secondes plus tard, sain et sauf.

– Faut rejoindre le camion. Est-ce que tu peux marcher ?

Oxana fait oui de la tête. Elle se laisse soutenir par le médecin tandis que Kael ouvre la marche en claudiquant. Derrière eux, les cinq corps sont étendus sur le sol, des mares de sang les entourant comme des auréoles.

– Il va falloir que tu arrêtes de te faire tirer dessus, lance Kael en lui adressant un bref sourire.

En temps normal, Oxana lui aurait balancé une réplique cinglante malgré la douleur. En temps normal, elle aurait été certaine de ne pas perdre l'usage de son bras... et de ne pas mourir.

Deux ombres se dirigent vers eux en courant. Une fois à leur hauteur, Mélissa et Denys reprennent leur souffle. Leurs visages sont recouverts d'éclaboussures de sang. Denys fronce les sourcils en voyant l'épaule mal en point d'Oxana, mais Josef ne le laisse pas parler.

– Pas trop de casse ?

– On s'est fait surprendre par deux BOA en redescendant du toit, les informe Mélissa. Ils nous ont tiré dessus.

— Ils sont hors d'état de nuire, ajoute Denys.

Le teint de Josef est livide. Lui qui insiste pour que les missions se fassent dans la discrétion doit se sentir très mal en ce moment. Sans compter les morts. Au moins, tout le monde est sain et sauf dans son équipe. Peut-être que cette mission lui permettra de réaliser que la résistance ne peut plus se permettre d'agir mollement. La Brigade du Sang et les sbires de Claudius Wolfe n'hésitent pas à tuer et à torturer. Pour leur faire front efficacement, il faudra mettre quelques principes de côté.

Oxana se force à respirer calmement malgré le stress. Et si sa blessure à l'épaule ne guérissait pas, cette fois ? Des points noirs lui brouillent la vue, la panique la gagne.

— Je ne vais pas bien...

Ses jambes se dérobent. Kael la prend dans ses bras.

— Qu'est-ce qu'elle a ? demande Denys.

— C'est sans doute le choc, déclare Josef.

— Non..., bafouille Oxana. Mon immortalité... elle... elle est défaillante... elle aussi.

Seul le silence de la nuit répond à cette affirmation.

— On dégage, ordonne finalement Josef, vite !

Une fine pluie se met à tomber. Ils parviennent à la camionnette juste avant que les gouttelettes ne se transforment en trombes d'eau froide. Même si elle en a été proche, Oxana n'a pas perdu connaissance. Sa vision se rétablit complètement alors qu'ils sont déjà en route. Elle considère brièvement les mines défaites autour d'elle. Sam est la seule à poser des questions. Elle a passé un bras autour des épaules d'Oxana et lui caresse le front dans un geste maternel.

– Pourquoi vous ne dites rien ? s'inquiète-t-elle.

– Ç'a mal tourné, dit Oxana en se redressant légèrement, brisant le contact de la paume de Sam sur son visage.

Son épaule lui fait moins mal. Un examen attentif de sa blessure lui apprend qu'elle guérit déjà.

– Pourquoi as-tu dit que ton immortalité était défaillante ? lui demande Josef.

– Quoi ? s'exclame Sam, les yeux écarquillés.

– Je n'ai pas dit ça, j'ai...

– C'est exactement ce que tu as dit.

La voix de Kael est tombée comme un coup de tonnerre. Assis sur le siège passager de la camionnette, il lui tourne le dos. Le ton de sa voix est glacial.

– Je ne sais pas, répond-elle en haussant les épaules. Le choc, sans doute...

Denys lui jette un coup d'œil par en dessous. C'est un regard plein de sous-entendus, parce qu'ils savent tous que la défaillance de son système a failli tuer Cléo. Sans compter Alex...

Oxana se détourne, gênée de leur mentir, mais incapable d'avouer qu'elle a mis sciemment sa vie en danger ce soir.

– Tu avais l'air terrifiée, dit Josef avec empathie. Oxana, j'ai vu beaucoup de gens terrorisés par la mort dans ma vie, des gens qui sentaient que leur fin était proche, et ça ressemblait à ça. Si tu nous caches quelque chose, c'est le moment de cracher le morceau. Nous formons une équipe. Il n'y a pas de place pour les secrets dans ce groupe, les risques sont trop grands.

– M'auriez-vous emmenée avec vous si je vous avais avoué mes craintes ?

– Ça dépend, dit Josef. Je ne tiens pas uniquement compte des capacités physiques de mes recrues avant de les envoyer sur le terrain. L'un des critères les plus importants, à mon sens, est la confiance.

Et vlan !

Oxana baisse les yeux.

– Je fais ce que je veux de ma vie, clame-t-elle, les lèvres pincées. Je n'ai pas joué avec la vôtre, à ce que je sache. Les risques que j'ai pris, je les assumais, et tant pis si ça m'avait été fatal. Josef, vous n'êtes pas immortel. Mélissa et Kael non plus, d'ailleurs. Fichez-moi la paix.

La tension qui suit cette réplique est presque palpable. Les confidences d'Oxana dérangent. Son ton irrité déplaît. Qu'ils aillent tous se faire voir ! Maintenant qu'elle n'a plus son diadème, elle peut se débrouiller toute seule et c'est exactement ce qu'elle va faire.

– Moi, je ne veux pas que tu meures, murmure Sam à côté d'elle.

Son visage est horrifié. Les révélations d'Oxana l'ont visiblement ébranlée.

— Je ne vais pas mourir, Sam. Regarde, ma blessure se referme, tout va bien.

— Mais tes doutes, ils viennent d'où ?

Oxana soupire.

— Quand on a été attaqués par les Charognards, Josef, Kael et moi, après la crémation d'Alex, je me suis blessée derrière la cuisse. L'entaille a guéri beaucoup moins vite que d'ordinaire, et la cicatrice est toujours visible.

— Oh...

— Après ce qui est arrivé à Alex et Cléo, grommelle Denys, tu aurais dû nous en parler. Ça nous concerne aussi, Sam, Kim et moi. Si ton immortalité déraille, qu'en est-il de la nôtre ? En te taisant, tu nous as exposés également.

— Je sais, souffle Oxana en plongeant son visage dans ses mains.

— Tu as manqué de jugement, dit Sam, ça arrive à tout le monde.

— Maintenant qu'on est au courant, ajoute Josef, nous allons prendre les précautions qui s'imposent. Je vais commencer par faire des tests sur chacun de vous, pour voir si tu es la seule concernée par ce phénomène. Est-ce que tu as eu des migraines, comme c'était le cas pour Alex et Cléo ?

— Non.

— C'est déjà ça. Ton corps guérit toujours, c'est peut-être juste passager. Mais tu ne dois plus rien nous cacher. Si tu commences à souffrir de migraines ou de maux de ventre, tu m'en informes au plus vite, d'accord ?

Oxana fait oui de la tête. Elle n'a plus le goût de parler et se sent d'un seul coup étrangère à ce groupe. Quand la camionnette s'immobilise, elle sort la première et entre dans le Nid sans un regard en arrière. Trop d'émotions se bousculent en elle.

D'instinct, elle se rend au gymnase, désert à cette heure de la nuit, certaine de n'y croiser personne. Se réfugier dans un endroit où les émotions complexes sont exclues au profit d'une bonne suée lui fait du bien. Elle aurait d'ailleurs bien besoin de s'entraîner, juste pour évacuer les sentiments contradictoires qui lui pourrissent le cœur.

Elle serre ses mains l'une contre l'autre et constate qu'elle a oublié l'urne dans la camionnette. Un instant, elle songe à faire demi-tour pour aller la chercher, mais préfère attendre que tout le monde soit couché pour ne croiser personne.

La porte grince dans son dos.

Elle se retourne pour faire face à Kael, le dernier être sur cette planète qu'elle a envie de voir ! Ses yeux clairs posés sur elle, emplis de reproches et de déception, entaillent encore plus son âme, lui donnant envie de vomir.

— Laisse-moi, crache-t-elle en se détournant.

Il est sur elle en une fraction de seconde, la pousse jusqu'au mur et y plaque son corps sans ménagement.

— Tu me fais mal ! crie-t-elle avec rage.

— Tu ressens quelque chose, alors ?! hurle-t-il.

— Bien sûr que je ressens des choses, comment oses-tu penser le contraire ?

– Parce que c'est une morte en sursis qui nous parlait, dans la camionnette !

Son poing frappe le mur à côté du visage d'Oxana. Le cœur de la jeune fille bat comme un dingue.

– Vas-y, crache-t-elle, frappe-moi. Je savais que ça arriverait un jour. C'est dans tes gènes !

Un voile douloureux se pose sur le visage de Kael. Ses yeux, pourtant, continuent de flamboyer de colère.

– Ne dis pas ça...

– Tu crois que je ne te vois pas ! Tu te languis de mon sang, tout le temps. Alors, vas-y, mords-moi une bonne fois pour toutes ! Laisse tes instincts ressurgir !

– Pourquoi tu fais ça ?

– Quoi ? dit-elle avec impatience.

– Te donner un genre qui n'est pas le tien, faire croire que tout ce qui se passe ne t'atteint pas.

– Parce que c'est le cas, répond-elle effrontément.

– T'es dans le déni, bordel ! Tu penses peut-être que risquer ta vie en faisant mine de ne rien ressentir va te permettre d'oublier ce qui s'est passé ? Au contraire, ça va t'exploser en pleine figure !

– Qu'est-ce que tu crois ? Que pleurer toutes les larmes de mon corps va me permettre d'aller mieux ? Que ça m'aidera à dormir ? Qu'au bout du compte, la douleur finira par diminuer ? C'est des conneries, Kael ! Je souffre tous les jours depuis la mort d'Alex, chaque minute de cette maudite vie ! Je suis une plaie béante et j'en ai rien à foutre de mourir !

La mâchoire de Kael se contracte à plusieurs reprises.

Ses yeux fouillent ceux de la jeune fille avec rage, cherchant sans doute une réplique sur laquelle elle ne pourra pas rebondir. C'est peine perdue. Elle n'a plus le goût de rien. Peu importe ce qu'il pourrait lui dire, elle ne peut pas être raisonnée, simplement parce qu'elle n'a plus rien à perdre.

Kael ne bouge toujours pas.

Il plisse finalement le nez, prend une grande inspiration et pose ses lèvres sur celles d'Oxana, qui sursaute d'étonnement. Elle le repousse violemment et le gifle, le souffle court.

— Tu n'as pas le droit ! s'offusque-t-elle en brandissant l'index vers lui.

Il recule légèrement, les sourcils froncés.

— Je suis désolé, je...

Il semble perdu. Merde, songe la jeune fille avant de se jeter sur lui.

Leurs lèvres s'unissent de nouveau. Passionnément. Avec une fougue presque douloureuse et carrément désespérée.

Leurs souffrances respectives se mêlent dans une étreinte bouillonnante, Oxana faisant pivoter le BOA pour le plaquer contre le mur. Il n'y a plus de statut qui compte, plus de loi, plus rien. Juste les mains de Kael sur son corps, sa bouche sur ses joues et son cou, son souffle chaud sur sa peau. Elle soulève le t-shirt du garçon pour le faire passer par-dessus sa tête, palpe son torse pâle et musclé, se colle à lui pour mieux le sentir contre elle, pour vérifier qu'il est bien réel.

Kael la soulève de terre et la transporte sans cesser de l'embrasser, son pas quelque peu bancal à cause de sa blessure au genou. Il souffle le prénom d'Oxana à plusieurs reprises, comme si lui aussi cherchait à se convaincre que tout cela arrive vraiment. L'adolescente s'accroche à lui, le laisse fermer la porte du gymnase à clé. Elle réalise alors ce qui est en train de se passer, ressent de l'angoisse et s'immobilise dans les bras du BOA qu'elle dévisage gravement.

Le souvenir du BOA, à l'Amarante, ressurgit violemment. L'étreinte de Kael a beau être agréable, elle commence à paniquer.

Visiblement conscient de son malaise, Kael la pose sur la pile de tapis entreposés dans un coin de la grande salle. Il prend son visage entre ses mains, fronce les sourcils comme s'il luttait à l'intérieur.

— J'ai une bonne raison de t'engueuler, lui dit-il avec sérieux. Tu ne tiens peut-être pas à la vie, Oxana, mais moi, je tiens à la tienne. Tu as recollé des morceaux en moi. Toutes ces nuits, ton corps contre le mien...

Il soupire.

— Tu es une lumière dans ma vie, et j'ai peur qu'elle s'éteigne si tu vas trop loin.

– Je ne sais pas comment lutter contre ma colère, Kael. Elle fait partie de moi depuis presque toujours. J'ai peur qu'elle prenne toute la place. Parfois, j'espère juste qu'elle me consume pour de bon. Souvent, je me demande à quoi ça sert de continuer de lutter. Au moins, si je laissais libre cours à ma rage, certaines choses pourraient peut-être changer avant qu'elle n'efface totalement celle que je suis. Elle est si puissante.

– Je sais...

N'y tenant plus, Oxana pose ses mains sur le cou du garçon et l'embrasse de nouveau. Elle voudrait mourir dans ce baiser. Ce serait une fin heureuse, en quelque sorte. Disparaître par le fruit délicieux d'un acte interdit, histoire d'envoyer chier le système une bonne fois pour toutes.

Sauf que la vie en a décidé autrement. Si fin il doit y avoir, elle n'aura certainement pas ce goût-là, Oxana en prend conscience au premier bip qui résonne à ses oreilles.

Ses lèvres s'éloignent de celles de Kael, leurs regards se croisent une nouvelle fois, mais avec incompréhension. Un autre bip résonne, suivi d'un autre, et ainsi de suite. Le rythme s'accélère. Les yeux de Kael descendent sur les épaules de la jeune fille.

– Tu vas me prendre pour un dingue..., commence-t-il.

– Tu as l'impression que ça vient de moi, c'est ça ?

Il fait oui de la tête.

Oxana tire sur la fermeture éclair de sa combinaison, dévoilant son soutien-gorge. La pudeur étant le dernier de ses soucis, elle écarte le pan de tissu troué par la balle un peu plus tôt et dénude complètement son épaule. Ses yeux s'écarquillent. Sous sa peau clignote par intermittence une lumière rouge, au même rythme que les bips de plus en plus frénétiques qui continuent de rebondir dans le gymnase.

– Kael..., fait-elle d'une voix affolée.

Et si c'était une bombe à retardement destinée à la déchiqueter ?

Oxana se lève d'un bond et recule tout en levant une main en direction de Kael.

– Éloigne-toi !

– Attends...

La panique la gagne.

– Je ne veux pas te blesser !

Il passe une main dans son dos et extirpe un couteau de sa ceinture.

– Je suis désolé, il faut t'enlever ce truc, dit-il nerveusement.

Le regard de l'adolescente passe du couteau à son épaule. Pas le choix ! De toute façon, si elle saute, elle emportera très certainement le gymnase et une partie du Nid avec elle.

– OK, dit-elle en s'avançant vers lui.

– Serre les dents.

Elle pose une main sur la poitrine de Kael. Ses ongles se plantent dans la peau du BOA quand la lame perce sa chair, là où la balle a déjà fait son chemin un peu plus tôt. Oxana se mord l'intérieur de la joue jusqu'au sang, mais ne bronche pas. Les bips se sont encore accélérés. Ça peut exploser à chaque seconde.

Vite. Vite...

Son visage en sueur se contracte de douleur lorsque le BOA plonge deux doigts dans la plaie pour aller chercher ce qui menace de les tuer. Ou plutôt, pour l'arracher.

— Tiens bon, l'encourage-t-il avant de tirer d'un coup sec.

La brûlure est tellement cuisante qu'Oxana tombe à genoux, en pleurs. Ses doigts recouvrent la nouvelle blessure. Elle lève les yeux vers Kael. Il se penche devant elle, exhibant une diode rouge clignotante soudée à une sorte de minuscule crochet dont quelques branches sont brisées.

— Ce n'est pas une bombe, lui annonce-t-il d'une voix chevrotante. Oxana, c'est une puce GPS. La balle ne cherchait pas à te tuer, mais à planter une balise dans ton corps pour te pister. Elle devait être fixée à la balle et elle s'est prise à ton corps grâce à ce crochet.

Ils s'observent, tendus, comprenant d'un seul coup l'enjeu de cette révélation.

— C'était un piège, dit Kael.

— Comment est-ce possible ?

— L'informateur de Josef a dû être payé par la Brigade du Sang pour nous conduire à ce restaurant. Il faut prévenir les autres, ajoute-t-il en se relevant. Il faut évacuer le Nid avant que...

Le sol semble se déchirer soudainement sous leurs pieds, tremblant dans un grondement sinistre. Kael se replie devant Oxana et la prend dans ses bras pour la protéger des morceaux de faux plafond qui se décrochent et tombent autour d'eux. Les lampes de secours qui les éclairaient jusque-là d'une lueur subtile s'éteignent, les plongeant dans le noir.

Quand le plancher arrête enfin de vaciller, Kael cherche la main d'Oxana et l'aide à se diriger dans l'obscurité. Leurs pieds écrasent ce qui ressemble à du verre. L'immortelle entend le cliquetis du verrou de la porte du gymnase, mais rien d'autre ne se passe.

– La porte est bloquée de l'extérieur, dit Kael. Il y a une lampe-torche dans les vestiaires. Attends ici, je vais la chercher.

Oxana l'entend s'éloigner d'un pas vif. Elle entoure sa poitrine de ses bras. La noirceur est si opaque que son regard ne parvient même pas à s'y habituer. Au bout de quelques secondes, ses oreilles, sans doute rendues plus sensibles par sa soudaine cécité, perçoivent quelque chose. Ce sont des cris, provenant de quelque part au-dessus d'elle.

Un rond de lumière apparaît un peu plus loin. Kael a trouvé la lampe et il court vers Oxana.

– Voyons voir, fait-il en dirigeant le faisceau vers la porte.

Les deux petites fenêtres vitrées qui la trouent ont explosé. C'est effectivement sur du verre qu'ils ont marché un peu plus tôt, mais aussi sur des fragments de roche, de plâtre et de ciment. La porte est bloquée par un amoncellement de débris de l'autre côté, comme si le couloir qui mène au reste du Nid s'était complètement effondré.

– Bordel ! peste Kael en se retournant pour inspecter le gymnase.

Des morceaux de plafond jonchent le sol, mais le plancher reste malgré tout praticable. Vu qu'ils se trouvent dans un sous-sol, ils sont chanceux que le bâtiment ne leur soit pas tombé intégralement dessus.

– On est prisonniers, signale Oxana avec une pointe d'angoisse.

Kael ramasse son t-shirt sur le sol et l'enfile rapidement.

– Pas sûr. Suis-moi !

Ils rejoignent l'extrémité du gymnase au pas de course.

– Là-haut, lui indique Kael en éclairant une bouche d'aération à environ deux mètres du sol. Josef et moi avons chassé des rats dans ces conduits, il y a quelques semaines. Je crois que celui-ci mène au réfectoire. Avec un peu de chance, il est intact. Tiens, prends ça.

Il lui tend la lampe-torche et court chercher des tapis de sol qu'il fait glisser sous le conduit, les empilant pour former un marchepied d'environ cinquante centimètres.

– Ça devrait suffire, constate-t-il en reprenant la lampe.

Il en place le manche dans sa bouche et invite Oxana à poser son pied dans le creux de ses mains.

– C'est une fermeture à emboîtement direct, il te suffit de tirer sur les lattes d'un coup sec pour que la grille se dégage.

– D'accord.

Oxana met ses pieds sur les paumes et les poignets du garçon et se laisse hisser jusqu'à la grille. Kael dirige le faisceau de la lampe vers elle, pourtant elle n'y voit presque rien. C'est tout de même suffisant pour qu'elle agrippe fermement les lattes en plastique. La grille ne bouge tout d'abord pas.

— Tire de toutes tes forces, tente d'articuler Kael malgré la lampe dans sa bouche.

Facile à dire ! La musculation n'a jamais été le point fort d'Oxana ! Elle redouble cependant d'effort, sentant le plastique glisser sensiblement vers elle. Mais ses doigts rendus moites par le stress et l'effort glissent d'un seul coup, la faisant basculer vers l'arrière. Elle retombe à moitié sur le tapis, ses épaules et sa tête frappant le plancher du gymnase. Elle encaisse le choc et se relève en titubant, une main plaquée sur le front.

— Ça va ? s'inquiète Kael en la prenant par les épaules.

— Ouais, un peu sonnée, mais ça ira.

Elle jette un œil ennuyé vers la grille.

— Je ne suis pas assez forte, c'est à toi de déloger ce truc du mur.

— C'est tout ce qu'on a comme matelas.

— Pas besoin de plus...

Oxana se met à quatre pattes contre le mur.

— Monte sur mon dos, lance-t-elle.

— T'en es sûre ?

– Ça va, je suis quand même capable de supporter ton poids. Une autre chute, par contre, pourrait me mettre K.O. Allez, grimpe !

Kael monte sur son dos avec précaution, un pied à la fois pour être certain de ne pas lui écraser les vertèbres, puis il s'en prend à la grille d'aération. Elle cède facilement, bien entendu.

– Tu passes la première, dit-il en sautant sur le tapis. Je vais t'aider à monter.

Oxana accepte la lampe que lui tend Kael et se laisse hisser jusqu'au trou béant. Elle s'y glisse, préférant ne pas se demander si Josef et Kael ont réussi à chasser tous les rats qui s'y trouvaient quelques semaines plus tôt...

Allongée de tout son long, elle commence à ramper dans le boyau rectangulaire. Le faisceau de la lampe dans l'une de ses mains lui en apprend plus sur sa nouvelle prison. Non seulement le toit est très bas, si bas qu'elle pourrait se cogner la tête si elle relevait un peu trop le cou, mais il semble en plus interminable. Oxana sent une pointe d'angoisse lui compresser la poitrine à l'idée de rester enfermée dans ces conduits. Et si toutes les issues étaient bloquées ? Et s'ils tombaient sur ceux qui ont provoqué l'explosion ?

– Il y a une intersection, note-t-elle en contemplant les deux couloirs qui partent respectivement à droite et à gauche.

Kael réfléchit quelques secondes.

– Prends à gauche, dit-il.

– T'es sûr ?

– Oui, ça nous mènera à l'infirmerie. Je veux m'assurer que ma mère est sauve, et, si je me fie à mon sens de l'orientation, c'est par là.

– Il est bon, d'habitude ?

– Mon sens de l'orientation ? Plutôt, oui. Fais-moi confiance.

Il tapote le talon d'Oxana pour la convaincre d'avancer.

Elle poursuit donc son chemin en rampant, les coudes et les genoux endoloris par les pressions répétées. Il lui semble soudain entendre des voix et elle éteint sa lampe.

– Qu'est-ce que tu fais ? l'interroge Kael derrière elle.

– Chuuut, souffle-t-elle en tendant la jambe pour le faire taire.

Elle doit frapper son front ou son menton, parce qu'il émet un râle agacé. Oxana l'entend à peine. Devant elle, à environ dix mètres, une vive lueur passe à travers une grille d'aération, et une conversation enflammée dont elle ne perçoit que faiblement les mots lui fait dresser tous les poils sur le corps. Cette voix, elle ne la connaît que trop bien...

Tout d'abord tétanisée, Oxana finit par reprendre possession de son corps et recommence à ramper. Plus lentement, toutefois.

Une fois devant la grille, elle tente un regard entre les lattes de plastique. Son sang se glace dans ses veines. Cette sortie mène à l'infirmerie. Dans la chambre de Sandra, plus précisément. Et Claudius Wolfe s'y trouve, confirmant ses pires craintes.

Elle jette un bref coup d'œil derrière elle, mais ne perçoit que très faiblement les traits de Kael dans l'obscurité. Ses yeux clairs, par contre, semblent la transpercer. Elle détourne la tête, l'esprit embrouillé.

– Elle est entrée ici, dit soudainement Claudius Wolfe dans la pièce. Le traceur l'a localisée, je ne vois pas où est le problème.

– Notre intervention a bloqué l'accès à la salle où elle se trouve, toussote le BOA en face de lui.

Ce n'est que maintenant qu'Oxana prend conscience de la présence de ce deuxième homme.

– Comment ça ?

– Le plafond s'est effondré sous le choc de la détonation quand on a défoncé l'entrée, j'ignore comment c'est possible, mais...

– Et elle est coincée derrière un amoncellement de gravats, c'est ça ?

– Oui. Le GPS nous indique qu'elle est là-dedans. Les gars sont en train de déblayer.

– C'est trop long, grogne Wolfe. Je connais cette gamine, elle ne se laissera pas faire. Il fallait la prendre par surprise. De toute façon, on a eu ce qu'on voulait. On a trouvé les locaux de la résistance. Tant pis pour le reste.

L'autre se tortille nerveusement.

– Dégage ! lui ordonne finalement Wolfe.

Il se retrouve seul avec Sandra. Oxana l'observe sans respirer. Elle le regarde marcher jusqu'au chevet de la mère de Kael, tirer une chaise à lui et s'y asseoir avant de plonger son visage dans ses mains. À quoi pense-t-il ?

T'es trop conne ! C'est le moment d'agir, de lui planter un couteau dans le cœur !

Il semble si vulnérable, seul, dans un bâtiment qu'il ne connaît pas. Qu'attend-elle au juste ?

Elle a peur.

Non, elle est terrorisée.

Elle sursaute quand Kael tire sur son pantalon, semblant lui demander ce qu'elle attend pour sortir ou avancer. N'y tenant plus, il commence à lui grimper dessus pour venir à sa hauteur. C'est insensé, parce qu'il y a à peine la place pour une personne ! Ils vont mourir asphyxiés s'il continue à compresser leurs corps de la sorte ! Et pourtant, à grand renfort de coups de coude, il finit par placer ses lèvres à quelques centimètres de son oreille.

– Qu'est-ce que tu fous ?

Dans sa position, il ne peut pas voir la chambre de sa mère, et se contente d'interroger Oxana du regard. La jeune fille secoue lentement la tête.

– Je ne peux plus bouger, chuchote-t-elle.

Elle fait un mouvement de tête en direction de la grille. Kael se contorsionne pour essayer de voir ce qui la met dans cet état. Son corps se raidit. Il tâtonne leurs corps allongés en quête d'une arme, mais Oxana lui prend la main. Comme il tourne la tête dans sa direction, elle lui fait non de la tête. S'il fait le moindre bruit, s'il ouvre la grille maintenant ou hurle une menace, Wolfe les tuera aisément.

– Euh... monsieur ? demande un autre BOA en entrant dans la chambre de Sandra.

Wolfe se tourne vers l'un de ses congénères.

– On a trois hommes à terre.

– Et les résistants ?

– Il en reste quelques-uns dans le bâtiment. Ces locaux ne sont plus fonctionnels, ils ne reviendront pas. On ferait mieux de partir.

Wolfe acquiesce lentement de la tête, mais ne bouge pas, mettant les nerfs de Kael et d'Oxana à rude épreuve. Leur étreinte n'a franchement rien d'agréable et la jeune fille a l'impression de manquer d'air.

Quand Wolfe et ses hommes sortent enfin de la chambre, elle a le sentiment qu'elle ne pourra plus bouger un seul muscle. Kael attend encore quelques minutes, puis il pousse sauvagement contre la grille pour la faire céder, la retenant malgré tout avant qu'elle ne tombe par terre, pour éviter de faire trop de bruit. Il parvient à sortir en se contorsionnant, et l'adolescente s'extrait de leur prison étroite à sa suite.

– J'ai cru étouffer, soupire-t-elle.

Kael ne répond pas. Il jette un coup d'œil dans le couloir pour s'assurer qu'ils sont de nouveau seuls, puis il se rend jusqu'au lit et regarde sa mère en faisant la grimace.

– Le fait qu'elle soit branchée va compliquer les choses, dit-il en laissant ses doigts courir sur le cathéter qui relie le corps de Sandra à une machine. Ce tube l'alimente, ajoute-t-il en s'emparant de l'autre tuyau, branché à une poche de liquide. On doit l'emmener avec nous, mais je ne sais pas si ces trucs sont vitaux pour elle.

Oxana s'approche à son tour pour inspecter l'attirail.

– Kael, je n'y connais rien non plus...

– On n'a pas le choix, de toute façon, lance-t-il après une brève hésitation.

Une fois le corps de sa mère débranché, Kael la porte dans ses bras.

– On se tire, annonce-t-il en prenant le chemin de la sortie.

DEUXIÈME PARTIE

CLÉO

— Il va faire quoi ?!

Les yeux de Babette sont révulsés. Assise sur une luxueuse chaise à roulettes derrière son bureau en verre, elle a penché le buste vers l'avant, manquant de frapper l'écran de son ordinateur portable avec sa poitrine rebondie.

— Il ne peut pas me présenter comme sa fille, explique calmement Cléo en remuant sur sa propre chaise. S'il veut me garder à ses côtés, il n'a pas d'autre choix.

— Mais te renvoyer à ton sort d'esclave pour faire fructifier ses affaires, c'est dégueulasse !

— N'exagère pas, il s'agit de notre père, je n'ai rien à craindre de lui... n'est-ce pas ?

Babette l'observe quelques secondes avant de secouer la tête avec agacement.

— Bien sûr, tu n'as rien à craindre, c'est quelqu'un de bien.

Les muscles de Cléo se contractent légèrement sans que Babette remarque son soudain malaise. Sa demi-sœur est tellement accaparée par ses propres émotions qu'elle ne réalise même pas l'impact de ses derniers mots.

– Et comment ça va se passer ? l'interroge la BOA en se rongeant l'ongle du petit doigt.

– Je dois changer d'apparence. Tu devras me procurer des produits pour me teindre les cheveux.

– Quelle couleur ?

– Noir.

Babette secoue la tête.

– Bon sang, tu as déjà pensé à tout... Quoi d'autre ?

– Des tenues élégantes, voyantes et affriolantes. De nouveaux masques, un pour chaque tenue, ainsi que des bijoux discrets.

– Discrets ?

– L'attention doit être mise sur les masques.

– Je vois, soupire Babette d'un air résigné. C'est moi la spécialiste des communications ici, et votre plan me paraît dingue. Ça ne marchera pas. Et puis, qu'est-ce que tu as à y gagner exactement ?

– J'apprends à connaître ma famille en plus d'accéder au monde pour lequel j'ai été élevée. Babette, on m'a ressassé des conneries sur le luxe, la beauté et l'opulence pendant plus de douze ans. Je sais que je ne pourrai jamais devenir officiellement la fille de William, mais je veux en profiter un peu. Compte tenu du sang qui coule dans mes veines, c'est la moindre des choses, non ?

Les mains plaquées sur ses joues, Babette observe Cléo de ses yeux clairs généreusement maquillés. Si elle avait été humaine, le bleu de ses yeux aurait été identique à celui de Cléo.

— Je ne veux pas être mêlée à cela, d'accord ? dit-elle finalement. Te faire sortir de la loterie, oui, mais ça...

— C'est compris.

Babette se lève et contourne le bureau pour venir poser ses fesses dessus, juste devant Cléo. À la grande surprise de la jeune fille, elle lui saisit les mains et les plaque sur son ventre.

— Je ne pensais pas avoir une sœur avec qui pouvoir partager cela un jour, prononce-t-elle en souriant.

Cléo fronce les sourcils. Elle essaye de récupérer ses mains, mais Babette l'en empêche.

— De quoi parles-tu ?

— De ce qui pousse en ce moment dans mon ventre, lui révèle la BOA avec enthousiasme.

C'est au tour de Cléo d'arrondir les yeux de stupeur.

— Tu es enceinte ?!

Babette hoche vigoureusement la tête.

— Papa ne le sait pas encore. Érik et moi devons le lui annoncer ce soir au souper. Tu y seras aussi, n'est-ce pas ?

— Euh... oui, je crois.

– Parfait !

Cléo la regarde regagner sa chaise de bureau en silence. Un petit être grandit dans ce corps. Un être vulnérable, issu d'un amour véritable.

– À quoi tu penses ? lui demande Babette en souriant.

Les lèvres de Cléo s'étirent tristement. Elle-même ne pourra jamais être mère.

– Je suis heureuse pour toi.

Leurs regards s'accrochent quelques secondes, durant lesquelles Cléo croit déceler un soupçon de compassion dans celui de sa demi-sœur. Peut-être l'a-t-elle seulement rêvé, car Babette finit par tendre une main en direction de la porte.

– J'ai du travail, lui dit-elle pour lui signifier son congé. Je vais te faire livrer ce dont tu as besoin dans tes appartements. En attendant, prends un bain, délasse-toi, ou va faire quelques foulées sur les tapis de course de la salle de gym. Je crois que tu en avais un, à la Sang et Prestige. Autant ne pas perdre les bonnes habitudes ! Tiens, prends ma carte d'accès.

Elle lui tend ladite carte et commence à pianoter sur son clavier d'ordinateur. Se rappelle-t-elle seulement que Cléo ne peut pas marcher convenablement sans sa canne ?

– Bien sûr, répond Cléo en se levant, avec cette désagréable impression de gêner. Et pour Denys ?

– Il est déjà en route, il ne devrait plus tarder.

Avant d'ouvrir la porte, Cléo pose les yeux une dernière fois sur le visage de Babette, tourné vers l'écran de l'ordinateur. Sa demi-sœur vit dans une bulle de cristal. Elle est loin d'imaginer ce que ressent Cléo ou de comprendre ce qu'elle a vécu. La BOA lui fait un petit signe distrait de la main sans la regarder. Son travail semble important. Les manigances de sa demi-sœur sont le cadet de ses soucis.

Le luxe a un goût agréable. La salle de gym de l'immeuble de son père est gigantesque, et l'accès y est visiblement très restreint, puisqu'en presque deux heures, Cléo n'y a croisé personne.

Josef lui a signifié qu'il lui faudrait renforcer les muscles de ses jambes pour atténuer le boitement, et c'est ce que Cléo s'efforce de faire. Courir étant strictement impossible pour le moment, elle tente de soulever des poids en poussant avec ses pieds contre des panneaux verticaux. Après quelques poussées seulement, elle s'écroule, en sueur, une vive douleur l'élançant dans la cuisse.

Délaissant les appareils de la salle de gym, elle se rend dans la pièce adjacente, où se trouve une grande piscine intérieure. C'est dans l'eau qu'elle passe la majeure partie de son temps, en sous-vêtements. Se muscler en apesanteur lui semble plus facile. Ne sachant pas nager, elle se contente d'exercices utilisant la pression de l'eau, entrecoupés de longues périodes de détente. Elle n'a pas voulu enlever son masque, au cas où quelqu'un entrerait sans prévenir. Les cicatrices sur ses bras et ses jambes étant moins marquées, il lui serait facile de les dissimuler sous l'eau. Mais personne ne vient.

À la fin de ses exercices, Cléo rejoint ses appartements, une suite immense qui pourrait facilement accueillir tous les membres de la résistance.

Le calme qui y règne anesthésie les sens de Cléo. Elle laisse ses jambes la guider mollement jusqu'à la chambre et son corps choir sans grâce sur l'épaisse couette qui recouvre son lit.

Les yeux grands ouverts, elle scrute le plafond et les multiples moulures formant des arabesques élégantes au-dessus de sa tête. Et dire qu'elle aurait pu grandir ici, si son père avait pu officialiser son amour avec celle qu'il aimait vraiment. Au lieu de cela, il a supprimé le problème et a oublié l'enfant qui venait avec. Cléo serait morte si Babette ne l'avait pas recueillie.

La respiration de Cléo se fait plus profonde, ses paupières se ferment par intermittence.

Et si elle oubliait le passé pour accepter de vivre à partir de maintenant l'existence qui lui revient de droit ? Et si elle cessait de lutter ?

Elle rouvre les yeux, prise d'un terrifiant vertige.

Impossible de faire machine arrière !

Il y a son amour pour Denys, mais ce n'est pas tout. Il y a la colère, aussi. Engendrée par l'assassinat de sa mère, la perversité de son frère, la mort d'Alexandre et l'injustice en général. Pour la première fois de sa vie, Cléo veut voir la souffrance déchirer le visage de ses ennemis. Et ils sont nombreux, hissant le drapeau de leur accablante vertu en guise de norme acceptable. Oui, c'est Liberté au complet qu'elle veut voir tomber. Et, pour y arriver, elle la fera ployer sous son charme.

❖

C'est un contact doux et chaud sur sa joue intacte qui la réveille.

Cléo s'est endormie sur le dos, les bras écartés, tout en fomentant sa vengeance.

Il ne lui faut pas longtemps pour se réveiller complètement. Quand son regard se plante dans celui de Denys, elle croit tout d'abord rêver et secoue la tête, mettant un terme aux caresses des doigts du garçon sur sa peau.

— Tu es là, dit-elle en le prenant dans ses bras.

— Tu m'as menti, lui reproche doucement l'immortel. Tu es partie avant que je rentre.

— Je sais. Pardon... Comment s'est passée la mission ?

— Tu changes de sujet bien facilement.

Il la repousse lentement. Cléo est soulagée de voir un sourire naître sur ses lèvres. Elle avait peur qu'il se fâche.

— On doit se faire une promesse, Cléo. Ne plus se mentir. Jamais.

— D'accord.

Elle sait d'emblée qu'elle ne pourra pas tenir cette promesse.

L'adolescent emprisonne les doigts de Cléo dans les siens.

— Je ne me sens pas à mon aise ici, lui avoue-t-il. Ce n'est pas mon univers.

– Tu viens d'arriver, donne-toi un peu de temps.

– Ouais, tu as sans doute raison, acquiesce-t-il en esquissant une moue incertaine. Le plus important, c'est qu'on soit ensemble, n'est-ce pas ?

– Bien sûr.

Ils échangent un baiser et s'enlacent en silence, appréciant ce moment de calme et d'intimité.

– Cléo, j'ai une mauvaise nouvelle à t'annoncer.

L'adolescente se redresse un peu pour lui faire face.

– Le Nid a été attaqué cette nuit.

Cléo encaisse le choc, la bouche ouverte. Puis elle demande d'une voix inquiète :

– Les autres ?

– Ils vont bien, la rassure le jeune homme. Sauf qu'on n'a pas de nouvelles d'Oxana et Kael. Claudius Wolfe et des membres de la Brigade du Sang ont surgi juste après notre retour de mission. Josef nous a emmenés en lieu sûr après ça. Il m'a aidé à contacter Babette pour qu'on se donne un autre point de rendez-vous.

– Qu'est-ce qu'elle en dit ?

– Babette ? Pas grand-chose. Je pense que tout cela ne la regarde plus vraiment, maintenant que tu es sortie d'affaire.

Cette remarque agace Cléo. Sa demi-sœur peut se montrer si égoïste ! Elle se force toutefois au calme afin de rester lucide. La disparition d'Oxana l'inquiète.

– Josef pense qu'Oxana est entre bonnes mains avec Kael, émet Denys, comme s'il avait pu lire dans les pensées de sa compagne.

– J'espère qu'ils vont bien...

Elle se mord l'intérieur de la joue. L'attaque du Nid vient quelque peu perturber leur plan, à Oxana et elle. Après avoir infiltré l'univers de William Steel, Cléo doit réussir à approcher Claudius Wolfe pour lui faire baisser sa garde. Une fois que ce sera fait, elle est censée entrer en contact avec Oxana pour que celle-ci prévienne la résistance. Mais la résistance existe-t-elle encore ?

– Allez, viens là, dit Denys en la tirant de nouveau vers lui. Tout ira bien, tu verras...

OXANA

Si loin de la ville, une fine couche de neige recouvre encore le chemin qui mène au chalet. Ils ont dû abandonner la camionnette près de la route, dissimulée par quelques arbres. Oxana était déçue de constater qu'il ne s'agissait pas du véhicule dans lequel elle était montée pour la mission. Du coup, l'urne se trouve dans l'autre camionnette.

Kael n'a pas desserré les lèvres depuis leur fuite du Nid. Il a dû déposer sa mère à l'hôpital et fuir avant que les infirmières aient pu lui poser la moindre question. Il doit se sentir terriblement mal d'avoir abandonné Sandra de la sorte, même si c'était la seule chose à faire.

Kael ralentit et la jeune fille relève la tête. Le petit chalet en bois rond qui leur fait face lui donne l'impression d'avoir franchi la frontière d'un autre monde, tellement le charme et la quiétude des lieux contrastent avec les émotions destructrices qui les animent.

– Alors, c'est là qu'a séjourné Alex..., dit-elle.

Savoir qu'il a passé un peu de temps dans cette maison adorable, loin du chaos de la ville, fait renaître la culpabilité dans le cœur d'Oxana. Elle aurait dû venir ici avec lui. Elle aurait dû profiter de cette occasion pour lui accorder toute son attention, pour jouir d'un vrai moment avec son jumeau. Qu'il aurait été plaisant de se reposer ici en sa compagnie...

— Entrons, dit Kael.

Un fort sentiment de sécurité enveloppe Oxana dès qu'elle pénètre dans le chalet. La cheminée a beau être éteinte, la chaleur qui se dégage des lieux est réconfortante.

— Je vais chercher du bois, déclare-t-il avant de sortir.

Oxana réalise alors que la température réelle dans le chalet est basse. Elle marche jusqu'à l'unique fenêtre de la pièce principale et regarde au-dehors. Sa main agrippe l'une des moulures qui encadrent la fenêtre. Chaque fois que la hache de Kael s'abat sur un rondin, la paume d'Oxana racle le bois brut. Ce n'est que lorsqu'une dizaine d'échardes lui empalent douloureusement la peau qu'elle consent à regarder le sang qui forme des dessins abstraits sur sa paume. Et toujours cette même envie. Celle de vider totalement son corps de ce sang rouge et écœurant, cette source de jouissance pour les autres, puits de son éternel asservissement. Elle sursaute lorsque la porte s'ouvre sur sa gauche. Le regard de Kael glisse sur sa main, qu'elle dissimule vivement derrière son dos.

— Tu t'es blessée, constate-t-il en plissant le front.

— Ce n'est rien.

Il la jauge un instant avant de hausser les épaules.

— Si tu le dis.

Cette réplique touche Oxana en plein cœur. En temps normal, il aurait insisté pour voir sa paume et la soigner.

Il se serait inquiété et ne l'aurait pas lâchée tant qu'elle n'aurait pas consenti à le laisser prendre les choses en main. Mais le temps normal n'existe plus. Tout est à l'envers dans la vie de Kael, tout comme dans celle d'Oxana.

– Tu as besoin d'aide ? lui demande-t-elle tandis qu'il entasse du petit bois dans la cheminée.

– Ça ira, merci.

Muré dans une attitude distante, il s'emploie à allumer le feu en lui tournant le dos.

Oxana se détourne finalement pour partir en quête de la salle de bain. Là, elle nettoie sa main et asperge son visage d'eau froide, retrouvant instantanément un peu de lucidité.

Quand elle sort de la salle de bain, Kael est assis par terre, devant le feu. Oxana prend place sur le canapé, à deux mètres de lui. Cette distance lui semble insupportable après ce qui s'est passé dans le gymnase. Ce baiser... Elle porte un doigt à sa bouche, soucieuse de ne pas oublier le goût des lèvres du BOA sur les siennes. Qui sait si ça se reproduira un jour ? Kael a l'air si distant, maintenant, comme s'il regrettait.

Ils restent silencieux longtemps, leur corps enveloppé par la chaleur soporifique, leur âme cherchant à communiquer sans que leurs lèvres parviennent à trouver les mots justes.

– Est-ce que tu m'en veux ? lui lance-t-elle subitement, brisant le silence.

La lenteur avec laquelle il lui répond lui glace le sang.

– Ce n'est pas ça...

– Alors quoi ? Tu ne me parles plus, tu ne me regardes même plus. Je sais que j'ai foutu le bordel en entrant dans ta vie, et il serait tout à fait normal que tu rejettes sur moi la responsabilité de ce qui s'est passé au Nid.

Elle dévisage Kael, attendant sa réaction. Les lèvres du BOA se tordent en une grimace affligée. Il ferme les paupières et plonge sa tête entre ses mains, ses doigts s'engouffrant comme des serres dans ses cheveux noirs.

– Je suis désolé, soupire-t-il.

– Tu n'as pas à l'être, voyons. J'ai été un boulet pour Alex, un fardeau pour toi, pour la résistance et pour moi aussi, dans un sens. C'est moi qui dois m'excuser.

Elle va craquer. C'est trop dur. Il ne lui reste plus rien à part des regrets. Les premières larmes apparaissent sur ses joues quand Kael tourne la tête vers elle.

– Oxana...

– J'ai envie de disparaître, Kael. Je veux mourir et, en même temps, je veux vivre. Qu'est-ce qui ne tourne pas rond chez moi ?

Elle serre les poings.

– Ce que j'ai dit, dans le gymnase, c'étaient pas des paroles en l'air ! Il n'y a plus rien pour moi dans ce monde. Plus rien, si même toi tu me repousses. Nous étions amis et... j'ai besoin de toi. Alex le savait. Je dois honorer ma parole, mais je ne peux pas le faire si tu me fuis.

– Non, Oxana, tu ne comprends pas.

Il se lève, s'assoit à côté d'elle et la prend dans ses bras. La bonde dans le cœur d'Oxana s'ouvre d'un coup, déversant sur son visage des litres de larmes. Elle n'arrive plus à s'arrêter, ponctuant ses sanglots de hoquets rageurs, battant doucement des poings la poitrine de Kael, comme pour l'inciter à s'éloigner d'elle sans toutefois vouloir qu'il le fasse. La désolation frappe ceux qui l'entourent. Ceux qu'elle aime.

Son corps frissonne malgré le feu. Kael lui frotte le dos, silencieux mais bien présent. La distance qu'il avait imposée un peu plus tôt s'est subitement envolée.

Au bout d'un moment, il recule, la forçant à le regarder.

– Je ne t'en veux pas, d'accord ?

– Pourquoi ?

– Parce que rien de tout ce qui est arrivé n'est ta faute. Est-ce que je suis en colère ? Oui, bien sûr. Mais pas contre toi. C'est la tête de Claudius Wolfe que je veux.

Ça leur fait un point en commun.

– Tu dois me donner un peu de temps, reprend-il après un silence. Je suis inquiet pour mon frère, parce que je n'ai pas encore eu de nouvelles de lui. Je n'ose pas allumer mon téléphone au cas où on chercherait à nous localiser par satellite. Josef n'a aucun moyen de me joindre.

Oxana se sent honteuse. Elle n'a pensé qu'à elle, ces dernières heures, à sa souffrance et à ses craintes, alors que leurs amis et Victor sont quelque part dans la nature.

– Mais ce n'est pas tout...

Une ombre passe sur son visage.

– Je n'ai rien bu du tout depuis vingt-quatre heures.

– Pourquoi cela ?

– Ça fait un moment que les réserves sont à sec dans le Nid. Josef n'arrivait plus à fournir malgré ses relations à l'hôpital. Même les commerces commencent à en manquer, ça ne va pas bien à Liberté.

– Wolfe prépare le terrain, ajoute Oxana, inquiète.

– Son projet d'immortalité généralisée a fait son chemin. La seule chose qui freine encore un peu les gens, c'est la qualité du sang. Ils craignent qu'il soit altéré par le processus. Mais ça ne durera pas longtemps. L'offensive commerciale de Wolfe est féroce, ses contacts à l'Administration, très solides et la pénurie met tout le monde à cran. Sa loi passera sous peu, je peux te le garantir.

– Et toi, comment te sens-tu ?

– J'ai du mal à réfléchir convenablement, du mal à... refréner mes pulsions.

Il se lève et s'éloigne de quelques pas, s'arrêtant un peu plus loin, le dos tourné.

– Tu avais raison, dans le gymnase, dit-il.

– À propos de quoi ?

– De toi. De ton sang. Je n'ai jamais connu une chose pareille. Il me rend fou. C'est une drogue.

Les propos de Brice reviennent subitement dans la mémoire d'Oxana. Lui aussi avait dit que son sang était différent de celui des autres, qu'il avait un goût qu'on ne pouvait oublier. Elle écarquille soudain les yeux, frappée par une révélation qu'elle n'ose pourtant envisager complètement.

– Kael...

Il pivote légèrement, l'observe de côté.

– Tu n'es pas le premier à me dire cela. Et si... c'était vrai ?

– Quoi ?

– Si mon sang était une drogue ? À bien y penser, Cléo n'a-t-elle pas eu l'impression que son propre demi-frère la désirait ?

– C'était un sadique.

– Peut-être, mais imagine qu'il ait goûté à son sang, et qu'il n'ait pas réussi à se défaire de l'attraction que ç'a provoquée chez lui. Et si ça avait aggravé ses penchants, le rendant réellement accro à sa propre sœur ?!

– Tu te rends compte de ce que ça voudrait dire ?

– C'est dingue, je sais ! Mais imagine deux secondes que Wolfe ait mis au point un processus qui rendrait les BOA de Liberté accro au sang des immortels. Penses-tu qu'il en serait capable ?

– Rien n'arrête sa soif de profit...

Ils s'observent intensément, réalisant avec horreur l'impact de cette hypothèse.

– Wolfe et Steel ont offert des immortelles aux actionnaires de la Liberté Chance et Jeux, poursuit Kael. Ils sont tous également impliqués dans la vie politique de Liberté. Si ce que tu avances est vrai, leur dépendance, à l'heure qu'il est, va les pousser à faire passer la loi sur l'immortalité dans les Celliers. Après le tapage médiatique qu'a provoqué la loterie de cette année, et si on ajoute la pénurie de sang qui sévit actuellement, les citoyens de Liberté sont prêts.

– Et les humains là-dedans ?

– Ils n'auront plus à vendre leurs enfants à la Cellier inc., c'est déjà ça.

– Ça veut aussi dire que les BOA n'auront plus besoin d'eux, à l'avenir...

Kael acquiesce d'un léger mouvement de tête, l'air perplexe.

– Pour le moment, nous sommes coincés ici, dit-il. Et je ne sais pas comment régler mon problème.

Oxana renverse la tête sur le dossier, épuisée.

– Vingt-quatre heures sans boire, dit-elle tout bas, c'est beaucoup...

– Je suis dans une impasse, affirme Kael en se laissant tomber sur le canapé. Je n'ai plus un sou. Et même si j'en avais, je refuse d'aller me ravitailler sur le marché noir au risque de tuer un être humain. J'ai l'impression d'être pris au piège.

– Alors, tu n'as pas le choix.

– C'est hors de question ! rétorque-t-il en secouant la tête.

– Tu ne vas tout de même pas te laisser mourir ! Et puis, de ce que j'en sais, plus tu attendras et pire ce sera. Fais-le, on gérera ta dépendance plus tard !

Comme il hésite, elle insiste :

– Une fois que tu auras bu, tu auras les idées plus claires et on pourra partir à la recherche des autres.

– Ton immortalité n'est plus fiable, tente-t-il.

– Ne t'en fais pas pour ça, mes blessures guérissent toujours. J'ai paniqué, c'est tout, mais je vais bien. Allez, viens...

Elle tend une main vers lui. S'il pouvait lire l'inquiétude qui la ronge, il ne ferait pas glisser ses fesses sur le canapé pour la rejoindre. Il ne la regarderait pas dans les yeux avec autant d'intensité, ne puiserait pas la paire de canines qu'il garde toujours, au cas où, dans la poche arrière de ses jeans. Il ne porterait pas le poignet d'Oxana à sa bouche, ne lui demanderait pas de fermer les yeux. Non, il ferait tout sauf cela.

Si seulement Oxana avait partagé sa peur avec lui, si seulement elle avait parlé, l'horreur ne se serait pas insinuée de nouveau dans sa vie.

CLÉO

L'impression de déjà vu est désagréable. Cléo a de nouveau dû laisser Denys dans l'appartement pour aller dîner avec un BOA. Sauf que cette fois, il s'agit de son père et il n'a pas pour intention de la torturer. Malgré cela, elle se sent mal. Elle aurait aimé que son partenaire l'accompagne, mais il ne se sent pas prêt à affronter William Steel, ni l'univers dans lequel il évolue.

La fourchette de Cléo dessine des arabesques avec le coulis rouge qui recouvre le fond de son assiette. Rouge comme du sang.

– Cléo, tu te sens bien ?

Elle lève les yeux et rencontre ceux de Babette, assise en face d'elle.

– Euh... Oui. Ça va. J'étais perdue dans mes pensées.

Sa demi-sœur esquisse un sourire sincère.

– Érik racontait justement à papa les travaux que nous avons entrepris dans la maison, n'est-ce pas, mon chéri ?

Érik acquiesce d'un mouvement de tête lorsque le coude de sa femme frappe discrètement le sien. Assis en bout de table, William Steel les observe sans comprendre. Il n'a quasiment pas touché à son repas. La part de gâteau à la rose dans son assiette est intacte. Les regards en biais qu'il jette sporadiquement à Cléo confirment qu'il se sent lui-même incommodé par cette situation.

– Les travaux..., prononce Cléo en réponse au regard insistant de Babette. Et vous faites quoi, au juste ? ajoute-t-elle en saisissant enfin la perche que lui tend sa sœur.

– On rénove une chambre, répond Érik en s'emparant tendrement de la main de sa femme posée sur la table.

Cléo sourit tristement devant la mise en scène maladroite des deux amoureux, espérant que Babette ne compte pas la contraindre à rebondir ainsi sur chacune de ses phrases.

– Oh ! Et puis zut ! sourit Babette. Je suis enceinte !

On dirait qu'un projecteur illumine son visage tellement elle rayonne. Bien qu'elle soit égocentrique et irritante, Babette est heureuse et c'est beau à voir. Difficile pour Cléo de rester de marbre. Contaminée par la joie de sa demi-sœur, elle se met à sourire elle aussi.

– C'est... inattendu, se réjouit William Steel en se levant.

Il serre sa fille dans ses bras et l'embrasse tendrement sur les joues.

– Cette nouvelle est merveilleuse, félicitations à tous les deux.

Babette glousse comme une dinde. Ses sourires sont baignés de larmes. Tout en l'étreignant, William lance un regard discret à Cléo. À quoi pense-t-il ? L'adolescente doute qu'il se réjouisse de voir sa famille s'agrandir de deux nouveaux membres en si peu de temps. Vu l'éclat sombre qui ternit son regard, c'est plutôt l'inquiétude qui semble le ronger. Soupçonne-t-il que Cléo représente une menace ? Si tel est le cas, il s'agit d'un homme prudent et avisé, parce que Cléo s'apprête à détruire son univers.

OXANA

C'était une erreur.

Et c'était stupide.

Oxana s'est sentie partir, comme d'habitude, comme chaque fois que Kael a bu son sang. Sauf que, cette fois, elle n'arrive pas à se réveiller. Pas tout à fait, en tout cas. Elle sent le BOA paniquer autour d'elle. Elle l'entend appeler son nom, la supplier de revenir. Elle l'entend, mais elle n'arrive pas à lui répondre. C'est comme si on avait plongé son corps dans un lac gelé. Paralysée des orteils jusqu'au sommet du crâne, elle ne peut pas bouger ni communiquer d'une quelconque manière.

– Quelle connerie ! Oxana, pardonne-moi.

Elle se sent soulevée du canapé. La fraîcheur de la nuit la saisit bientôt. Ils sont sortis du chalet. Elle perd connaissance et, lorsqu'elle se réveille, le moteur de la camionnette ronronne autour d'elle. Où l'emmène-t-il ? Après tout ce temps, elle devrait déjà être revenue complètement à elle. D'ordinaire, après qu'on a bu son sang, elle se sent un peu lasse et groggy, mais elle peut au moins bouger.

La panique la gagne. Et si elle restait prisonnière de son corps pour toujours ?

Le moteur s'est à peine arrêté qu'une portière claque.

– Aidez-moi !

Quelques secondes plus tard, des mains la soulèvent de nouveau et la posent sur une surface molle.

– Que s'est-il passé, monsieur ?

– Je... je ne sais pas. Je l'ai trouvée comme ça, inconsciente.

– Vu les marques sur son poignet, c'est une exsanguination. Il va falloir la transfuser. Vous connaissez son groupe sanguin ?

– Euh... non.

– Vous ne pouvez pas nous suivre, monsieur.

Les oreilles d'Oxana cherchent la voix de Kael mais ne la trouvent plus. Une main se pose sur sa joue. Elle sent la surface lisse et caoutchouteuse d'un gant chirurgical. Comme dans le Cellier, quand Elza en enfilait pour l'ausculter.

Elle est dans un hôpital. Des médecins vont s'occuper d'elle. Elle peut dormir, alors. Se laisser aller. Tout ira bien...

Ses rêves la conduisent vers Alex. Debout devant les carrières du Cellier, si grand qu'il semble toucher les nuages, son t-shirt gris vole autour de lui, brassé par de faibles rafales de vent. L'un de ses bras se lève, l'invitant à s'approcher. Oxana se retrouve aussitôt contre lui. Son front se colle au torse de son jumeau, son nez respire son odeur. Celle du savon mêlée à celle de la sueur. Maintenant qu'elle l'a retrouvé, pas question de le laisser de nouveau. Ils resteront là, ensemble, imbriqués comme deux pièces d'un casse-tête.

— Tu ne peux pas rester, Oxana.

— Chut, répond-elle, les yeux fermés.

— Quelqu'un t'attend. Quelqu'un d'important.

La Mort...

— Oui, la Mort, c'est exact. Tu es sa main, ma petite furie. Tu dois rétablir les choses.

— Sans toi, c'est tellement difficile. Je n'arrive plus à respirer ni à penser convenablement.

— Parce que tu y arrivais, avant ?

Oxana se détache légèrement du corps d'Alex et le regarde dans les yeux.

— Franchement, Oxana, regrettes-tu vraiment le temps d'avant ?

— Nous étions ensemble.

— Nous étions reclus, et tu ne le supportais pas.

Les doigts d'Alex entortillent pensivement une mèche des cheveux longs d'Oxana.

— Souviens-toi de ce que je t'ai demandé. Fais confiance à Kael. Il te guidera vers la délivrance.

— La délivrance ?

— Il t'aidera à assouvir ta soif de vengeance.

— Je suis fatiguée, Alex, soupire Oxana en se blottissant de nouveau contre son frère.

— Peut-être, mais tu dois le faire.

— Kael a bu mon sang presque jusqu'à la dernière goutte, lui révèle Oxana avec une pointe de douleur. Il ne peut pas se contrôler, comment puis-je lui faire confiance ?

— C'est toi qui lui as demandé de le faire.

Les doigts d'Oxana agrippent désespérément le t-shirt d'Alex.

— Je suis perdue. Ne me laisse pas, je t'en supplie.

— Je suis là. Tout ira bien, petite sœur...

Lorsque Oxana soulève les paupières, une lumière aveuglante lui vrille aussitôt le crâne, la contraignant à se protéger les yeux d'une main. La gêne est de courte durée. Quelques secondes plus tard, sa vision se précise, et l'éclat du jour lui paraît moins agressif. Les rayons du soleil entrent par une fenêtre sur sa droite. Il lui faut quelques secondes de plus pour se rappeler où elle est. Elle soupire et se redresse sur les coudes.

L'hôpital... Rien que l'odeur lui donne la nausée. Ça lui rappelle la quantité innombrable de prises de sang dont elle a été victime dans le Cellier. Victime, oui. Mais c'est terminé. Alex a raison, elle est libre, maintenant. Du moins, elle le sera complètement quand Claudius Wolfe ne sera plus qu'un mauvais souvenir.

Bon, elle n'est pas sotte. Elle sait parfaitement que ce n'est pas Alex qui lui a parlé dans son rêve. C'est sa conscience à elle qui lui dictait d'arrêter de tergiverser, et d'agir. En revêtant les traits de son jumeau, sa volonté tenait à lui rappeler ce que Wolfe lui a volé. Ce que cette ville tout entière lui a pris. Et ça fonctionne. Elle sent la colère gronder dans sa poitrine. L'automutilation est terminée. Ce n'est pas elle qu'elle doit punir.

– Salut...

Oxana tourne la tête vers la porte. Elle n'avait pas remarqué qu'elle était entrouverte. Kael y a passé la tête et l'observe. On dirait qu'il attend l'autorisation d'entrer.

– Comment tu te sens ? lui demande-t-il sans faire un pas à l'intérieur.

– Bien, vraiment. Entre, je t'en prie.

Il semble hésiter. De quoi a-t-il peur ? Maintenant qu'il a bu, il ne risque pas de lui sauter dessus.

– Entre, je te dis, insiste Oxana en posant les pieds par terre.

Cette fois, Kael accepte de pénétrer dans la chambre.

– Tu devrais rester allongée.

– C'est bon, je vais bien.

Comme il garde le silence, le regard tourné vers la fenêtre, Oxana réalise qu'elle n'est vêtue que d'une jaquette d'hôpital ouverte dans le dos. S'il n'a pas vu ses fesses, elle est chanceuse !

– Tu sais ce qu'ils ont fait de mes vêtements ? l'interroge-t-elle sans se formaliser.

– Dans l'armoire, à ta droite... Euh... Oxana ?

La main sur la poignée de la porte, elle pivote légèrement pour le regarder.

– Faut qu'on parle de ce qui s'est passé, ajoute Kael avec une mine affligée.

– Non.

– Non ? Mais... j'aurais pu te tuer. Tu es restée dans le coma pendant deux jours et...

– Deux jours ?!

Impossible ! Son rêve n'a duré que deux ou trois minutes ! Comment a-t-elle pu dormir pendant deux jours ? Une idée la frappe subitement.

– Et les autres ? Tu as des nouvelles ?

– Oui, ça va. Du moins, pour mon frère et tes amis. Il y a eu de la casse au Nid pendant l'attaque. Kim a été blessée, mais elle a pu s'en sortir grâce à son immortalité.

– Je dois entrer en contact avec Cléo, lance Oxana en se tournant vers l'armoire, dévoilant de nouveau une partie sensible de son anatomie à Kael.

– Euh... oui. On en parlera plus tard. Je... je vais te chercher un truc à manger ! dit-il en sortant précipitamment de la chambre.

Oxana tend le cou pour regarder la porte qu'il a refermée, puis elle hausse les épaules et se dénude pour enfiler ses vêtements.

CLÉO

— Une soirée, encore ?

Assis sur le lit, Denys plisse le front, soucieux, tandis que Cléo démêle ses cheveux humides. Babette les lui a coupés avant de les teindre en noir. Sa nouvelle coupe, à elle seule, suffit déjà à la métamorphoser. Il lui a d'ailleurs fallu un moment, plantée devant le miroir, pour réaliser qu'il s'agissait bien de son reflet. Une frange longue lui barre le front, mais le reste de sa chevelure est désormais plaquée sur son crâne. C'est élégant, et ça la vieillit de quelques années.

— C'est pour l'annonce officielle de la grossesse de Babette, dit Cléo.

— Ils font des soirées pour ça ?

— Je n'ose même pas imaginer l'envergure de l'événement quand le bébé va naître !

Elle sourit, et Denys la contemple un long moment, l'air sérieux.

– Tu aimes cette vie, n'est-ce pas ?

– Quelle vie ? réplique-t-elle distraitement en entrant dans la grande penderie.

L'endroit est rempli de tenues apportées ici spécialement pour elle. Tout ce qu'elle a réclamé à Babette, et plus encore. Sa demi-sœur la gâte plus que de raison.

Une petite section de la garde-robe est tout de même consacrée à Denys. L'adolescente caresse l'étoffe satinée d'une veste sombre tout en se demandant si son partenaire aura un jour l'occasion de la porter. Il refuse de se mêler aux gens du grand monde et, donc, de sortir de cet appartement. Cela fait presque trois jours qu'il est là, et il n'a rien vu d'autre.

Cléo redoute qu'il se lasse et finisse par partir. S'endormir contre lui est un trésor qu'elle ne veut perdre sous aucun prétexte. Même si leur proximité l'angoisse. Même si l'attraction entre eux est de plus en plus forte. Elle ne peut pas encore être à lui, mais elle ne peut pas non plus vivre sans lui. C'est compliqué. D'autant qu'elle sent une passion nouvelle enflammer l'attitude de son partenaire.

– Tu sais très bien de quoi je veux parler, reprend Denys après un silence.

Cléo s'empare d'un cintre et sort.

– Je veux juste apprendre à les connaître, fait-elle remarquer pour la centième fois, arrête de t'inquiéter.

– Et si tu décidais de rester ici pour toujours ?

– Ne dis pas de bêtise.

– Cléo, tu t'es transformée pour pouvoir intégrer le monde de ton père, ça ne me donne pas l'impression que tu as envie de repartir.

L'adolescente le contemple quelques secondes, hésitant à tout lui avouer. Elle est sauvée par le grognement de Denys, qui s'allonge sur le lit, les mains derrière la tête.

– J'aimerais juste savoir combien de temps ça va durer, poursuit-il. Cette tour me rend mal à l'aise.

– Veux-tu rejoindre les autres ? lui demande-t-elle avec appréhension.

– Non, répond-il en plaçant ses mains sur ses yeux. Pour le moment, je gère.

Cléo sourit. Elle place le cintre qu'elle tient dans sa main sous son menton, dévoilant une robe courte sans décolleté garnie de manches en dentelle noire destinées à dissimuler les cicatrices sur son bras droit.

– Comment tu la trouves ?

Denys se redresse légèrement et pousse un râle désespéré.

– Elle est parfaite, mais j'aimerais que tu la portes pour moi. Et ce regard doré, il est juste... envoûtant.

Il agrémente cette réflexion d'un clin d'œil taquin.

Cléo pose la robe sur le dossier d'une chaise et s'allonge à côté de lui. Elle a encore un peu de mal à s'habituer à la présence des verres de contact, et ses yeux sont humides, mais elle doit bien avouer que Babette les a choisis avec goût. Leur couleur est magnétique. Appétissante. Dorée comme le miel.

– Je sais que c'est difficile pour toi, reconnaît-elle avant de déposer un baiser sur sa joue. Mais ce n'est pas une raison pour te laisser aller, dit-elle en passant un ongle sur sa barbe naissante.

– Je déprime...

– Je te promets qu'on partira d'ici dès que Josef aura trouvé un nouvel endroit, d'accord ?

Denys fait la moue.

– Ça risque d'être long.

C'est justement pour cela que Cléo a émis cette idée, elle a un peu honte de l'admettre. Elle a besoin de temps pour mettre son plan à exécution.

– Avoue qu'on est mieux ici qu'enfermés dans un minuscule appartement avec les autres...

Denys roule sur le côté pour lui faire face.

– C'est la seule chose positive, ici : notre intimité.

Sa main cueille le menton de Cléo pour l'attirer vers lui. Le baiser qu'ils échangent est plus passionné que les précédents, et Denys presse davantage son corps contre celui de l'adolescente, caressant ses reins de sa main libre. Son cœur battant la chamade, Cléo se tortille pour s'extraire de cette étreinte et se lever. Elle regrette aussitôt la chaleur des bras de Denys, mais se sent aussi soulagée. Leur proximité est à la fois douce et troublante. Elle lisse ses cheveux pour se donner une contenance.

– Je dois m'habiller, se justifie-t-elle.

– D'accord, princesse, émet Denys en se rallongeant sur le dos. Le devoir t'appelle !

Cléo passe un doigt sur le masque qui cache la moitié de son visage. Elle l'a choisi en métal très léger, dans des tons cuivrés pour s'harmoniser avec les ourlets ambrés de sa robe. L'effet est incroyable. Elle qui a toujours voulu être une reine, voilà qu'elle en porte les atours, mais son cœur n'y est plus. Comble de l'ironie !

Elle sort. William Steel l'attend dans le petit vestibule qui donne sur l'ascenseur. Il y a un autre appartement à cet étage, mais son père lui a assuré qu'il était vide. Elle ne risque donc pas de croiser qui que ce soit ici.

Les sourcils du BOA se soulèvent dès qu'il pose les yeux sur elle. Bien qu'il n'émette aucun commentaire, la jeune fille a la confirmation que son apparence ne laissera pas les invités de marbre.

Ils descendent les deux étages qui les séparent des salles de réception en silence, chacun à une extrémité de la cabine. Avant que l'ascenseur s'immobilise, Cléo s'approche de son père et passe un bras sous son coude.

– Je vais faire en sorte que tu sois fier de moi, dit-elle en cherchant son regard.

Steel sourcille sous l'effet de ce soudain tutoiement. Une tempête doit faire rage dans sa tête en ce moment, ce qui réjouit Cléo. Qu'il désespère à chercher les motivations de sa fille, tiens ! C'est tout ce qu'il mérite.

– Tu es magnifique, admet-il sans la regarder.

L'inquiétude se lit sur ses traits.

– Ne t'en fais pas, tout se passera bien. Personne ne découvrira qui je suis vraiment.

– Je l'espère.

Les portes de l'ascenseur s'ouvrent. Steel pose une main sur celle de Cléo.

– Allons-y...

Dès qu'elle franchit le seuil du salon, Cléo s'immobilise. C'est celui où elle a été présentée pour la première fois à William Steel, le soir de la sélection, celui où elle a intégré la loterie.

William l'incite à avancer en tirant légèrement sur son bras.

Au fond de la pièce, derrière les convives déjà présents, quatre portes semblent pulser, se tordre et avaler Cléo. C'est là que les trois actionnaires de la Liberté Chance et Jeux l'ont goûtée. Le rythme cardiaque de la jeune fille grimpe en flèche. Tout cela la ramène quelques mois en arrière, lors de sa rencontre avec Killian Steel, son demi-frère. Elle l'avait séduit, pensant entrer dans ses bonnes grâces pour qu'il ne la dénonce pas à son père. Ce sadique savait déjà qui elle était.

William effectue une pression plus forte sur sa main.

– Est-ce que ça va ?

Cléo fait oui de la tête. Elle se force au calme et relève le menton, comme elle savait si bien le faire avant son séjour au manoir. Pas question que les relents fétides du passé gâchent cette soirée. L'adolescente embrasse enfin les invités du regard, réalisant du même coup que tous les yeux sont braqués sur elle. Ils la prennent pour le nouvel amusement de William, la décortiquent de leurs regards envieux. Cette pensée lui soulève l'estomac.

Heureusement, Babette approche, une coupe de vin dans la main, qu'elle tend à son père avant de l'embrasser sur la joue.

– Papa, tu es enfin là, dit-elle en omettant volontairement Cléo.

– Bonsoir à tous, salue William en levant son verre.

Il est crispé, mais personne ne semble le remarquer, à l'exception de Babette qui jette un œil soucieux à Cléo. La jeune fille prend son courage à deux mains et dévoile ses dents blanches et parfaitement alignées dans un sourire radieux. C'est ce que ferait une créature de la Sang et Prestige.

– William, vous ne me présentez pas ? claironne-t-elle en dévisageant quelques convives, masculins de préférence.

Son père manque de s'étouffer avec sa gorgée de vin. Il balbutie un oui réticent tout en la guidant vers un BOA du même âge que lui, blond, avec des mèches blanches trop symétriques pour être naturelles. Cléo remarque la présence de quelques humaines dans la salle. Elles ne portent pas de diadème, mais leur attitude artificielle ne lui échappe pas. Elles sont des produits de son père, placées ici pour amuser la galerie.

— Mon cher William, fait l'homme en détaillant Cléo sous toutes les coutures, vous avez l'air en forme !

S'il regardait Steel bien en face, il remarquerait que ce n'est pas le cas !

Cléo baisse les yeux en souriant timidement, puis elle plante ses iris dorés dans le regard gris pâle du BOA pour l'attirer dans ses filets. Abagail avait l'habitude de lui parler des sirènes, ces créatures légendaires qui appâtaient les hommes avec leurs chants divins. Pour Cléo, c'est le regard. Elle ignore comment c'est possible, mais il lui semble que le sien a un effet magnétique sur les hommes.

— Richard, débute William, merci d'avoir répondu à cette invitation de dernière minute.

— C'est un plaisir, affirme le BOA aux mèches blanches. Mais dites-moi, qui est cette charmante demoiselle et... que lui avez-vous fait ? plaisante-t-il en partant d'un rire goguenard.

— Je vous présente Céleste, répond William, l'une de mes créations personnelles...

Il n'aurait pas pu mieux dire !

— Pourquoi est-elle... enfin, pourquoi a-t-elle ?...

Richard agite une main devant son propre visage, ne sachant visiblement pas comment formuler sa pensée de manière appropriée.

– Son masque ? complète Steel. Voyez-vous, il y a eu un incident avec ce sujet. Nous envisagions de nous en débarrasser, mais sa beauté, malgré tout, s'en trouve transcendée, vous ne croyez pas ?

– Oui... tout à fait.

Plusieurs invités se sont approchés pour écouter. Steel fait mine de ne pas les avoir vus et poursuit :

– J'envisage de lancer un produit similaire sur le marché. Céleste me sert de modèle pour prendre le pouls de ce nouveau projet.

À voir le regard concupiscent du dénommé Richard, nul doute qu'il ferait tout pour se procurer un modèle semblable. Cléo espère juste que son père ne mettra pas ce projet à exécution. S'il devait défigurer certaines de ses filles pour offrir un produit novateur à ses clients, elle s'en mordrait les doigts.

– Qu'est-ce qui vous attire autant chez moi ? l'interroge Cléo avec un demi-sourire espiègle.

Le dénommé Richard prend conscience de ceux qui les entourent et il toussote.

– Je... Eh bien... votre fragilité, je crois.

– Comme une vilaine fille qu'on aurait punie, c'est cela ?

Cléo sent les ongles de William s'enfoncer dans la peau de sa main en guise d'avertissement. Elle aimerait lui dire de lui faire confiance. Elle a percé à jour ce Richard dès la seconde où il a posé les yeux sur elle. Ce BOA aime posséder. Pour lui, elle est effectivement une poupée-martyre à la beauté mystérieuse et terriblement attirante. Elle ne serait pas étonnée qu'il ait une érection, là, maintenant, dissimulée sous sa veste trois quarts en satin.

Babette, figée aux côtés de son père, a ouvert la bouche de stupeur.

Cléo, elle, ne lâche pas Richard des yeux. Elle remarque la fine sueur qui lui recouvre le front. C'est dangereux. Un homme tenté devient un animal, c'est aussi Abagail qui lui a appris cela. Mais Cléo est libre, désormais. Et s'il lui faut jouer pour avancer, elle le fera, quels que soient les risques.

– William, pourrais-je m'entretenir avec vous ces prochains jours ? s'enquiert le BOA en réussissant, enfin, à détourner le regard.

– Je ferai en sorte que ce soit possible. Maintenant, pardonnez-moi, mon cher ami, j'aimerais saluer le reste de nos invités.

Babette s'empresse d'attirer l'attention de Richard sur elle, pour qu'il ne se sente pas délaissé. Mais le BOA ne peut s'empêcher de suivre Cléo des yeux tandis que William tend déjà la main à d'autres convives.

Les pieds en feu, Cléo enlève ses chaussures à talons hauts pour les jeter à l'autre bout du salon de l'appartement. Elle s'adosse à la porte d'entrée et ferme les yeux quelques secondes.

– Alors ?

Denys se tient dans l'embrasure de la porte qui mène à la chambre. Torse nu, il l'observe avec cette intensité qui lui est propre, cette force qui sécurise Cléo et lui donne tout autant envie de se jeter sur lui.

— Il y aura un bal, annonce-t-elle.

Comme Denys garde le silence, elle explique :

— J'ai fait sensation, en bas. Bien plus que je ne l'aurais espéré. Un invité a proposé à William de modifier légère-ment le bal organisé chaque année pour le bénéfice de la Fondation du Sang, afin d'en faire un événement masqué, en mon honneur. C'est à peine croyable. Je crois que Steel est dépassé.

— Je ne comprends pas.

— Mon apparence en a séduit plus d'un. Ils demandent à Steel de leur fabriquer des produits similaires.

— Tu plaisantes ? C'est abject !

— Ils sont prêts à mutiler des esclaves pour obtenir le même effet. L'argent peut tout acheter, ajoute-t-elle avec sarcasme. Savais-tu que la Fondation du Sang finance en partie la Brigade du même nom ? Et la Brigade est à la solde de Claudius Wolfe. Ce qui veut dire qu'il sera forcément présent lors de ce bal costumé.

— Et il a lieu quand ?

— Dans trois soirs.

— Tu sais que c'est dangereux, la prévient Denys, la mine sombre. Comptes-tu y aller ?

— Bien sûr ! Ce bal est organisé en mon honneur.

Voyant que Denys n'apprécie pas cette nouvelle, elle marche jusqu'à lui et passe ses bras autour de son cou.

– Tu pourrais m'accompagner, cette fois. Si toi aussi, tu portes un masque, personne ne pourra te reconnaître.

– Je ne sais pas. Tous ces BOA, réunis dans la même pièce...

– Penses-y.

Les lèvres du garçon se posent sur celles de Cléo. L'adolescente ignore si c'est l'effet qu'elle a produit ce soir, ou l'adrénaline qui électrise son corps tout entier, quoi qu'il en soit, elle se sent bien. Elle répond vivement au baiser de Denys, s'empare de ses mains pour les placer dans son dos, sur la fermeture éclair de sa robe. Le jeune homme la regarde et ouvre la bouche pour parler. Elle ne lui en laisse pas le temps.

– Je t'aime, Denys, dit-elle en posant un doigt sur les lèvres du garçon. On ignore de quoi demain sera fait, mais ce soir, je maîtrise mon destin. Dis-moi que mon apparence ne te repousse pas.

– Ce n'est que de la chair et du sang, Cléo. Tu représentes bien plus que ça à mes yeux.

Des larmes compressent la gorge de la jeune fille. Pas question de pleurer dans un moment pareil ! Ils s'observent quelques secondes, puis Denys saisit la main de Cléo pour l'emmener lentement dans la chambre à sa suite. Il se retourne de nouveau vers elle, l'air grave.

– Quoi ? l'interroge-t-elle en souriant.

– J'ai le trac.

Cléo en est bouche bée. Un beau garçon comme Denys, bâti dans le roc et à l'assurance évidente, ça ne peut pas avoir le trac !

– Tu me fais une blague.

– Pourquoi ? Je n'ai pas le droit de me sentir intimidé, moi aussi ? s'étonne-t-il en lui caressant le dessus de la main.

– Je... Euh...

– Non seulement tu es la première pour laquelle je ressens des émotions sincères, s'explique-t-il, mais tout ce que j'ai vécu dans le manoir a balayé mes convictions les plus profondes. J'ai perdu confiance en moi. La seule chose dont je suis certain, ce sont mes sentiments à ton égard. Et... j'ai peur de tout gâcher.

– Je ressens exactement la même chose. Ce soir, j'ai presque fait ployer une salle entière en claquant simplement des doigts, mais là, devant toi, je perds tous mes moyens.

– On est ridicules, tu ne trouves pas ?

Ils éclatent de rire.

– Merde, lance Denys en plaquant ses mains sur son crâne, qu'ont-ils fait de nous ? Non, mais sérieux, regarde ce qu'on est devenus.

Le sourire qui suit sa remarque est touchant de simplicité.

Recouvrant son sérieux, Cléo se colle de nouveau contre lui pour l'embrasser. Son corps s'anime quand les doigts du jeune homme glissent lentement dans son dos, emportant dans leur chute le minuscule fermoir doré de sa robe. Elle se défait des manches en dentelle, laisse le vêtement choir à ses pieds, dévoilant sa peau dans toute sa vérité. Les mains de Denys remontent vers le visage de la jeune fille. L'une d'elles se faufile dans les cheveux courts de Cléo. Il la contemple gravement tandis que ses doigts défont les lacets qui retiennent son masque, analysant sa réaction.

Cléo ne bronche pas.

Le sang cognant follement contre ses tympans, elle laisse Denys ôter ce demi-visage artificiel au grain parfait. L'objet devenu inutile tombe sur le plancher lustré. Il ne rebondit pas, ne se brise pas. Il émet juste un bruit sec. Le son de l'imposture.

Vulnérable, authentique du front aux orteils, Cléo sent ses craintes ressurgir sous le regard attentif de Denys. Et s'il réalisait qu'il est en train de faire une erreur ?

Ses tourments s'envolent sous l'effet de trois mots inespérés :

– Tu es parfaite.

Incapable de contenir ses larmes plus longtemps, Cléo se laisse effleurer tendrement. Chaque caresse est une victoire sur son corps, sur sa nouvelle apparence. Denys ne semble même pas voir les entailles et les boursouflures.

Quand ils s'étreignent avec plus de passion, à bout de patience, la jeune fille oublie l'appartement dans lequel ils se trouvent. Son âme s'éparpille en poudre d'étoile et grimpe jusqu'à la voûte céleste.

Et, dans ce répit absolu, Cléo se retrouve enfin. Différente, mais de nouveau entière.

Prête à affronter la suite.

OXANA

Oxana grogne en tapant du poing sur le matelas.

Elle a eu un malaise en voulant s'habiller. Contrainte de s'allonger après avoir enfilé ses chaussettes, un mal de dos terrible l'a clouée au lit. Du coup, elle est toujours vêtue de sa jaquette bleu ciel disgracieuse.

– Je vais bien ! s'impatiente-t-elle.

– Non, mademoiselle, vous n'allez pas bien. Dois-je vous rappeler que vous avez failli mourir ? Vous avez perdu tellement de sang...

La BOA marque une pause, inspire profondément pour tenter de se calmer, puis reprend, plus sereinement :

– Nous devons vous garder en observation encore vingt-quatre heures, le temps que vos migraines cessent. Et vous devez prendre vos comprimés, ça calmera la douleur.

– D'accord, soupire l'immortelle. Mais vous ne dites rien à mon ami concernant mon mal de dos, d'accord ?

– Ça, mademoiselle, ça ne me regarde pas, répond abruptement l'infirmière avant de sortir.

Maudite BOA !

L'examen terminé, Kael entre dans la pièce.

– Elle veut que je reste une nuit de plus, se plaint Oxana, les paupières fermées.

– Pourquoi ? s'étonne le BOA avec une pointe d'inquiétude. Ton état ne s'améliore pas ?

– Non, c'est pas ça. C'est le protocole, ment l'adolescente. C'est n'importe quoi, ouais ! Je vais très bien.

– Et tes malaises ?

– Mon malaise, le corrige-t-elle. Le contrecoup de la transfusion, j'imagine.

Le silence qui suit s'éternise. Oxana finit par ouvrir les yeux. Kael est planté devant la fenêtre. Songeur, il regarde les lumières de la ville qui éclairent la nuit au-dehors.

– Tu as vu ta mère ? demande Oxana.

– Oui, son état est stable.

Elle s'assoit précautionneusement sur le bord du lit. Une fois certaine que sa tête ne lui jouera pas de mauvais tour, elle se lève avec une lenteur calculée. Aussitôt, le mal de dos rejaillit, explosant dans sa cage thoracique, lui coupant le souffle. Elle se rassoit, se passe une main sur les yeux et respire calmement. La douleur s'atténue progressivement. Elle s'empare de la petite boîte en plastique sur la table de chevet et avale d'un coup les deux comprimés qu'elle contient. Si ça continue, il va falloir qu'ils trouvent

Josef ou Érik, et vite, car son expérience a démontré que de telles douleurs marquent le début d'un processus plus ou moins long vers une mort assurée.

L'immortalité qui se retourne contre sa propre vie. Il ne manquait plus que ça au tableau !

Quand sa vision s'éclaircit de nouveau, Kael est tourné vers elle. Une ride d'anxiété traverse son front.

– Pourquoi tu ne vas pas retrouver les autres ? l'interroge-t-elle pour faire diversion.

– Je ne veux pas te laisser seule.

– C'est un hôpital, Kael, qu'est-ce que tu veux qu'il m'arrive ?

– Je suis responsable de ce qui s'est passé...

– Arrête avec ça !

Elle se lève.

Pas de vertige. Pas de mal de dos soudain. On dirait que les comprimés font effet.

– Ce n'est pas ta faute, continue l'adolescente en le rejoignant. Nous étions seuls, tu avais besoin de sang, tout est dit. Passons à autre chose, veux-tu ?

Cette fois, elle a parlé d'une voix calme, ponctuant sa dernière phrase d'un sourire sans doute peu convaincant.

– Et puis, ajoute-t-elle d'un air taquin, ça ne te fera pas de mal de prendre une douche, de changer de vêtements. Ils ont peut-être ça, là où ils se trouvent.

Kael pince les lèvres.

– Il suffit que je détourne les yeux pour que les malheurs arrivent. Mon père, qui s'en est pris à toi après la loterie. L'attaque de notre maison, alors que je planifiais d'infiltrer l'Amarante.

Elle lève une main vers le visage de Kael, la pose sur sa joue pour le forcer à la regarder.

– Je ne suis pas invalide, je prendrai soin de moi, lui promet-elle. Va vérifier que tout va bien, et reviens ensuite. La nuit sera longue, tu as le temps. Et demain, on tentera d'entrer en contact avec Cléo, d'accord ?

– Je ne sais pas...

– Il y a toute une équipe médicale pour prendre soin de moi, insiste-t-elle. Va, je te dis...

Si elle a tant insisté pour qu'il parte, c'était pour qu'il pense un peu à lui et qu'il revoie son frère. Toutefois, se retrouver seule, en pleine nuit, dans cette chambre d'hôpital austère lui donne le cafard. Cela faisait des semaines qu'ils dormaient dans la même chambre, et elle avait pris l'habitude d'écouter sa faible respiration lorsqu'il sombrait dans le sommeil. Ça la rassurait. Jamais elle n'aurait cru qu'un BOA pourrait lui manquer de la sorte !

Elle porte sa main droite tout près de ses yeux, pour lire les chiffres que Kael a tracés sur sa paume avant de partir. Son numéro de téléphone, en cas d'urgence. Josef lui a remis un nouvel appareil pour ne pas prendre le risque que la Brigade du Sang découvre sa position.

Tournant une nouvelle fois dans son lit, Oxana cherche une position confortable qui la guiderait vers quelques rêves. Ou, du moins, quelques cauchemars, puisqu'ils peuplent presque exclusivement son sommeil depuis la mort d'Alex. Désirer s'endormir, dans ces conditions, relève du courage, mais elle sait aussi qu'elle sera exténuée au matin si elle ne laisse pas son corps et son esprit prendre un peu de repos.

Dormir. Dormir. Dormir..., se répète-t-elle intérieurement.

Elle en est à sa cinquantième répétition quand des pas empressés résonnent dans le couloir. Une voix éclate, criant à quelqu'un qu'il n'a rien à faire là.

– C'est un hôpital, ici, vous n'avez pas le droit d'exhiber vos couteaux de la sorte !

Oxana se redresse aussitôt, en alerte. Ses yeux fouillent la lumière du couloir, à l'extérieur de sa chambre, qui filtre jusqu'à elle par l'intermédiaire d'une mince bande vitrée. Elle saute finalement hors du lit et plaque son dos contre le mur, près de la porte.

Rien ne prouve qu'elle soit à l'origine de l'amorce de chaos dans le corridor, mais ce serait une sacrée coïncidence. Mieux vaut qu'elle se tienne prête.

Une ombre cache soudainement la lumière sous la porte. Quelqu'un s'est arrêté derrière.

Oxana porte une main à l'étui qui renferme le pistolet à sa ceinture, caché sous son t-shirt, remerciant Kael de l'avoir convaincue de le garder près d'elle durant son absence. Après l'avoir inspecté, il lui a confirmé qu'il restait deux balles. Ce n'est pas beaucoup, mais ça peut l'aider à se sortir d'une situation critique le temps de se mettre à l'abri.

À l'abri... où ça, exactement ? Et comment fera Kael pour la retrouver ?

La poignée de la porte s'abaisse lentement, confirmant ses craintes. Quelqu'un, à l'hôpital, a dû parler. Cette ville est vraiment infestée de vermine ! Elle n'en doutait pas. Pourtant, elle a manqué de vigilance.

Quelle conne !

Ce n'est pas parce qu'on est médecin ou infirmier qu'on est plus intègre que les autres, visiblement. Sa naïveté lui donne envie de se frapper le crâne à coups de crosse.

La porte s'ouvre et dissimule Oxana, toujours plaquée contre le mur. Un BOA entre, un couteau dans la main. Il marche jusqu'au lit vide, puis parcourt la chambre des yeux. L'adolescente retient son souffle. Est-elle suffisamment bien cachée pour qu'il pense qu'elle a filé ?

Un autre BOA entre.

– Elle nous a assurés qu'elle était là, dit-il d'une voix agacée, que c'était juste le gars qui était parti.

Le premier BOA garde le silence. Il écoute. Peut-il entendre les battements effrénés du cœur d'Oxana ? Il lève le nez et se met à humer l'air. Une sueur froide se répand dans le dos de la jeune fille. Les yeux vert pâle du BOA s'arrêtent sur la porte. Tapie dans l'ombre, Oxana cesse de respirer.

Leurs regards se croisent, malgré l'obscurité.

Elle lève aussitôt son arme. Juste avant de tirer, sa main frappe la porte, déviant légèrement la trajectoire du canon.

Le coup de feu part de travers, manquant sa cible et trouant le mur derrière les BOA. Surpris, les deux hommes se ratatinent sur eux-mêmes.

Elle en profite pour sortir de sa cachette et filer dans le couloir. Elle bouscule une infirmière, et cette dernière pousse un cri interloqué. Oxana court en direction de l'escalier. À seulement quelques mètres de la porte, un BOA apparaît du couloir qui forme un angle avec celui qu'elle a emprunté. Lui aussi tient un couteau, et son visage se crispe lorsqu'il aperçoit Oxana. Cette issue est bloquée ! Faisant demi-tour, la jeune fille ignore les quelques têtes ahuries qui dépassent des chambranles et pique un sprint vers les ascenseurs. Si les patients ont entendu un coup de feu, ça ne contient pas leur curiosité dévorante. Ils espèrent quoi, au juste, se prendre une balle perdue ?

Pour accéder aux ascenseurs, elle réalise qu'elle doit repasser devant la porte de sa chambre d'hôpital. Pas de chance ! Les deux BOA en sont déjà sortis et se précipitent vers elle. À court d'idées, l'immortelle entre dans une autre chambre obscure et plaque son dos contre la porte pour la bloquer. Elle ne tiendra pas longtemps contre le poids de trois hommes de bonne corpulence. Relevant la tête, elle réalise qu'un humain en jaquette l'observe, les yeux ronds comme des soucoupes.

– Euh... salut ! lance-t-elle avec un sourire crispé. Je suis dans la merde, là, vous m'excuserez pour l'intrusion.

Elle n'a pas fini sa phrase que les BOA, de l'autre côté, commencent à pousser dans l'autre sens. Les talons d'Oxana dérapent sur le carrelage lisse.

L'homme en jaquette vient se placer à côté d'elle pour l'aider à garder la porte fermée. Oxana le dévisage avec stupéfaction.

— Qu'est-ce que vous faites ?

— Ce sont des BOA qui te courent après, j'ai raison ?

— Euh... oui.

— Des saloperies, c'est moi qui te le dis !

L'adolescente n'a pas le temps de débattre sur l'importance de ne pas faire d'amalgames. Remerciant sa chance, elle prie pour que ses poursuivants ne soient munis que de couteaux. Elle n'a pas vu de flingues, mais ils pourraient très bien en avoir sur eux. Elle-même lève le sien devant son visage.

— Est-ce que vous pouvez tenir quelques secondes ? demande-t-elle à l'homme en agitant son arme.

— Ouais, vas-y.

Cette fois, le destin est avec elle. Non seulement elle est tombée sur un ange gardien, mais il est bâti comme un bœuf !

— Attention ! crie-t-elle en faisant face à la porte.

Elle pointe son arme en direction de la petite fenêtre rectangulaire en verre. Le BOA, de l'autre côté, la voit au dernier moment. Il écarquille les yeux lorsque la détonation retentit. Le patient tourne la tête dans la direction opposée pour se protéger, entourant son visage de ses bras. La balle fait exploser la vitre et va se loger dans le front du BOA.

— Ça va ? demande-t-elle à son ange gardien.

— Ouais !

– Il en reste deux, et je n'ai plus de balles.

– La fenêtre... vas-y ! Je les retiens !

Oxana contemple le vide à travers la vitre et sent une boule de stress faire pression sur ses intestins. Une fois dehors, comment va-t-elle s'y prendre pour descendre ?

Derrière elle, l'homme grimace sous l'effort. Les autres ont recommencé à pousser. Il faut croire que la mort de leur copain n'a pas freiné leurs ardeurs. L'un d'eux a passé un bras muni d'un couteau par la nouvelle ouverture dans la porte, tentant d'atteindre celui qui bloque l'accès. Comment se fait-il qu'ils n'aient pas d'armes à feu ? Oxana ne va pas s'en plaindre, mais elle trouve cela étrange.

L'adolescente tente d'ouvrir la fenêtre, mais celle-ci ne s'écarte que de dix centimètres tout au plus. Après cela, elle reste obstinément bloquée.

– Faut la faire exploser..., lui explique l'homme. Elles... ne s'ouvrent pas... complètement... dans les hôpitaux.

Voilà autre chose !

Le regard d'Oxana explore la pièce. Elle court chercher la chaise destinée aux visiteurs, près du lit, et la balance de toutes ses forces contre la vitre... La chaise rebondit dessus sans provoquer la moindre fêlure. Elle recommence l'opération, avec le même résultat. Elle se tourne vers l'homme, haletante.

– Cette fenêtre est incassable !

– Bon, expire l'homme en sueur, approche et donne-moi ton flingue.

– Il n'y a plus de balles.

– C'est pas grave, donne quand même.

Elle s'exécute.

– Comment tu t'appelles ? lui demande-t-il tout en saisissant l'arme.

– Oxana.

– Bien, Oxana, tu vas t'éloigner de la porte, OK ?

– Soyez prudent.

Il lui sourit, attend qu'elle ait suffisamment reculé et pivote pour se retrouver de l'autre côté de l'encadrement. La porte s'ouvre à la volée, et il abat la crosse de l'arme sur le front du premier BOA qui pénètre dans la chambre, l'assommant sur le coup. L'assaillant s'écroule lourdement, déstabilisant son collègue qui trébuche sur son corps ramolli.

Le patient en profite pour lancer un second assaut, mais le BOA encore debout réagit vite. Il se jette en avant et roule sur le carrelage avant de se relever d'un bond. Son agilité est impressionnante. Il tend un couteau cranté devant lui, un rictus furieux froissant ses traits.

– Viens avec moi, lance-t-il à Oxana, et je ne ferai pas de mal à ton ami.

– Il y a un détail qui t'échappe, répond l'homme à côté d'Oxana, je ne suis pas son ami.

Et il se jette sur le BOA en grognant, saisit son bras pour empêcher toute attaque au couteau et l'adosse violemment contre le mur. L'autre réplique d'un coup de poing rageur, qu'il esquive de justesse. Mais il sort d'où, cet homme, pour savoir aussi bien se battre ?

– Dégage ! hurle-t-il à Oxana.

Sortant de son mutisme, l'adolescente lui lance un dernier coup d'œil avant de disparaître dans le couloir. Songeant à Brice, elle prie pour que cet homme ne paye pas son héroïsme de sa vie.

Oxana glisse sur la faïence lustrée du grand hall d'entrée de l'hôpital, pose une main sur le sol pour se rétablir et fait marche arrière pour se coller au mur qui jouxte les ascenseurs. Trois hommes sont plantés pile devant les portes qui mènent à la sortie. Rien n'indique explicitement qu'il s'agit d'ennemis, si ce n'est l'heure tardive et les tenues sombres identiques à celles de ses trois précédents assaillants. En pleine discussion, ils ne l'ont pas remarquée.

Reprenant son souffle, l'adolescente tente de rassembler ses idées pour trouver une nouvelle issue. Elle a remarqué qu'il y avait deux autres boutons sous celui du rez-de-chaussée, menant à des étages inférieurs. Elle ignore si une sortie est accessible en bas, mais elle ne voit pas d'autre solution.

– Je peux vous aider, mademoiselle ?

Oxana sursaute. Un infirmier lui fait face, l'air soucieux. Un BOA au nez légèrement de travers, malformation de naissance ou souvenir d'une bagarre mémorable, allez savoir ! Plongée dans ses réflexions, elle ne l'avait même pas vu. Une jeune fille en jaquette, ça ne passe pas inaperçu ! Il doit se demander ce qu'elle fout là, en plein milieu de la nuit, avec les fesses à moitié à l'air.

– Je...

Vite, vite ! Trouve un truc à dire ! N'importe quoi !

– Je me suis trompée d'étage, tente-t-elle en gratifiant l'inconnu de son plus beau sourire.

Merde ! C'est Cléo, la pro des charmes en tout genre ! Oxana ne possède apparemment pas le même talent, parce que l'infirmier fronce les sourcils, suspicieux.

– Quelqu'un m'attend... quelque part...

Vas-y, enfonce-toi encore plus !

– Vous ne devriez pas être ici, dit le BOA en lui saisissant le bras.

– Non, attendez, je dois descendre, insiste Oxana sans lever le ton pour ne pas se faire repérer.

– Ce sont les stationnements, en bas, fait remarquer l'infirmier d'un air qui signifie qu'il la prend pour une dingue. Si on vous avait autorisée à sortir, on vous aurait aussi dit de vous habiller. Allez, suivez-moi, on va retrouver votre chambre.

C'est bien sa veine, tomber sur un infirmier qui prend son boulot au sérieux !

– Lâchez-moi, le supplie-t-elle à voix basse.

L'autre ne répond pas. Il a appuyé sur le bouton de l'ascenseur et attend, sa main enfermant toujours le bras de la jeune fille. Bien entendu, il doit penser qu'il n'y a rien à

craindre d'un fétu de paille comme Oxana, petite, maigre...
et pourtant hargneuse ! Il est hors de question de laisser un
idiot pareil l'empêcher de fuir.

Le sang bouillonnant dans ses artères, elle attend le plus
patiemment possible que les portes de l'ascenseur s'ouvrent,
pour endormir la vigilance de son gardien improvisé en lui
faisant croire qu'elle va obéir docilement. Lui non plus n'est
pas très corpulent, mais il la dépasse d'une bonne tête. Ce
qu'il ne sait pas, c'est qu'Oxana a eu un frère qui lui a ensei-
gné l'art de se défaire de l'emprise d'un homme, et un coach
qui lui a appris à frapper fort.

Le BOA la tire avec lui dans la cabine.

Oxana se place face à lui, l'empêchant d'appuyer sur
l'un des nombreux boutons qui en commandent la destina-
tion. Pour y arriver, il doit s'approcher d'elle et tendre le
bras. Ce qu'il fait, bien évidemment.

Une fois à sa portée, Oxana fait remonter son genou avec
vivacité, écrasant en un éclair les testicules de l'infirmier,
qui émet un cri de douleur à fendre l'âme tout en tombant à
genoux devant elle. Celle-ci s'empresse de lui décocher un
coup de coude à la tête pour qu'il cesse de beugler comme
un bœuf émasculé, puis elle appuie vivement sur le bouton
qui mène à l'étage inférieur, priant pour que les trois BOA
dans le hall n'aient pas été alertés par le hurlement certes
bref, mais sonore malgré tout.

Elle n'a pas le temps de le vérifier. Les portes de la cabine
se referment déjà. L'appareil descend et s'arrête presque
aussitôt. Lorsque les panneaux en métal s'ouvrent de nouveau, Oxana découvre un parking obscur où des dizaines
de voitures sont plongées dans une atmosphère étouffante
et poussiéreuse.

Qui dit voiture, dit sortie. L'immortelle se précipite dans l'allée qui lui fait face.

Elle réalise finalement que ce ne sont pas des dizaines, mais des centaines de voitures qui remplissent le stationnement. Un vrai labyrinthe d'aluminium, de peinture et de caoutchouc. Leur Cellier ne confectionnait pas ce genre d'engins, mais une panne électrique dans un Cellier voisin avait contraint les BOA à exporter la production quelque temps dans celui d'Oxana. La jeune fille a travaillé deux semaines sur une chaîne qui confectionnait des essieux. Elle a détesté cela, préférant mille fois la pêche hivernale, malgré les gerçures. L'odeur de ce stationnement lui rappelle sa formation accélérée, ses maladresses et les travaux supplémentaires qui en ont découlé. Comme si on pouvait apprendre à construire des voitures en seulement quelques heures !

Quoi qu'il en soit, son expérience éphémère avec l'automobile ne l'aide pas à trouver la sortie de ce satané stationnement. Il y a bien des panneaux, mais elle ne sait pas les lire ! Si elle sort vivante de toute cette pagaille, elle se promet d'apprendre.

Des phares la surprennent au bout d'une allée. D'instinct, Oxana court entre deux voitures pour se mettre à l'abri. Le véhicule ne fait certainement que passer, mais elle ne doit prendre aucun risque.

Osant un regard par-dessus le capot de la voiture à sa gauche, elle voit le véhicule s'approcher lentement dans sa direction. Devenue paranoïaque par la force des choses, Oxana recule tout en restant accroupie, se faufilant derrière un coffre pour se dissimuler de la vue du conducteur. Là, elle attend, les nerfs en pelote. Elle entend le moteur ronronner, de plus en plus près.

Puis la voiture s'arrête. Une portière claque.

Ses occupants l'ont sans doute vue se jeter entre les autos !

Elle s'allonge à plat ventre et rampe sous une voiture garée. Elle n'a pas d'arme, même pas un couteau pour se défendre. S'ils la trouvent, c'est terminé.

De sa nouvelle cachette, elle voit une paire de bottes brunes près de l'avant de la voiture sous laquelle elle s'est abritée. Elle retient son souffle.

— Alors ? résonne une voix féminine.

— Attends..., fait une autre, masculine.

— T'as rêvé.

— J'en sais rien, répond l'autre voix avec une pointe d'agacement tout en contournant la voiture, se rapprochant d'Oxana. Ça ne te coûte rien d'attendre deux secondes, il me semble !

— T'es trop con.

— Ça, d'habitude, c'est la réplique de ta mère.

— Tu fais chier avec ma mère ! Et tu le trouves, ce putain de chat ? On va pas passer la nuit ici !

Un chat ?

Un visage émerge soudain, à quelques centimètres de celui d'Oxana. La jeune fille et l'homme qui lui fait face poussent un cri de surprise.

– Quoi ?! crie la femme dans la voiture.

– Y a... quelqu'un... là-dessous !

– Hein ?

Oxana pousse un long soupir de soulagement.

– Comment ça, quelqu'un ? Tu m'as dit que t'avais vu un chat ! Merde, Adam, on vient de passer une partie de la nuit ici à cause de ton incapacité à planter un clou sans te bousiller la main, le moment est mal choisi pour me faire une blague !

Le visage de l'homme disparaît quand il se redresse.

– Je ne t'ai pas demandé de m'accompagner !

– Ah non ? Tu tournais de l'œil rien qu'à voir le sang qui pissait de ton doigt ! Pas question que tu foutes la voiture en l'air en plus en tombant dans les pommes au volant.

OK... Scène de ménage. C'est le moment de filer. Oxana sort le plus discrètement possible de sa cachette.

– Hé ! Attends ! l'interpelle l'homme.

L'adolescente se tourne à moitié vers lui.

– Vous n'avez rien vu, d'accord ? dit-elle en l'implorant du regard.

– Il y a vraiment quelqu'un ! réalise la femme en sortant de la voiture.

Oxana lève les yeux au ciel de désespoir.

— Vous êtes qui ? lui demande la conductrice d'un air suspicieux. Vous foutiez quoi, là-dessous ?

— Je cherchais mon chat, soupire Oxana.

— Ah ! Tu vois ! J'ai bien vu un chat passer ! se réjouit l'homme en bombant le torse.

Il sourit à Oxana.

— J'ai un refuge, dit-il. Pour les chats, pense-t-il nécessaire d'ajouter.

Oxana lui rend un sourire crispé.

— Eh bien, si j'en vois un, je vous fais signe, promet-elle en reculant.

— Mais vous venez de dire que vous... Hé ! Attendez !

N'ayant ni l'intention ni l'envie de poursuivre cette conversation absurde, Oxana se remet à courir. Pas longtemps. Une silhouette émerge de derrière un poteau, deux rangées plus loin. Et, cette fois, l'immortelle pressent qu'il ne s'agit pas d'un homme qui cherche un félin, parce qu'elle discerne parfaitement l'éclat de la lame qui pend de sa main.

Faisant aussitôt demi-tour, elle rejoint le couple. L'homme est déjà en train de remonter côté passager.

— Attendez ! crie-t-elle en se jetant sur le capot de leur voiture.

Les tourtereaux ouvrent des yeux ahuris. Ils n'ont même pas le temps de réagir qu'Oxana est déjà installée à l'arrière.

— Roulez ! hurle-t-elle.

– Mais, voyons..., s'insurge la conductrice en se tournant vers elle. Vous ne pouvez pas...

Sa phrase est interrompue par un corps qui s'abat violemment contre la portière de celui qui semble être son mari. Les deux humains se mettent à crier, tandis que l'homme appuie instinctivement sur le bouton qui verrouille l'ensemble des portières de la voiture. Avant que son épouse reprenne ses esprits et enfonce la pédale d'accélération, la vitre arrière explose et des centaines de morceaux de verre sont projetés dans l'habitacle. Oxana a tout juste le temps de se ratatiner pour éviter le bras qui tente de l'attraper. La voiture démarre en trombe, les pneus crissent avec force. Un coup d'œil vers l'arrière indique à Oxana que le BOA est tombé. Il se relève très vite et se met à courir.

Virage à gauche. Le panneau suspendu au plafond doit certainement indiquer la sortie. Oxana enregistre le mot et ces pictogrammes étranges dans sa mémoire, ça peut toujours servir.

La voiture tourne brusquement à droite, plaquant Oxana contre la portière.

– Tu vas nous tuer ! reproche l'homme à sa femme.

– Ferme-la ! Tout ça, c'est ta faute !

– Ma faute ?!

– Si tu ne t'étais pas blessé, on n'en serait pas là !

– Et si tu ne m'avais pas fait chier avec ton tableau de pacotille, je ne me serais pas blessé un samedi soir !

Oxana lève les yeux au ciel. Le moment est mal choisi pour une engueulade.

– Excusez l'interruption, dit-elle en se penchant entre les deux sièges avant, mais vous feriez mieux de rester concentrés sur la r...

La voiture s'arrête brusquement tout en déviant dangereusement de sa trajectoire. Oxana se retrouve le front collé au levier de vitesses, sans comprendre comment elle a atterri là. Une main tambourine sur son crâne.

– Dégagez, je dois rétrogra...

– Aaaaah !

Un choc terrible envoie tout valser dans l'habitacle. Une tasse à moitié remplie de café froid est projetée dans les airs et déverse son contenu tout en tournoyant, arrosant le visage d'Oxana. Un énorme sac à main décharge son contenu hétéroclite comme autant de projectiles. Un téléphone portable éclate en dizaines de morceaux lorsqu'il percute le tableau de bord. Calée à plat ventre entre les deux sièges, Oxana est malmenée, mais son corps n'est pas propulsé hors de la voiture comme lors de son précédent accident, quelques semaines plus tôt.

Lorsque tout s'arrête, l'adolescente relève la tête. Du café coule sur sa joue et elle l'essuie du revers de la main. Se redressant péniblement en s'appuyant sur ses coudes, elle constate avec soulagement que les deux humains sont eux aussi sains et saufs. L'homme gémit en tenant sa main bandée entre ses doigts, mais il ne semble pas avoir été blessé par l'accident. La femme, quant à elle, affiche quelques lésions bénignes sur le visage. Son regard arrondi de terreur fouille les alentours.

– Je... J'ai vu un homme, explique-t-elle. C'est pour ça que j'ai freiné. Oh ! Non ! Et si je l'avais frappé ?...

Oxana se redresse.

Leur voiture en a percuté une autre qui était stationnée. La portière gauche, à l'arrière, est défoncée. Si Oxana était restée là où elle était assise avant de se pencher entre les deux sièges, elle aurait sûrement été blessée lors de l'impact.

Autour d'eux, rien à signaler pour le moment. Tout semble calme. Pourtant, leurs poursuivants sont à leurs trousses, ça ne fait aucun doute.

— Est-ce que vous pouvez repartir ? lance-t-elle.

— Quoi ? Je ne sais pas. Il faudrait vérifier si cet homme...

— Ce sont des tueurs, les informe Oxana. S'ils nous attrapent, on est morts.

— Des... tueurs ?

— Redémarre, chérie, s'empresse de l'inciter son mari en jetant des regards paniqués par la vitre.

Il n'a pas besoin d'insister. Le moteur se remet en route et la voiture avance lentement... avant de rouler sur quelque chose. Une grosse bosse qui les secoue tous les trois. La conductrice invoque tous les saints d'une voix larmoyante en comprenant qu'elle a vraiment percuté l'homme qu'elle a vu avant de freiner, et qu'elle vient, en prime, de lui rouler dessus. Oxana, elle, ne se laisse pas démonter.

— Continuez d'avancer, lui ordonne-t-elle. Et plus vite, si possible...

Aurait-elle dû préciser que deux ombres viennent de surgir derrière eux, courant à leur suite ? Les individus ne s'arrêtent même pas pour inspecter le corps de l'homme allongé sur le sol. Oxana espère qu'il s'agit de l'un des leurs.

La conductrice appuie enfin sur l'accélérateur, semant de nouveau leurs agresseurs. Bien qu'elle sache que rien n'est encore joué, l'immortelle soupire en les voyant disparaître à l'angle d'une allée.

Son soulagement est de courte durée. Quand la voiture sort enfin à l'air libre, la femme freine d'un coup sec et se tourne vers Oxana.

– Descendez !

– Vous plaisantez ?

– Est-ce que j'ai l'air de plaisanter ?!

Oxana dévisage la conductrice avec effarement. Après ce qui vient de se passer, elle va vraiment la foutre dehors ?

– Nous... nous sommes des citoyens honnêtes, bégaye son mari, les lèvres pincées. On ne veut pas d'ennuis avec... avec vos...

Il cherche un mot mais ne le trouve pas, se contentant de battre nerveusement des mains devant lui.

– Un peu de solidarité, ça vous étoufferait ? s'offusque Oxana.

– De la solidarité ? répète la femme avec colère. Et ma voiture défoncée, c'est quoi, au juste ?! Sortez tout de suite ou on appelle la police !

– Avec le téléphone qui a explosé en mille morceaux sur votre tableau de bord, c'est ça ?

La femme pâlit. Oxana glisse sur le siège arrière pour ouvrir la portière encore intacte.

– C'est bon, vous fatiguez pas, je sors. Et merci pour le coup de main.

Elle a à peine fait claquer sa portière que la voiture disparaît, la laissant seule au pied de l'immense hôpital. La nuit est fraîche, et sa jaquette ne la protège pas beaucoup. Un peu plus loin sur sa droite, la sortie du stationnement ressemble à l'entrée d'une caverne. Une caverne remplie de loups affamés qui ne tardent pas à débouler, tous crocs dehors. Ils ont dû se réunir à l'intérieur du stationnement, parce qu'ils sont trois, maintenant.

Oxana ne perd pas de temps à se demander s'ils l'ont vue. Ses jambes la propulsent vers l'avant, la camouflant dans les ombres dessinées par la haute bâtisse au-dessus d'elle. Avec sa jaquette bleu clair, elle ne se fait pas beaucoup d'illusions. S'ils ne la voient pas courir, ce sera un miracle !

– Arrête-toi !

Sérieux ? Ils pensent qu'elle va obéir alors qu'elle sait qu'ils n'ont pas d'arme à feu ?

Au contraire, cette injonction lui donne encore plus d'énergie et sa vitesse augmente. Dopée à l'adrénaline, Oxana se sent pousser des ailes. Courir, elle sait faire. Et mieux que quiconque.

– J'ai dit : arrête ! hurle de nouveau l'un de ses poursuivants.

L'angle de l'hôpital se profile enfin et, avec lui, la civilisation. Pas très active, à cette heure de la nuit, mais Oxana espère y rencontrer du personnel hospitalier ou quelques visiteurs. Les trois BOA derrière elle ne tenteront tout de même pas de la tuer devant des spectateurs ! Pourtant, n'ont-ils pas essayé de le faire à l'étage, à la vue des infirmiers ?

Déjà essoufflée, Oxana contourne le bâtiment.

En face d'elle se dresse une petite école, ainsi que quelques commerces qui affichent portes closes. Aucune âme qui vive à la ronde.

Le pas d'Oxana ralentit. Elle hésite. Obscures et étroites, les ruelles de ce quartier ne sont pas invitantes. Doit-elle s'enfoncer dans la ville sans même savoir où elle va, vêtue d'une simple jaquette négligemment attachée dans le dos, à la merci de n'importe quel BOA assoiffé... sans compter les pervers ? Si elle s'éloigne trop, Kael risque de ne pas pouvoir la retrouver.

Dans ce cas, doit-elle entrer de nouveau dans l'hôpital pour trouver un téléphone ?

Elle passe devant la porte vitrée d'une entrée beaucoup plus petite que le hall principal qu'elle a fui un peu plus tôt, et aperçoit un gardien de sécurité assis derrière son comptoir d'accueil. C'est un humain ! Un téléphone filaire dans la main, il parle en souriant, l'air détendu. Les pieds d'Oxana dérapent. Le téléphone !

Elle pousse l'une des deux portes et s'engouffre dans le petit hall en courant. Le vigile la regarde approcher en fronçant les sourcils. Réalisant qu'elle vient lui parler, le BOA lance un « quitte pas » agacé tout en faisant glisser le combiné sur son torse.

– Je peux vous aider, mademoiselle ? C'est un secteur privé, ici.

– Votre téléphone, j'en ai besoin !

– Pardon ?

Oxana passe derrière le comptoir et s'y accroupit pour se cacher.

– Ne me regardez pas ! lance-t-elle. Ayez l'air le plus naturel possible, des hommes cherchent à me tuer...

Le vigile, médusé, la regarde sans comprendre.

– Je vous en prie, s'ils entrent, faites comme si je n'étais pas là, l'implore Oxana.

Elle n'a pas le temps d'en dire plus que les portes battent bruyamment l'air de l'autre côté du comptoir.

– Elle est où ? demande une voix masculine.

– Euh... je... qui..., bégaye le gardien.

– On l'a vue entrer, vous l'avez forcément vue, vous aussi !

Accroupie près de la chaise du gardien, Oxana voit un cellulaire qui dépasse de la poche de son pantalon. N'attendant pas de savoir s'il la dénoncera ou pas, elle saisit le téléphone, se relève et sort à découvert, bondissant dans le couloir qui se présente devant elle.

– Elle est là ! hurle un BOA dans son dos.

C'est reparti !

N'ayant pas beaucoup fermé l'œil depuis quarante-huit heures, l'adolescente sent une chape de fatigue s'abattre soudainement sur ses épaules. L'esprit légèrement embrumé, elle se cogne contre une poutre et bifurque dans un corridor adjacent à celui qu'elle venait d'emprunter. Sans savoir où elle va. Sans savoir s'il y a seulement une issue de ce côté. Tout ce qu'elle voit, pour le moment, ce sont des petites salles vides et identiques de chaque côté du mur. Les portes sont toutes ouvertes, les lieux, déserts. Ça ressemble beaucoup aux salles d'examen du Cellier, là où les infirmiers lui pompaient le sang à l'aide de seringues.

Terrifiée à l'idée de trébucher, Oxana ne prend pas la peine de tourner la tête pour voir où en sont ses poursuivants. De toute façon, leurs pas résonnent, tout près. En tendant l'oreille, elle perçoit même leur souffle rauque.

Accélérant davantage sa course, Oxana puise dans ses dernières réserves pour les distancer un peu, franchit un nouveau virage, puis s'arrête, surprise. Elle est en face d'une porte double, d'un bleu similaire à celui de sa jaquette, et dont on actionne l'ouverture en pressant la barre qui la traverse. La jeune fille se jette dessus, écrasant la barre de tout son poids. Celle-ci cède. L'une des deux portes s'ouvre et Oxana se retrouve de l'autre côté. Par chance, la porte est munie d'une fermeture manuelle dont le verrou, une solide barre métallique verticale, s'enfonce dans le sol. Ne perdant pas une seconde, elle dégage l'immense serrure du socle en métal qui la retient contre la porte, la laissant tomber lourdement dans le trou du linoléum.

Un choc retentit de l'autre côté, suivi d'un râle de colère et d'une série de coups de poing.

Ses agresseurs sont coincés.

Oxana détaille son nouvel environnement. Délaissant la porte qui subit toujours les assauts de ses poursuivants devenus hystériques, elle marche d'un pas rapide vers celle, plus petite, à l'autre bout du couloir.

— Allô ?

Oxana soupire de soulagement en entendant la voix de Kael dans le combiné. Assise derrière un comptoir en métal, à même le carrelage, elle presse son front contre ses genoux.

— Kael, c'est Oxana.

— T'es où ? Je viens d'arriver dans ta chambre et...

— Ils m'ont retrouvée, le coupe-t-elle en réalisant que ses mains tremblent.

Le silence qui suit cette révélation dure quelques secondes.

Oxana relève la tête, l'ouïe aux aguets. Pas de cris. Pas de bruits de pas.

Pour le moment...

— Je vais bien, ajoute-t-elle pour le rassurer.

— Je savais que je n'aurais pas dû partir, l'entend-elle grommeler à l'autre bout du fil. C'est le bordel à l'étage. Les patients sont paniqués, ils ont entendu des coups de feu. Et un homme a été blessé.

Oxana presse fort ses paupières et plisse le nez de découragement. L'identité de cet homme ne fait aucun doute pour elle.

— Sais-tu s'il est vivant ?

– Je l'ignore. Oxana, est-ce que je peux te rejoindre ?

L'adolescente embrasse du regard les ombres autour d'elle. La pièce dans laquelle elle s'est réfugiée est plongée dans l'obscurité, une chiche lueur filtrant de l'interstice entre le sol et la porte. Les lieux, austères et aseptisés, n'en sont que plus angoissants.

– Je suis coincée, révèle-t-elle.

– Comment ça ?

– Je pensais fuir et je me suis retrouvée dans un bloc opératoire désert au sous-sol. Ils savent où je suis. Il y a bien une autre porte, mais elle est verrouillée. Ce n'est qu'une question de temps avant qu'ils trouvent le moyen d'entrer. Kael, je serais incapable de te dire exactement où je suis. Cet hôpital est tellement grand !

La panique la gagne et elle ferme les yeux pour recouvrer son calme. Ses oreilles bourdonnent, la fatigue la rattrape inexorablement.

– OK... Essaye de me donner des indices.

Oxana fouille dans sa mémoire.

– L'entrée que j'ai prise se situe près de la sortie du stationnement. Il y avait un gardien de sécurité, mais le hall était plutôt petit.

– Es-tu descendue ?

– Non. Et il n'y a pas de fenêtres dans cette section du bâtiment.

– Bon, je vais me renseigner auprès du personnel pour essayer de trouver cet endroit. Je viens te chercher. Et, Oxana, pas de connerie, d'accord ?

Elle hoche doucement la tête, comme s'il pouvait la voir.

– Sois prudent, ils sont au moins trois.

– Ne t'en fais pas pour moi, j'ai deux nouveaux amis dans les poches arrière de mon pantalon...

Cette remarque a le mérite d'arracher un sourire à Oxana.

– Viens vite, souffle-t-elle. Mais reste en ligne.

– Je ne peux pas, la pile de mon téléphone est presque à plat. Je fais vite, Oxana. Je promets de te trouver. S'il y a le moindre changement, rappelle-moi, d'accord ?

– D'accord...

De nouveau seule, Oxana se relève et fouille la pièce des yeux, avec l'objectif de trouver un objet pouvant lui servir d'arme. Si les BOA réussissent à entrer, elle devra se battre.

Malheureusement, la salle ne comporte pas grand-chose de plus que le comptoir et la table d'opération. Tout a été nettoyé et rangé. L'adolescente porte une main à l'énorme lampe fixée au bout d'un bras articulé, à la hauteur de ses yeux, mais ne voit pas en quoi les quatre ampoules pourraient lui être utiles. Il y a aussi une desserte en aluminium contre un mur, mais elle est vide.

Le matériel chirurgical doit bien être entreposé quelque part ! Dans le lot, elle pourrait trouver un scalpel, comme ceux qu'elle voyait souvent sur l'une des tablettes d'Elza, quand l'infirmière la piquait dans le Cellier. Il y avait aussi une paire de ciseaux aux lames très effilées qui s'enfonceraient volontiers dans une trachée-artère ou un globe oculaire...

Enhardie par sa nouvelle quête, Oxana sort dans le couloir. Par réflexe, son regard se pose aussitôt sur la porte à double battant dont elle a condamné l'accès un peu plus tôt. Plus aucun bruit ne provient de là. Il y a de fortes chances pour que ses agresseurs cherchent le moyen d'entrer par l'autre porte, celle qui se situe à l'autre bout du couloir et qu'Oxana n'arrive pas à ouvrir.

Elle inspecte les trois portes qui mènent vers d'autres pièces et entre dans la plus proche. Même constat : il s'agit juste d'une salle d'opération méticuleusement désinfectée.

La troisième pièce, par contre, promet une récolte plus fructueuse à l'instant où Oxana pose le pied à l'intérieur. Ici, pas de table d'opération, mais des armoires, des étagères et un bureau. C'est sans doute pour cette salle-là que cette section du bâtiment est gardée, car l'exploration des étagères révèle des dizaines de tubes contenant sans doute des médicaments, ainsi que des seringues sous scellés, des compresses de différentes tailles et des gants chirurgicaux.

Elle ouvre les tiroirs de l'une des armoires, et leur contenu illumine son visage.

Ses doigts effleurent les ciseaux de toutes tailles, bien ordonnés, qui se présentent à elle. Elle s'empare du plus gros. Entre ses doigts, l'inox semble pulser. Ce contact lui fait instantanément du bien.

Elle vole deux autres paires, plus petites, et les glisse avec le téléphone dans la poche qui se trouve sur le devant de sa jaquette.

Elle trouve aussi des scalpels dans le tiroir d'à côté. Testant l'une des lames, elle se coupe profondément le doigt et regarde le sang perler avec fascination. Elle n'a jamais vu un couteau trancher aussi efficacement ! Elle en dérobe trois et les place avec le reste. Ainsi lesté, son vêtement pèse plus lourd et fait pression sur son cou, mais Oxana s'en fiche. Toutes ces armes la revigorent.

Les ciseaux les plus gros dans la main, elle retourne finalement dans le couloir... et se retrouve nez à nez avec un BOA si grand qu'elle se cogne à son buste massif. Poussant un cri de surprise, elle lève la main au moment où l'autre abat son poing pour la frapper. Sa main vient s'empaler sur la pointe des ciseaux, et le BOA hurle en reculant, emportant l'arme avec lui.

Reprenant ses esprits, Oxana aperçoit un autre BOA un peu plus loin. Elle rebrousse chemin, claque la porte de l'officine sans attendre que le costaud se remette du choc, et actionne le verrou.

Elle recule tout en sortant un scalpel de sa poche. Émerveillée par le stock d'objets en inox dans les tiroirs de l'armoire, elle n'a même pas entendu les BOA s'approcher.

Boum !

La brute tente de défoncer la porte et, vu la taille ridicule du verrou, y arrivera forcément.

Oxana recompose avec hâte le numéro de Kael.

– Votre interlocuteur n'est pas disponible. Pour lui laisser un message, parlez après...

L'adolescente raccroche avec hargne. Kael l'a prévenue que son téléphone n'avait presque plus de jus.

L'un des gonds explose au dernier assaut du BOA, et la porte est projetée à l'intérieur au coup suivant. Oxana bondit, sa lame tendue devant elle, évitant la porte qui s'abat avec fracas sur le sol. Profitant de l'effet de surprise, elle se jette sur la brute et enfonce la lame du scalpel dans l'un de ses yeux.

Le BOA hurle à la mort, recule sauvagement et emporte de son poids le corps plus frêle de son collègue derrière lui. Les doigts d'Oxana glissent et lâchent le manche de son arme de fortune. Elle dégaine un autre scalpel.

Comprenant qu'elle a l'avantage, elle se rue sur son adversaire, toujours debout dans l'encadrement de la porte, et dont les doigts, posés sur son œil meurtri, laissent dépasser le manche du scalpel de façon ridicule. Il crie toujours et ne voit pas Oxana surgir de nouveau devant lui. Quand la lame de l'autre couteau lui tranche la gorge, une expression consternée défigure ses traits. Le sang se déverse de l'ouverture écœurante, barbouillant aussitôt la chemise blanche d'une teinte écarlate. Quelques secondes plus tard, le BOA tombe à genoux, dévoilant son copain stupéfait, juste derrière.

Galvanisée, Oxana étire les lèvres dans un rictus carnassier.

L'odeur métallique du sang qui se déverse à cause d'elle se répand dans ses narines et dans sa bouche. Pour la première fois depuis des semaines, elle se sent revivre. Elle agit enfin pour la cause qu'elle veut défendre au péril de sa propre vie.

L'autre BOA doit lire la détermination morbide dans les yeux d'Oxana, parce qu'il hésite à attaquer. Son couteau, dans sa main droite, tremble légèrement.

— Tu l'as tué, dit-il, l'air mauvais.

— C'était lui ou moi, répond Oxana en haussant une épaule.

— Il ne t'aurait pas fait de mal, on a juste pour ordre de te ramener.

— Me ramener où ?

— C'est pas tes oignons ! rugit l'autre en lui sautant dessus.

Sauf qu'il y a un cadavre plutôt corpulent entre eux, et le BOA doit l'enjamber pour la rejoindre. Il baisse les yeux une fraction de seconde pour regarder où il met les pieds, ce qui donne le feu vert à Oxana. Profitant de la position instable du BOA, elle lui décoche un coup de pied dans la cuisse, le faisant trébucher. Son pied se prend dans le bras du cadavre et il atterrit sur les fesses. Il écarquille les yeux en voyant Oxana fondre sur lui, mais ne réagit pas assez vite pour empêcher le pied de l'immortelle de lui cogner la tête. Des mots confus s'échappent de ses lèvres tandis qu'il délire. L'adolescente s'accroupit à côté de lui, lève son scalpel...

— Oxana !

Elle lève la tête et sourit en voyant Kael courir dans le couloir. Le BOA la rejoint en quelques enjambées. Il considère le corps de l'agresseur à ses pieds.

— On dirait que je suis un bon professeur, affirme-t-il dans un demi-sourire.

Il lui tend la main pour l'aider à se relever. Une fois debout, Oxana réajuste sa jaquette. Elle ne ressent aucun remords pour le BOA mort à ses pieds, aucune contrition pour le nez en sang de son acolyte toujours inconscient. Devrait-elle se sentir coupable de quelque chose ?

Son regard croise celui, pâle et profond, de la personne la plus importante de sa vie désormais. Et lui, que pense-t-il de tout cela ? Va-t-il la juger ?

Au lieu de cela, il la tire vers lui et l'observe avec un mélange d'admiration et d'étonnement.

– Tu as mis deux BOA à terre, je suis fier de toi.

– C'est l'instinct de survie, sans doute, répond l'adolescente en rougissant sous le regard appuyé de Kael.

– Et moi qui étais terrifié...

Il se tait, comme s'il venait de prendre conscience des mots qui sont sortis de sa bouche.

Touchée, Oxana pose sa tête sur son torse et prend quelques secondes pour fermer les yeux, bercée par le rythme cardiaque effréné de Kael.

– Allez, on ne doit pas traîner ici, déclare-t-il en lui frottant le dos.

CLÉO

Le chant d'un oiseau perché quelque part sur la façade de l'immeuble la tire peu à peu du sommeil. C'est agréable.

Elle cligne des yeux avant de les ouvrir complètement. Allongée sur le côté, au bord du lit, elle épouse du regard les portes de la penderie, puis les vêtements éparpillés négligemment sur le sol. Le rouge lui monte aux joues et elle sourit béatement en se remémorant les événements de la veille. Elle ferme les paupières dans l'espoir de remonter dans le temps, de reconstruire les vestiges de leurs étreintes en pensée, de les graver à jamais dans sa mémoire.

Elle demeure immobile ainsi quelques minutes, puis roule sur le dos et tourne la tête vers l'autre côté du lit. Denys n'est pas là.

Se redressant, elle inspecte la chambre et fait la moue en ne le trouvant nulle part. Des voix lui parviennent alors, dans la pièce d'à côté. Des chuchotements, plutôt. Inquiète, Cléo se lève. Elle saisit le masque qu'elle a posé la veille sur la table de nuit et le place sur son visage. Puis elle tire un déshabillé en satin noir de la penderie et l'enfile prestement avant d'ouvrir la porte qui mène au salon. Elle se fige dans l'encadrement de la porte. Debout devant la grande baie vitrée, Denys tourne la tête vers elle. La BOA qui se tient devant lui fait de même.

– Cléo, dit Denys en venant la rejoindre, tu reconnais Salie ? Elle travaille pour la Liberté Chance et Jeux.

En effet, la BOA lui dit vaguement quelque chose, mais elle ne se souvient pas du lieu de leur rencontre.

Le visage de Salie tressaute légèrement lorsqu'elle aperçoit Cléo, son masque, les cicatrices pâles sur ses avant-bras.

– Bonjour, Cléo.

– C'est une amie de Josef, murmure le garçon avant de déposer un baiser sur la joue de Cléo. Elle s'occupait d'Oxana et d'Alex lors de la loterie.

Cléo arrondit la bouche. Elle se rappelle maintenant l'avoir vue en compagnie de ses amis, peu avant leur dévoilement au public.

– Je n'avais pas réussi à convaincre Wolfe de me laisser m'occuper de vous deux, comme l'aurait voulu Josef, dévoile Salie en approchant à son tour. J'ai beau être l'assistante en chef de Wolfe, je ne pouvais pas me permettre d'insister. Il m'a confié la charge des jumeaux à la place, affirmant qu'il y avait du boulot de ce côté-là.

Elle détourne la tête, rive son regard sur la baie vitrée, l'air soudainement nostalgique.

– Oxana est une fille chouette, je l'aime beaucoup. Ce qui est arrivé à son frère...

Sa phrase reste en suspens.

– Bref, dit-elle en hochant la tête, j'ai reçu un message de Josef m'indiquant que vous étiez ici. Comme il ne peut pas vous contacter sans éveiller les soupçons, je serai votre intermédiaire.

– Mais, si vous travaillez pour Wolfe, que faites-vous ici ? l'interroge Cléo.

– Je l'accompagne.

– Vous... Wolfe est ici ?

Salie acquiesce de la tête.

– Mon patron est allergique à plusieurs aliments. Je veille toujours à ce que les mets soient confectionnés convenablement en cuisine, surtout à l'extérieur. J'ai sa santé entre les mains, aussi ironique que cela puisse paraître.

– Des allergies..., répète Denys, songeur.

– Rien qui puisse le tuer, précise Salie. Du moins, pas à petites doses. Mais ça le rendrait suffisamment malade pour qu'il comprenne que j'ai failli à ma tâche, et je ne compte pas perdre ce poste-clé dans l'organisation, vous comprenez ?

– Pourquoi la résistance ? lui demande Cléo en rabattant machinalement ses cheveux derrière ses oreilles, avant de se rappeler qu'ils sont coupés si court que ce n'est plus nécessaire.

– Ça vous semble étrange qu'une BOA en fasse partie ? demande Salie sans animosité.

– Un peu, même si je sais que vous n'êtes pas la seule.

– En effet, mais nous sommes peu nombreux. Je travaille pour Wolfe depuis douze ans. J'ai vu et j'ai entendu plus d'horreurs que n'importe quel autre BOA dans cette ville. Je ne connais pas les intentions de mon patron, mais elles ne sont pas belles, croyez-moi. J'ai réalisé cela il y a moins d'un an. À cette époque, j'ai entendu parler d'un groupe de résistants qui accomplissaient des sauvetages dans les quartiers sud de la ville. Rien qui inquiète beaucoup Wolfe, mais ça l'agace. Il n'aime pas qu'on lui oppose de résistance, vous voyez ?

Cléo hausse les sourcils pour signifier qu'elle a remarqué. L'attaque du Nid en est le plus bel exemple.

– Il lui arrive de perdre la tête, parfois, confie Salie d'un air sombre. On l'entend crier dans ses appartements. Seul. Il fait beaucoup de cauchemars. La nuit, il se relève souvent. Une fois, il a fait une crise de panique et on a dû l'amener à l'hôpital avec son garde du corps. C'est là que j'ai rencontré Josef. Cet homme m'a tout de suite plu. Sa confiance, toutefois, il a attendu quelques mois avant de me l'accorder. C'était juste avant la loterie. Il m'avait chargée de veiller sur vous deux, dans l'espoir de faciliter le sauvetage de Cléo. Comme je vous l'ai dit, Wolfe a préféré m'affecter à Oxana et Alex. La suite, vous la connaissez...

Cléo hoche la tête.

– Je ne peux pas rester plus longtemps, ajoute Salie en consultant sa montre. Si vous avez un message à faire passer à Josef, c'est maintenant.

Cléo s'apprête à parler, mais elle se ravise à la dernière seconde en se rappelant que Denys est avec elle.

– Est-ce que je peux vous parler seule à seule un instant ? lui demande-t-elle.

— Pourquoi ? s'inquiète aussitôt Denys.

— C'est... un truc de filles, rougit Cléo.

Elle n'ose même pas le regarder en face tellement elle a honte de lui mentir ! Si elle tourne les yeux vers lui, elle redoute qu'il y lise tout ce qu'elle fomente en cachette depuis des jours.

— Je dois me rendre aux cuisines, les informe Salie en les dévisageant à tour de rôle. Si vous voulez me parlez, descendez avec moi.

— Je m'habille et j'arrive ! s'écrie Cléo en se précipitant dans la chambre, dont elle referme vivement la porte.

Elle s'y adosse un court instant et pose une main sur son cœur en fermant les yeux. Mentir à Denys ne lui plaît pas du tout, mais elle ne voit pas comment elle pourrait agir autrement. Elle le connaît suffisamment bien, maintenant, pour savoir qu'il refusera qu'elle mette son plan à exécution. Et si elle ne le fait pas, elle s'en voudra. Son rôle dans cette histoire est important, elle le sent.

Confiante, elle rouvre les yeux, inspire profondément et court s'habiller.

OXANA

Elle se réveille en sursaut.

Une main lui secoue doucement l'épaule.

– Oxana, on doit y aller, cet endroit n'est pas sûr.

L'adolescente se frotte les yeux avec l'impression de n'avoir dormi que quelques secondes. Elle soupire en voyant le tunnel dans lequel ils se sont réfugiés pour se reposer et masse ses reins endoloris à cause du sol dur. Une légère douleur irradie dans son dos, mais elle est supportable pour le moment. Si elle n'avait pas dû quitter l'hôpital en catastrophe, elle aurait volontiers pris quelques comprimés pour calmer ces crises étranges.

Son attirail chirurgical gît à côté d'elle, sur le bitume. Elle se souvient de l'avoir enlevé de sa poche pour ne pas être gênée durant son sommeil. Malgré le pistolet remis par Kael, elle récupère l'un des scalpels, au cas où.

– Je t'ai trouvé ça, dit Kael en lui tendant des vêtements. À vue de nez, je pense qu'ils sont à ta taille.

– Tu les as volés ? lui demande l'immortelle en inspectant les morceaux d'étoffe.

– C'est pour une bonne cause. Tu ne vas pas continuer de te promener les fesses à l'air, quand même.

Le BOA sourit, ce qui finit de réveiller Oxana. Elle aime le voir ainsi, jovial et un peu taquin, ça la met de bonne humeur. La mine de Kael, toutefois, la préoccupe. Il cherche à dissimuler son visage sous sa capuche, mais ça ne fonctionne pas. Ses yeux sont de nouveau cernés, ses traits, tirés, comme s'il n'avait pas dormi – ou bu – depuis trop longtemps. Elle opte pour la seconde option, sans toutefois oser lui proposer son sang. Ils trouveront une solution dès qu'ils seront sortis de ce tunnel. Si tout va bien, ils devraient bientôt retrouver les autres, et Josef saura quoi faire.

– Kael, dit-elle en enfilant le pantalon, on n'a pas parlé de ce qui s'est passé dans le gymnase...

– Je sais.

Elle redresse la tête, inquiète.

– Tu ne veux pas en parler, c'est ça ? C'était une erreur, tu penses ? Ce qu'on a fait, c'est interdit, je sais, mais Josef et Sara se fréquentent, alors...

– Ce n'est pas qu'une question de loi, explique Kael en s'asseyant en face d'elle. Écoute, il y a quelque chose que tu ignores à propos de moi et qui a beaucoup d'importance. Dès qu'on sera en sécurité, je t'en parlerai, d'accord ?

Elle hoche la tête en essayant de déchiffrer l'expression de son visage, mais il se relève et s'éloigne pour la laisser s'habiller.

❖

Ils sortent du tunnel et gagnent une ruelle étroite et suffisamment sombre pour qu'ils y passent inaperçus. Quand ils atteignent le fleuve, Oxana se fige.

– Tu veux longer le fleuve ? demande-t-elle, anxieuse.

– On n'a pas le choix, c'est le moyen le plus discret d'atteindre l'endroit où les autres se trouvent. Sinon, il faudrait emprunter les artères principales, et il y a trop de monde.

– C'est près du fleuve qu'on m'a agressée, lui rappelle-t-elle.

– C'était beaucoup plus loin à l'est, la rassure Kael. Ne t'en fais pas, je passe souvent par ici à l'aube, et les gars dans le genre de ceux qui t'ont attaquée ne sortent jamais tôt le matin, parce qu'ils dorment. Allez, viens.

Ils marchent quelques minutes sans croiser âme qui vive. Malgré cela, Oxana est préoccupée, et elle touche régulièrement la crosse de son arme, placée dans la poche arrière de son pantalon, pour se rassurer.

– J'ai tué un Charognard cette nuit, lui apprend Kael tandis qu'ils contournent des entrepôts pour rejoindre un autre labyrinthe de conteneurs. Ces saloperies traînent dans l'ombre.

– Dans le Cellier, on parlait des Charognards comme de créatures de meute. Seuls, ils se cachent et attaquent quand ils le peuvent. Mais en groupe...

Elle frissonne.

– Je ne pense pas qu'ils soient suffisamment intelligents pour se regrouper volontairement.

– Volontairement, peut-être pas... Tu l'as dit toi-même, ils sont bien plus nombreux que d'habitude et c'est bizarre.

– Ce n'est qu'une simple coïncidence.

Oxana n'ajoute rien. Kael a sans doute raison, ce qui ne l'empêche pas de ressentir un profond malaise en sachant ce genre de créatures en liberté.

L'adolescente pousse un juron en contemplant la quantité phénoménale de conteneurs qui s'étendent vers l'horizon.

– Mais d'où ils viennent, tous ces conteneurs ?

– J'imagine qu'ils ont été entassés là après la grande guerre, répond Kael. Liberté est une île, les gens y ont trouvé refuge quand les choses ont commencé à aller mieux. La ville devait être alimentée par bateau, à l'époque. Il y a aussi plusieurs voies de chemin de fer désaffectées, ici et de l'autre côté du fleuve. Imagine ce que devait être la vie avant l'épidémie...

Oxana observe différemment les boîtes métalliques. Elle visualise le commerce avec le reste du monde, les navires entrant au port pour décharger leur contenu et approvisionner la ville en nourriture, vêtements et autres marchandises.

– Les survivants se sont regroupés ici, reprend Kael. Ils se sont coupés du reste du monde par la même occasion.

– On raconte qu'il ne reste rien, ailleurs.

– Tu y crois, toi ?

Il la dévisage.

– Si les gens ont trouvé refuge à Liberté, ils ont aussi pu le faire ailleurs, suppose l'adolescente.

– Le monde est bien plus vaste que nous le soupçonnons, j'en suis sûr.

– Mais ceux qui ont exploré les régions voisines n'ont rien trouvé à part la mort et un gigantesque désert. La guerre a tout ravagé. Il ne reste que des cendres des anciennes villes.

– Parce qu'ils ne sont pas allés assez loin. J'ai lu beaucoup sur le monde d'avant, et il y a des océans, des montagnes et des lacs immenses un peu partout. D'autres villes se cachent peut-être derrière.

– Et qu'est-ce qu'on y trouverait ? Kael, Liberté n'est peut-être pas le pire système qui ait été mis en place après la guerre.

– Tu as raison, soupire-t-il.

Le ciel au-dessus de leurs têtes est plombé. Les nuages, de plus en plus gris, promettent de crever pour décharger des trombes d'eau glacée. La météo semble s'être alignée sur leur humeur.

Maintenant qu'elle le connaît mieux, Oxana détecte les moments où Kael est en manque. Son regard devient fuyant, son ton, plus brusque et ses traits, sévères. En adoptant cette attitude, il cherche à éloigner celle dont l'odeur l'attire. Le sang d'Oxana a quelque chose de spécial, ça ne fait plus de doute maintenant. Il agit comme une drogue sur ceux qui y goûtent. Elle n'ose même pas imaginer la torture que ça doit infliger au BOA. Et, malgré quelques rares écarts, il garde une ligne de conduite tout à fait honorable.

– Aaaaaaah !

Kael et Oxana s'immobilisent, leurs oreilles cherchant la source de ce cri strident. À une cinquantaine de mètres, le cimetière de conteneurs s'arrête abruptement. À ses pieds, le fleuve coule tranquillement, le ciel chargé lui donnant un air triste et gris.

— À l'aide !

La voix est jeune et féminine. Kael se met à courir dans sa direction, talonné par Oxana. Avec tous les Charognards qui traînent dans la ville, il ne serait pas improbable qu'ils soient témoins d'une de leurs attaques.

À la sortie du labyrinthe, ils bénéficient d'une vue dégagée sur le sentier recouvert de rocaille qui longe le fleuve. Une dizaine de mètres plus loin, sur leur gauche, au pied des conteneurs, quatre BOA armés de couteaux malmènent un couple d'humains âgés d'environ vingt ans.

L'un des BOA saisit la fille par le bras et la tire vers lui. Refusant de lui lâcher la main, le garçon tente de protéger sa compagne en se jetant sur son agresseur, son poing fendant l'air maladroitement en direction du menton du BOA. N'atteignant pas sa cible, il trébuche et un autre BOA en profite pour lui planter son couteau dans le flanc, sous les cris hystériques de la fille.

— Arrêtez ! hurle-t-elle, en larmes.

La colère d'Oxana ressurgit.

— On ne peut pas les laisser faire.

Kael hoche la tête dans un geste entendu. Ils sortent de leur cachette et sont aussitôt repérés. Sans se laisser démonter, Kael et Oxana dégainent leurs armes.

– Laissez-les partir ! ordonne le BOA.

– Foutez le camp ! répond le plus grand des quatre agresseurs en balançant le bras dans leur direction.

Oxana se met à ricaner intérieurement. Comment peuvent-ils croire que deux individus munis d'armes à feu vont accepter d'obéir ?

– Ils n'ont que des couteaux, souffle Oxana à Kael.

Le BOA ne répond pas. Il avance lentement, son arme pointée devant lui, prêt à tirer.

– Merde, jure une autre BOA, dont les cheveux longs, d'un blond cuivré, ondulent jusque dans le bas du dos. C'est bien notre chance, deux cinglés qui se prennent pour des héros.

Elle a parlé suffisamment fort pour que Kael et Oxana, pourtant à une dizaine de mètres, puissent l'entendre. L'immortelle n'aime pas le ton de sa voix. Arrogant, il laisse présumer que la situation n'est pas en train de leur échapper.

De son côté, l'humaine pleurniche toujours, mais avec moins d'intensité. Un troisième BOA a empoigné une grosse mèche de ses courts cheveux bruns et sa tête forme un angle inconfortable avec le reste de son corps. Son regard apeuré scrute Oxana et Kael avec un mélange d'incompréhension et d'espoir. Son petit ami a posé une main sur son flanc, là où le couteau l'a atteint un peu plus tôt, sa main en sang tentant d'endiguer le fluide vital qui s'échappe sous son t-shirt. Quant au dernier agresseur, il se tient en retrait, près de la rambarde qui longe le fleuve.

Oxana ne voit pas comment ces quatre-là pourraient avoir le dessus.

– Mon gars, t'es des nôtres ! tente le BOA le plus grand. Fais pas de connerie.

– Je ne m'en prends pas aux humains, indique Kael sans s'arrêter.

– Ce qu'on fait, c'est pas tes oignons. On cherche cette fille depuis des lustres, l'informe le gaillard en égratignant le visage de la captive de la pointe de son couteau.

Celle-ci se remet aussitôt à geindre.

– Figure-toi qu'elle attire des BOA chez elle en leur promettant une bonne rasade, reprend son agresseur en postillonnant furieusement. En échange, son enfoiré de petit copain les tabasse pour leur voler leur fric. Ça fait des semaines que ça dure, ils doivent payer pour ce qu'ils ont fait ! On veut juste leur donner la leçon qu'ils méritent, alors fais demi-tour, et on fera comme si tu n'étais jamais passé par ici.

Oxana réalise qu'il l'ignore totalement. Pourtant, ses brefs coups d'œil dans sa direction ne trompent pas. Ils servent à démontrer à Kael qu'ils la laisseront partir aussi, s'il consent à obtempérer.

– Vous allez les tuer, je me trompe ? demande Kael.

L'autre consulte ses camarades et sourit.

– Quoi ? Ça te touche ?

Maintenant à seulement quelques pas de lui, Kael raffermit sa prise sur le pistolet et ôte le cran de sûreté, le canon dirigé vers le front de son interlocuteur.

– Laisse-les partir, répète-t-il lentement, comme pour être certain de bien se faire comprendre.

Quelque chose cloche dans l'attitude des quatre BOA. Alertée, Oxana sent un frisson électriser sa colonne vertébrale sans comprendre d'où vient exactement son malaise. Son regard parcourt la capuche de Kael, qui cache son visage. Malgré cela, il respire l'assurance et ne semble pas avoir de doute sur l'issue de cette discussion.

– Elle est mignonne, la petite Sac à sang qui t'accompagne, le provoque le plus grand des quatre en pointant Oxana du menton. Je parie que tu tiens à elle.

Kael reste silencieux.

– Si c'est le cas, dégage. C'est mon dernier avertissement. Cette histoire ne te regarde pas.

– Kael..., tente Oxana, de plus en plus mal à l'aise.

– Non.

Les muscles d'Oxana se crispent. Kael est déterminé, il ne fera pas marche arrière malgré les menaces. Oxana relève le canon de son arme et vise celui qui tient toujours la fille par les cheveux. Son compagnon ne semble pas aller très bien. Sa blessure au flanc saigne abondamment et son visage est aussi blanc que son chandail. Il a besoin de soins, et vite.

– Vous êtes de la Brigade du Sang ?

La question de Kael fait tressaillir Oxana. S'ils répondent oui, il fera feu, elle n'en doute pas. Elle-même n'hésiterait pas un instant à appuyer sur la détente s'il s'agissait de Claudius Wolfe.

Sauf qu'il ne s'agit pas de lui.

Les quatre individus devant eux ne sont certainement pas des enfants de chœur, mais ils n'ont rien à voir avec l'attaque du Nid, ni avec le coma dans lequel est plongée Sandra. Kael est en train de laisser le ressentiment le submerger, et Oxana est bien placée pour comprendre, alors elle ne dit rien.

Le BOA qui leur fait face gratifie Kael d'un nouveau sourire prétentieux.

— Et si on était de la Brigade, ça changerait quoi ? articule-t-il.

Quelque chose de froid se pose sur l'arrière du crâne d'Oxana. D'instinct, elle veut tourner la nuque, mais une main l'en empêche en lui empoignant fermement le cou.

— Kael !

Le BOA tourne la tête vers elle. Ses yeux se réduisent à deux fentes redoutables lorsqu'il comprend qu'une arme menace de faire exploser la cervelle de l'immortelle.

— Lâche ton arme, ordonne une voix féminine à l'oreille d'Oxana.

Le souffle chaud contre sa peau lui donne la chair de poule. Ses yeux fouillent ceux de Kael à la recherche d'une réponse. Que doit-elle faire ? Les narines du BOA se dilatent à plusieurs reprises, mais ses mains restent dans la même position, son pistolet toujours pointé vers celui qui semble être le chef. Consciente qu'elle n'a pas le choix, Oxana baisse son arme. Une main passe devant elle et s'en empare.

— On dirait que la situation t'échappe, se gausse le chef de la bande. Maintenant, baisse ton arme ou dis au revoir à ta copine. Tu vois, je ne suis pas un salopard, je te donne le choix.

Ses acolytes ricanent bêtement.

Oxana serre les poings. Se retrouver dans une situation aussi stupide, à amuser une bande de petits cons, la met hors d'elle.

Pris au piège, Kael laisse son bras retomber le long de son flanc. La BOA aux longs cheveux blonds marche jusqu'à lui et lui arrache le pistolet des mains, un sourire provocateur sur les lèvres. Elle tourne la tête vers son chef, et celui-ci hoche la tête. La BOA lève alors l'arme devant Kael, prête à lui trouer le front.

– Non ! s'exclame Oxana en faisant un pas en avant.

La main autour de son cou raffermit aussitôt sa prise, la faisant suffoquer. Elle ne voit peut-être pas la fille qui se trouve derrière elle, mais elle l'imagine bâtie comme un bœuf, tellement la seule force de ses doigts est éloquente. L'adolescente recule aussitôt et récupère un peu d'air.

– Attendez ! lance-t-elle en toussotant, terrifiée à l'idée que la BOA appuie sur la détente. Claudius Wolfe ! Il nous cherche !

Les sourcils du chef se froncent à cette évocation.

– C'est des conneries ! grommelle-t-il. Tu cherches à gagner du temps.

– Je suis une immortelle, tente Oxana. L'une de celles créées par Claudius Wolfe et William Steel. J'ai été gagnée lors de la loterie et je me suis enfuie. Le gars que vous tenez en joue m'a aidée, et Wolfe a mis nos têtes à prix. Vérifiez !

L'autre prend quelques secondes pour réfléchir.

— Une immortelle, tu dis ? demande-t-il.

Oxana secoue la tête autant que les doigts autour de son cou l'y autorisent.

— Compte sur moi pour vérifier ça, conclut-il. Shaina...

Un éclair cuisant explose dans la nuque d'Oxana. L'instant d'après, elle se retrouve à plat ventre sur les minuscules cailloux du port, la bouche en sang, une vive douleur lui élançant dans la colonne vertébrale. La tête prise dans un étau, elle entend une voix ordonner de ne pas trop abîmer la marchandise, puis un second choc lui vrille le crâne, et le noir l'avale complètement.

CLÉO

Salie n'arrête pas de lancer des regards inquiets dans le rétroviseur.

– Personne ne nous suit, lui assure Cléo, pour la dixième fois au moins depuis leur départ du siège social de la Sang et Prestige.

– Un simple réflexe, répond nerveusement la BOA en remuant sur le siège du conducteur. J'ai l'impression de vous avoir kidnappée. Si Steel l'apprend, il me dénoncera à Wolfe, et alors...

– Steel ne dira rien. Je suis libre d'aller et venir comme bon me semble.

– Ça, c'est ce que vous croyez.

– Pourquoi en serait-il autrement ?

– L'influence de Wolfe est tentaculaire, il a des espions partout. Vous exhiber ainsi au bras de William Steel dans le but de l'atteindre est une pure folie. Vous avez filé sous le nez des dirigeants de la loterie et vous pensez pouvoir vous promener en ville en toute impunité ? C'est insensé !

La circulation est fluide, même si beaucoup de voitures y roulent en ce milieu de matinée. C'est la première fois que Cléo voit la ville de jour. Chaque fois qu'elle en a parcouru les artères, la nuit l'habillait d'un voile doucereux, adoucissant ses traits, camouflant ses défauts, agrémentant ses immeubles d'étoiles étincelantes pour en raviver les parois ternes et grises. Maintenant qu'elle la voit telle qu'elle est vraiment, Cléo la trouve fade, sale et abrutissante. Trop de monde, trop de bruit et trop de disparités apparentes. Pauvres et nantis, humains et BOA, tous semblent se côtoyer sans même se voir. C'est affligeant.

— C'est la seule solution pour atteindre Wolfe et l'arrêter, reprend-elle au bout d'un silence.

— Et après ? Vous pensez qu'il est le seul à prendre des décisions dans cette ville ? s'énerve la BOA. Si ses profits sont si bons, c'est parce qu'il y a toute une bande de BOA influents qui le soutiennent et profitent de ses services. Vous ne changerez pas le monde en claquant des doigts !

— Peut-être, mais c'est toujours mieux que de ne rien faire. Je ne comprends pas pourquoi ça vous atteint à ce point. Ce qu'on fait de nos vies ne regarde que nous.

— C'était peut-être le cas avant, mais maintenant que vous m'avez exposé votre plan, je suis impliquée. D'autant plus que je suis en train de vous conduire jusqu'à la résistance. Si Wolfe venait à soupçonner mon implication, je serais dans de très sales draps.

Le véhicule s'arrête devant un immeuble de cinq étages tout en brique, plutôt coquet, avec des fenêtres propres et des balconnières colorées. Le quartier est chic, la ruelle, calme et silencieuse. Un village dans la ville. Un endroit très invitant qui émerveille Cléo.

Les deux femmes sortent et Salie pousse la lourde porte qui mène à l'intérieur du bâtiment.

– Ce n'est pas le genre de quartier que fréquentent les agents de Wolfe, dit-elle, mais on ne sait jamais, ne traînons pas à l'extérieur.

L'absence d'ascenseur les contraint à grimper quatre étages à pied. Salie frappe timidement à l'une des deux portes du palier. Quelques secondes plus tard, une humaine d'environ quarante ans se présente.

– Bonjour, je suis Sara, une amie de Josef. Entrez, il vous attend...

Le salon de l'appartement grouille de monde. C'est très étonnant, car presque aucun bruit ne filtrait de l'entrée et du couloir qui y mène.

Cléo retient son souffle lorsqu'elle réalise que tous les regards sont braqués sur elle. Jusque-là de dos, Sam se retourne, pousse un petit cri de joie et court jusqu'à Cléo avant de la prendre dans ses bras.

– Ça fait du bien de te revoir !

– Je... Moi aussi.

– Entre, l'invite Sam en tirant Cléo par la main.

L'adolescente tourne la tête vers Salie, qui lui intime d'obéir d'un geste vague.

Les deux filles doivent enjamber tout un tas de matériel posé à même le sol, ainsi que des pieds et des jambes, tout cela dans un silence recueilli, tandis que Sam la conduit au centre de la pièce. Cléo ignore qui sont tous ces gens. Sans doute des résistants. Elle est restée trop longtemps dans sa chambre, au Nid, pour en être sûre, mais c'est ce qui lui semble le plus logique. Elle s'en veut, soudainement, d'être restée recluse et de s'être ainsi coupée du reste de l'équipe.

Josef apparaît, s'essuyant les mains à l'aide d'une serviette. Ses yeux gris se fixent sur Cléo. Un sourire soulagé étire ses lèvres. Il jette la serviette sur une table toute proche, évolue du mieux qu'il le peut jusqu'à elle et place ses mains sur les épaules de la jeune fille. Autour d'eux, le silence est toujours absolu, c'en est presque gênant.

— Viens, dit l'homme, allons discuter au calme.

Il jette un regard à Salie et lui demande de les suivre d'un hochement de tête. Puis il emmène Cléo dans une chambre adjacente au salon et laisse entrer la BOA à sa suite avant de fermer la porte.

— Avez-vous des nouvelles d'Oxana ? demande Cléo.

— Elle est avec Kael, répond le médecin. Aux dernières nouvelles, tout allait bien. Par contre, Wolfe les traque, et ils n'ont pas encore réussi à venir nous rejoindre. Ils doivent rester prudents.

Savoir qu'Oxana va bien réconforte un peu Cléo. Cela dit, elle aurait préféré la voir et la savoir en sécurité, ici, avec Josef et les autres.

— Josef, j'ai demandé à vous voir pour vous parler de quelque chose d'important.

— Je t'écoute.

— Dans deux soirs, un bal costumé sera organisé au bâtiment de la Sang et Prestige, au profit de la Fondation du

Sang. Wolfe y sera. Ce sera le moment idéal pour le mettre hors d'état de nuire.

– Qu'envisages-tu ?

– J'isole Wolfe à un endroit que nous aurons déterminé. Ensuite, vous me rejoignez et vous le tuez.

Un silence plane sur le trio, durant lequel Josef semble peser le pour et le contre.

– C'est trop dangereux, dit-il finalement.

– Il a raison, l'appuie Salie, mon patron est loin d'être stupide.

– Peut-être, soupire Cléo, mais c'est un homme. Je peux le séduire.

– Je ne l'ai jamais vu en compagnie d'une femme, objecte Salie.

– Vous pensez qu'il est gay ? s'étonne l'adolescente.

– Sincèrement, je l'ignore. En fait, je ne l'ai jamais vu avec personne. Je me demande même s'il a une vie sexuelle.

Cléo fait la moue.

– Ça complique les choses...

– Pas tant que ça, intervient Josef. Quels que soient ses penchants amoureux, Wolfe n'en reste pas moins un BOA. En tant que tel, il ne saurait résister très longtemps à l'appel du sang. C'est là-dessus que tu dois te concentrer, Cléo.

Sur mon sang, et non sur mes attributs physiques...

Cléo y songe un court instant avant d'approuver :

– Ce n'est pas très différent, en fin de compte. Je dois juste faire en sorte qu'il désire mon sang, et juste le mien. Je pense en être capable, mais le temps pourrait aussi jouer en ma défaveur. Ce genre d'attraction se développe, et je ne le verrai pas avant le bal.

– Nous en sommes conscients, convient Josef.

– C'est un jeu dangereux, estime Salie.

Josef prend la main de Cléo et la secoue légèrement sans avoir l'air de s'en rendre compte.

– Elle a raison, tu n'es plus immortelle, lui rappelle-t-il. Qui sait ce que fait Wolfe à ceux dont il vole le sang.

– Nous serons dans un cadre officiel, le rassure Cléo. Wolfe pensera alors que j'appartiens à Steel, il ne pourra pas aller trop loin. Tout ce qu'il doit faire, c'est désirer suffisamment mon sang pour que nous l'isolions quelques instants. Et nous le tuerons.

– Ça me paraît trop simple, déclare Salie en levant les yeux au plafond.

– Les plans les plus simples sont souvent les meilleurs, la contredit Josef. Tu es déterminée, n'est-ce pas ?

Cléo hoche la tête.

– J'agirai, avec ou sans vous, dit-elle d'un ton grave.

– D'accord, soupire le chef de la résistance. Laisse-moi quelques heures pour m'organiser, et je t'enverrai mes recommandations par l'intermédiaire de Salie. Cléo, il se peut qu'on échoue, et il se peut aussi que les risques que tu t'apprêtes à prendre ne servent à rien. On ignore si Liberté peut être sauvée. Es-tu certaine de vouloir te lancer là-dedans ?

– Oui, dit-elle sans hésitation.

OXANA

Oxana tire sur les liens qui lui écorchent les poignets. Les cordes ne semblent pas se délier le moins du monde, et elle ne réussit qu'à fendre un peu plus sa peau déjà en sang.

Assise contre un mur, les mains retenues derrière le dos par un crochet, elle ne peut pas se lever. Le garçon et la fille malmenés sur le quai se trouvent dans la même position qu'elle. Bien plus calmes, ils semblent s'être résignés à leur sort. S'il n'y avait ce morceau de ruban adhésif collé sur ses lèvres, Oxana aurait été tentée de leur crier après.

Merde ! Ils ne peuvent pas rester là sans bouger. Il faut agir !

Elle pousse un énième grognement et reprend son souffle, les yeux rivés sur la porte en face d'elle, de l'autre côté du matelas taché posé directement sur le sol. Elle ignore à quoi sert ce lit improvisé, et elle ne compte pas rester là assez longtemps pour le découvrir.

Kael se trouve quelque part dans cet appartement miteux. Elle a entendu ses cris plus tôt, ce qui a bien failli la rendre dingue. Le silence qui pèse sur les lieux depuis menace de lui faire perdre la raison. Est-il seulement vivant ? Pourquoi a-t-il hurlé de la sorte ? Que lui ont-ils fait ?

Impuissante, Oxana frappe le mur derrière elle de son crâne, tentant de faire fi de sa soif. Elle n'a pas bu depuis l'hôpital. Et son estomac gargouille bruyamment, attirant sur elle les regards accablés des deux autres Sacs à sang. Juste au-dessus d'elle, une petite lucarne en demi-lune projette dans la chambre la lumière froide de la fin d'après-midi, enveloppant le matelas d'une aura mortuaire. Son instinct lui dit que la nuit apportera avec elle son lot de mauvaises surprises.

Le plancher dans le couloir se met à grincer. En tendant l'oreille, Oxana perçoit des pas lents et légers. La porte s'ouvre presque aussitôt sur un jeune BOA, peut-être de l'âge de Victor. Le gamin reste dans l'encadrement de la porte quelques secondes, inspectant les trois humains à l'intérieur de la pièce comme s'il s'agissait de créatures dangereuses dont il doit se méfier.

Il porte quelque chose sous le bras, mais l'immortelle n'arrive pas à voir de quoi il s'agit. Il finit par entrer, les yeux baissés, avant de se plier au-dessus du lit et d'y jeter son précieux trésor : une bâche en plastique. Oxana s'agite sur ses fesses, et le garçon tourne la tête dans sa direction, comme pour s'assurer qu'elle est toujours bien attachée et qu'elle ne risque pas de lui sauter dessus.

Si seulement Oxana pouvait lui parler, peut-être parviendrait-elle à le convaincre de la détacher ou, du moins, obtiendrait-elle de l'information à propos de Kael. Mais le gamin s'est déjà désintéressé d'elle.

Une fois la bâche bien en place, il se redresse, hésite, jette un œil par la porte, puis marche jusqu'à Oxana. Le cœur de la jeune fille se met à battre plus vite. L'ombre d'une chance se profile !

Maintenant tout près, le gamin semble plus grand et plus costaud que Victor. La peau de son visage est très pâle et parsemée de taches de rousseur, comme celle d'Oxana. Il s'accroupit devant elle et plisse le front dans une attitude ennuyée. Ses yeux clairs, d'un vert délavé, détaillent les traits d'Oxana.

— Ça sert à rien de gigoter, chuchote-t-il.

Ses doigts frôlent le nez d'Oxana, comme s'il n'osait pas établir un vrai contact.

— Tu es jolie.

Sa main mime une caresse, tout près des cheveux de l'adolescente.

— Ça les empêchera pas de te faire du mal.

On dirait qu'il se parle à lui-même. Oxana a cessé de gesticuler. Elle le regarde avec horreur, les yeux écarquillés, tandis qu'il ferme les paupières et redresse le nez, humant l'air devant elle.

— Ton odeur est spéciale, dit-il en ouvrant les yeux. Je me demande quel goût tu as...

Cette fois, Oxana le fusille du regard. Qu'il tente de la mordre et elle saura se défendre malgré ses mains liées ! Le gamin esquisse un sourire crispé pour toute réponse. Il se relève et la regarde de haut.

— Ils font ça la nuit, dans le noir. Réserve ce regard aux ombres.

– Joshua !

Le jeune BOA se retourne d'un seul coup. Comme il est debout devant Oxana, celle-ci ne voit pas qui a parlé.

– Tu n'as pas le droit d'établir de contact avec les Sacs à sang, tu le sais, non ?

– Oui.

– Pourquoi ?

– Pour ne pas risquer de répandre mon odeur sur eux.

– Alors, que fais-tu si près d'elle ?

– Elle... Je...

Le gamin baisse la tête.

– Sors de là ! exige l'autre avec autorité.

Joshua obéit sans demander son reste, dévoilant la silhouette fluette d'un homme dans l'encadrement de la porte. Dans la pénombre provoquée par le coucher du soleil, il est difficile de dire ce qu'il regarde. Immobile, il demeure ainsi un long moment. Puis Oxana le voit hausser les épaules, et il referme la porte en la claquant.

L'adolescente observe ses deux compagnons d'infortune. Le garçon, qui a été blessé au flanc, semble souffrir. Sa tête se met à chanceler et son menton cogne finalement contre sa poitrine. Non loin, sa petite amie tente de l'appeler malgré son bâillon, mais le garçon ne réagit pas.

Oxana ferme les yeux avec force.

Trop de morts. Trop de souffrance. Elle ignore dans quel bourbier elle s'est encore foutue, mais une chose est certaine, elle ne mourra pas avant d'avoir fichu une balle dans la tête de Wolfe. C'est une promesse.

CLÉO

Cléo est préoccupée. Branchée sur pilote automatique, elle monte dans l'ascenseur et appuie sur le bouton de l'étage où elle vit avec Denys. Elle a passé beaucoup de temps chez Sara et hésite sur ce qu'elle doit dire au garçon. Comment peut-elle justifier son absence de plusieurs heures ?

Dans l'appartement, le silence l'accueille.

– Denys ?

La sonnerie du téléphone retentit, la faisant sursauter. Comme l'appareil est branché sur une ligne interne, elle sait qu'il ne peut s'agir que de Babette ou de William Steel, et elle décroche tout en jetant des regards autour d'elle dans l'espoir d'apercevoir Denys.

– T'étais où ? s'énerve la voix au bout du fil sans que Cléo ait eu le temps de dire quoi que ce soit.

– Babette ?

– Je te cherche partout depuis une heure.

– Je...

— C'est pas grave. On t'attend pour la collation.

— La collation ? Babette, ça va ? Tu as l'air sur les nerfs...

Elle a failli ajouter « encore plus que d'habitude », mais elle s'est retenue à la dernière seconde.

— Il y a quelqu'un ici qui veut te voir.

— Qui ça ?

— Écoute. Prépare-toi, d'accord ? Je viens te chercher.

Et elle raccroche brusquement, provoquant un son grave qui endolorit le tympan de Cléo.

L'adolescente repose le combiné, soucieuse. Denys a disparu. Babette a l'air tendue. Sans compter cette collation inopinée et cet invité mystère. Se peut-il qu'il s'agisse de l'un des BOA qu'elle a rencontrés lors de la soirée mondaine de son père ?

Comme Babette sera là d'une minute à l'autre, Cléo se rend dans la grande penderie et choisit des vêtements chics mais décontractés. Elle se fait du souci pour Denys. Il est sans doute allé faire un tour dans la salle de musculation, mais ne pas pouvoir vérifier l'angoisse un peu.

— Cléo ? Cléo ?!

La voix de Babette retentit à plusieurs reprises dans l'appartement, et Cléo a à peine le temps de remonter la fermeture éclair de sa jupe qu'elle déboule dans la chambre.

— Ah ! tu es là ! lance-t-elle en apercevant sa sœur dans la penderie. On a un problème !

– Quel genre de problème ?

– Du genre qui ne te plaira pas. Wolfe est là.

– Wolfe ?!

Cléo a crié, et Babette agite les mains devant son visage en plissant le front d'agacement.

– Inutile de hurler, ça ne le fera pas partir. Dois-je te rappeler que je suis enceinte ?

Ne voyant pas vraiment le rapport, Cléo sort de la penderie et se met à faire les cent pas dans la chambre.

– Il est venu pour me voir, tu as dit ?

– Ça bavasse à Liberté, et vu l'effet que tu as provoqué la dernière fois, ç'a dû arriver jusqu'à ses oreilles. C'est un actionnaire de la Sang et Prestige, alors il est impliqué dans ce que fait mon père. Quelle idée aussi d'en faire trois tonnes ! ajoute Babette en s'allongeant sur le lit. Qu'est-ce qu'on va faire ?

Elle se redresse soudainement.

– On va dire que tu es malade !

– Non !

Cléo se racle la gorge pour remettre ses idées en place. Sa demi-sœur n'est pas au courant de ses plans, alors elle doit faire preuve de tact.

– Wolfe me verra, tôt ou tard, poursuit-elle en s'asseyant à côté de Babette. On a tout prévu. Le masque, la couleur de mes cheveux et de mes yeux, mon attitude... Écoute, je vais jouer mon rôle à la perfection, et il n'y verra que du feu.

Le cœur de Cléo bat fort dans sa cage thoracique. Cette occasion de s'entretenir avec Wolfe et de le séduire lui est servie sur un plateau d'argent. Elle ne doit pas reculer.

— Où sont tes verres de contact ? demande soudainement Babette, réalisant que Cléo ne les porte pas.

— Dans la salle de bain, je...

— Tu dois les porter en tout temps !

La patience de l'adolescente commence à s'effriter, et elle se lève pour s'éloigner de sa sœur. Se faire traiter comme une gamine après tout ce qu'elle a traversé l'agace, mais elle doit garder la tête froide et rester concentrée sur son plan.

— Je vais les mettre tout de suite, dit-elle en sortant de la chambre.

— D'accord ! crie Babette. Je t'attends devant l'ascenseur !

Cléo avait déjà remarqué à quel point la moquette dans l'appartement de son père était moelleuse. Porter des talons aiguilles, dans ces conditions, est suicidaire. Le talon de sa sandale gauche se coince dans l'une des mailles du tapis et sa cheville se tord dangereusement. Cléo échappe un petit cri consterné en tentant de ne pas se casser la figure. Une main lui agrippe le bras, l'empêchant de tomber. La jeune fille redresse la tête en souriant, prête à remercier son sauveur. Ses yeux s'arrondissent de stupeur lorsqu'ils se posent sur le visage du BOA qui se tient tout près d'elle.

– Est-ce que tout va bien ?

C'est Claudius Wolfe qui lui a attrapé le bras pour empêcher sa chute. Cléo réalise qu'elle est en train de le dévisager. Elle se repositionne correctement sur ses deux jambes.

– Euh... Oui. Oui, ça va. Merci... de m'avoir retenue.

– Céleste, ma chère, intervient William Steel en la prenant par la taille, je te présente Claudius Wolfe, un très vieil ami.

La voix de son père a un petit quelque chose de pas crédible. La nervosité, sans doute.

Wolfe tend une main vers Cléo et s'empare délicatement de la sienne. Il la porte à ses lèvres et y dépose un baiser léger, en vrai gentleman.

– Je voulais voir de mes propres yeux celle dont tout le monde parle dans les hautes sphères, explique-t-il. William n'a pas osé me refuser ce plaisir.

Il se met à rire. Il est bien le seul !

Les lèvres de Cléo ont du mal à s'étirer. Se retrouver ainsi en présence de Claudius Wolfe lui donne le vertige. Et s'il la reconnaissait quand même, malgré tous les artifices dont elle s'est entourée ?

– Votre présence m'honore, dit-elle finalement, sur un ton solennel.

Elle doit jouer le jeu jusqu'au bout, sans trop en faire néanmoins. Wolfe a été témoin de son assurance durant tout le temps qu'a duré la loterie, de sa détermination à rester digne en toutes circonstances. Ce qu'il doit voir ce soir, c'est un produit créé pour satisfaire les désirs des clients de la Sang et Prestige.

La main de Wolfe entoure mollement la sienne et la garde enfermée ainsi quelques secondes. Son regard la transperce. Malgré les verres de contact, le masque et sa nouvelle coupe de cheveux, Cléo redoute qu'il prononce son vrai nom.

— Céleste ! l'appelle Babette en comprenant la situation embarrassante dans laquelle se trouve sa demi-sœur. Venez prendre place.

Wolfe lui lâche la main, mais son expression est ambiguë, un mélange de ravissement et de perplexité.

Cléo obéit volontiers, prenant place sur la chaise que lui indique Babette, à la gauche de son père, qui a opté pour le siège en bout de table. Sa demi-sœur s'assoit à côté d'elle, en face d'Érik. Son mari lui lance un regard crispé. Toute cette mise en scène est terrifiante. Wolfe accepte l'invitation de William Steel et prend place à sa droite, juste en face de Cléo. La jeune fille baisse les yeux, faisant mine d'étudier les fines arabesques dorées dans le fond de son assiette.

— Je suis étonné, mon cher William, prononce Claudius Wolfe sur un ton qui se veut ferme mais poli.

— Étonné ? répète le père de Cléo en déroulant sa serviette pour la placer sur ses cuisses. Puis-je savoir pourquoi ?

— Je te savais cavaleur, mais pas au point d'accepter l'une de tes créatures à ta table.

William lui adresse un sourire noué.

– Je me fais vieux, explique-t-il. Mes enfants sont désormais libres de mener leur vie et je me sens seul. La compagnie de Céleste m'apporte un réconfort que je n'avais pas connu depuis la mort de Mai-Jade, ajoute-t-il en posant sa main sur celle de Cléo.

L'adolescente acquiesce timidement et baisse de nouveau les yeux. Il lui suffirait de s'emparer du couteau pointu à droite de son assiette et de le planter dans la gorge de Wolfe pour que tout s'arrête. Mais si elle rate son coup, sa couverture sera foutue.

– Je te comprends, approuve finalement Wolfe.

Deux domestiques apparaissent, portant des assiettes couvertes de petits gâteaux colorés. Soudainement, elle a l'impression d'être de nouveau dans le manoir, quand la vue de la nourriture lui retournait l'estomac et lui donnait la nausée.

– Et ton projet d'immortalité, où en est-il ? l'interroge Steel. Il me semble que nous ne nous sommes pas entretenus depuis une éternité.

– Depuis la dernière loterie, c'est exact, confirme Wolfe sans toucher à la nourriture qui lui a été présentée. Les affaires vont bien, si c'est le but de ta question. Mais ne parlons pas travail ce soir, je t'en prie. J'ai appris la merveilleuse nouvelle, ajoute-t-il en penchant la tête en direction de Babette. Félicitations aux heureux parents. Savez-vous s'il s'agit d'un garçon ou d'une fille ?

– Non, répond Babette avec un peu plus d'enthousiasme, nous l'ignorons encore. Il est trop tôt.

– Certes. Je ne sais rien de ces choses-là. Je n'ai moi-même jamais été père.

Son regard croise celui de Cléo. L'adolescente a l'impression qu'elle va défaillir.

– Vous êtes pourtant très séduisant, parvient à formuler l'adolescente en y mettant le plus de conviction possible, malgré le stress qui lui noue les intestins.

– Vous êtes charmante, répond Wolfe. Sans indiscrétion, puis-je savoir ce qu'il vous est arrivé ?

– Comment cela ?

– Votre visage.

– Un accident durant la conception, s'empresse de répondre William.

– Je pensais ta technique sans faille et tes produits parfaits.

– Exactement. Regarde-la, Claudius, et dis-moi qu'elle ne l'est pas...

Cléo se serait bien passée de ce nouvel examen en règle de la part de son ennemi.

– Tu as raison, répond finalement Wolfe, c'est fascinant. « La passion de la perfection vous fait détester même ce qui en approche », cite-t-il ensuite.

Il sourit.

– Ce n'est pas de moi. Il y a certaines choses que nous avons oubliées en même temps que le Vaste Monde. L'amour des lettres. La poésie. La philosophie. J'ai récupéré un nombre assez impressionnant de livres au fil des années. Tu n'es pas sans le savoir, William.

Le père de Cléo hoche la tête.

– J'aime particulièrement les ouvrages d'auteurs réalistes, qui permettent de peindre un tableau assez précis de ce qu'était le monde avant l'épidémie. Gustave Flaubert fait partie de ces auteurs. Ses textes sont précis et leur portée psychologique est très intéressante. Savez-vous lire, Céleste ?

– Oui, nous bénéficions de cette éducation à la Sang et Prestige.

– Bien sûr.

Wolfe marque une pause volontaire durant laquelle il observe Cléo, donnant l'impression, une nouvelle fois, de chercher la vérité à l'intérieur de son crâne.

– Il me fera plaisir de partager quelques œuvres avec vous, si cela vous intéresse.

– C'est le cas, oui. Merci.

Le cœur de Cléo bat à cent à l'heure. Elle a appris à lire, certes, mais des ouvrages exclusivement dirigés vers la propagande BOA. Si les circonstances étaient différentes, elle sauterait de joie à l'idée de parcourir des textes du Vaste Monde. Mais là, la proposition de Wolfe lui reste coincée en travers de la gorge. Qu'il s'intéresse à elle est sans doute une bonne chose. Après tout, elle a l'air de l'intriguer. Peut-être est-ce dû à son masque, aux cicatrices apparentes sur le dessus de sa main ou encore à sa légère claudication. Allez savoir ! Cet homme est tellement tordu. Cependant, l'idée que Wolfe demande la permission à Steel d'emmener sa protégée choisir quelques livres directement chez lui la terrifie. Que répondra son père si c'est le cas ? Comment réagira-t-elle ?

— Je vous ferai expédier quelques ouvrages de référence, annonce Wolfe avant de s'intéresser enfin au contenu de son assiette.

Ouf !

— J'en serai ravie, sourit timidement Cléo.

La collation, interminable, se poursuit sur le même ton. Un peu de politesse, beaucoup de gêne, et la sensation que l'air s'est densifié dans la pièce, rendant la respiration de Cléo laborieuse.

C'est avec un soulagement immense qu'elle dit au revoir à leur invité, au terme de discussions qui n'en finissaient plus. Debout devant elle, Wolfe incline légèrement la tête, solennel, avant de tendre une main vers son masque. Cléo se crispe de nouveau, alors qu'il caresse le cuir du bout des doigts.

— Incroyable..., murmure-t-il, sibyllin.

— Laisse-moi te raccompagner jusqu'à l'ascenseur, propose William Steel.

— Oui, juste un instant...

De plus en plus mal à l'aise, Cléo laisse Wolfe faire glisser la pointe de ses doigts sur son menton, dans son cou, puis sur son omoplate dénudée, son épaule, son bras... Un silence timide plombe la salle à manger. Personne n'ose intervenir. Le BOA a l'air subjugué. Cléo ne s'était pas attendue à un tel comportement de la part de celui qu'elle hait plus que tout au monde.

— Je... Me ferez-vous l'honneur d'une danse, le soir du bal ? lui demande-t-elle, le cœur battant.

– Je ne danse pas, répond Wolfe en laissant retomber sa main. Mais nous nous reverrons, c'est certain...

La commissure de ses lèvres se soulève légèrement.

– ... pour parler littérature.

– D'accord.

Wolfe se détourne enfin et disparaît avec Steel dans le couloir.

Cléo pousse un long soupir de soulagement.

– J'ai cru mourir, ce soir, lui confie Babette en la prenant dans ses bras.

– Tu as été exceptionnelle, ajoute Érik. Il n'y a vu que du feu. Et cette façon qu'il avait de te regarder, c'était...

– Tu l'as captivé, le coupe Babette en regardant Cléo dans les yeux. Ton pouvoir d'attraction est puissant, tu pourrais gouverner cette ville et dominer le monde, si tu le voulais.

Cléo secoue la tête.

– Non, certainement pas, dit-elle. Je laisse le pouvoir à ceux qui savent le manipuler.

– En attendant, tu as agi de façon remarquable. À ta place, j'aurais fait pipi dans ma culotte, je pense.

Babette pouffe derrière sa main.

– Il est tard, fait remarquer Érik. Tu devrais te reposer, ma chérie.

– Quel homme attentionné ! s'exclame la BOA en gratifiant sa demi-sœur d'un clin d'œil.

– Il a raison, confirme Cléo.

– D'accord, je m'incline.

Cléo accepte le baiser que sa demi-sœur applique sur sa joue découverte, puis elle agite lentement la main dans la direction du couple tandis qu'il s'éloigne à son tour vers la sortie.

Seule, Cléo se place devant la fenêtre et observe les hautes tours illuminées devant elle, sans les voir. Les propos de Wolfe la laissent perplexe. Impossible de savoir ce qu'il pense vraiment d'elle, de déchiffrer l'effet qu'elle a pu provoquer sur lui. N'eût été sa mission, elle effacerait cet épisode désagréable de sa tête et passerait à autre chose. Mais il y a le bal costumé, la résistance et tout le reste. Ce premier contact avec Wolfe était peut-être un signe, une sorte de mise en bouche déposée par le destin pour lui faciliter la tâche. Elle doit s'en saisir. Cette chance ne se représentera peut-être pas.

Ce sont les pas de son père, dans son dos, qui la sortent de ses pensées.

– Je crois que tout s'est bien passé, annonce-t-il en se plaçant à côté d'elle, face à la fenêtre.

Cléo rassemble ses idées. Si elle veut abattre les barrières protectrices que Wolfe a érigées autour de lui, elle doit le revoir, même si elle abhorre cette idée. Même si ça la terrifie.

– Où vit-il ? demande-t-elle sans regarder son père.

– Claudius ?

– Oui. Est-ce qu'il a un appartement dans le bâtiment Wolfe ?

– Certainement pas. Wolfe déteste la proximité des gens.

Cléo dévisage son père, les sourcils froncés.

– Vraiment ?

– C'est difficile à croire, j'en conviens. J'ai rencontré Claudius à l'Académie du Sang quand il avait à peine dix-huit ans. Je ne sais pas d'où il vient, j'ignore tout de sa vie d'avant. Tout ce que je sais, c'est qu'il fuit la compagnie d'autrui et que son empathie se résume à nourrir convenablement ses Sacs à sang pour qu'ils ne meurent pas de faim.

– C'est tout à fait l'image que j'ai de cet homme, soupire Cléo.

Son père approuve vaguement de la tête avant de reprendre :

– Il vit quelque part près de ses Celliers, dans les bois. Je ne l'ai jamais rencontré là-bas, seulement dans son bureau en ville. À part quelques membres privilégiés de la Brigade du Sang, je ne crois pas que quiconque puisse se targuer d'avoir visité sa résidence principale.

– Vous pensez qu'il m'y accepterait, moi ?

La question semble prendre William de court. Le BOA plisse le front, soucieux.

– Pourquoi une telle question ?

– Parce que j'aimerais voir la bibliothèque dont il a parlé durant le souper.

– Cléo, arrête de me mentir. Pourquoi veux-tu aller là-bas ? Après tout ce que tu as traversé, c'est insensé...

Le ton soudainement abrupt de son père a pour effet d'enfermer Cléo dans un mutisme contrarié. Qui est cet homme pour oser lui parler sur ce ton ? Pour qui se prend-il, au juste ?

– J'aimerais me rapprocher de Wolfe, répond-elle d'une voix distante.

– Pourquoi ?

Cette fois, l'autorité a laissé place à l'incompréhension dans les yeux de Steel.

– Tu es folle.

– Quoi ?

– Je sais ce que tu veux faire. Ça relève du suicide.

– Vous ne savez rien, rétorque Cléo.

– Après tout ce que toi et tes amis avez subi, tu me prends pour un imbécile ? Vous voulez détrôner Wolfe, c'est cela ? Lui prendre tout ce qu'il a ?

Cléo prend une profonde inspiration.

– Nous voulons le tuer.

Elle ferme les yeux un instant, consciente que cette révélation aura des conséquences imprévisibles sur la suite des événements. Tout dépendra de la réaction de son père. Mais William est malin, il aurait deviné ses plans tôt ou tard, de toute façon.

– Le tuer ?...

L'incrédulité qui fait trembler la voix de Steel contraint Cléo à le regarder en face. Les veines sur le visage de son père ont l'air plus foncées d'un seul coup, à moins que ce ne soit sa peau qui ait pâli.

– Tu n'es pas sérieuse ?

– Son règne doit cesser. Vous savez parfaitement que ce qu'il fait est mal.

– Comment peux-tu en être certaine ?

– Parce que l'immortalité telle que Wolfe la commercialisera dans peu de temps risque de ruiner la vie des humains de Liberté... et votre business, par la même occasion.

Steel détourne les yeux.

– Alors, c'est uniquement comme cela que tu me vois. Un homme d'affaires.

– C'est ce que vous êtes.

Les lèvres du BOA se crispent légèrement. Il ne répond pas.

– Qui êtes-vous, alors ? l'interroge-t-elle.

– Tu ne tiens pas à le savoir. Je ne suis pas une bonne personne, je ne l'ai jamais été.

— Dans ce cas, c'est le moment de le devenir.

Comme il ne bronche pas, elle insiste :

— Wolfe fait du mal à cette ville. Il nous fait du mal, à tous. Lui seul semble compter dans tout ce qu'il entreprend, mais ça doit changer. Faites-moi confiance, père...

Elle se mord la lèvre, un peu honteuse d'utiliser les sentiments de William pour arriver à ses fins. Mais l'occasion est trop belle pour ne pas être saisie.

— Alors, c'est pour cela que tu es ici, émet-il faiblement. Pour atteindre Wolfe, à travers moi.

Il doit espérer qu'elle lui dise autre chose, oubliant certainement qui elle est, et ce pour quoi elle a été formée.

— Tu as tort, ment-elle en utilisant sciemment le tutoiement pour l'amadouer. L'idée m'est venue après. Tout ce que je voulais, c'était te connaître, faire partie de cette famille. Notre famille. J'ai toujours rêvé d'en avoir une, et maintenant je sais pourquoi. Parce que je suis le fruit d'un acte d'amour, et non un produit de laboratoire. J'ai des sentiments, comme tout le monde. Je t'en prie, accepte-moi auprès de toi. Laisse-moi t'aider à sauver Liberté. Faisons-le ensemble.

Steel détourne la tête. Mais Cléo a eu le temps de voir les larmes qui brouillaient son regard.

— Je suis désolé, Cléo, dit-il en l'attirant contre lui. Désolé pour le mal que je t'ai fait.

Une pointe douloureuse pique le cœur de l'adolescente, et elle se force à refouler l'émotion qui chatouille sa gorge.

Son père est un monstre, voilà ce qu'il est ! Elle le manipule comme les autres. Elle lui ment comme s'il s'agissait d'un vulgaire client qu'il faut satisfaire. C'est tout.

– Je te pardonne, papa, ajoute-t-elle, un peu confuse, en laissant son père lui caresser le dos en silence.

Devant la porte de ses appartements, Cléo hésite.

Son père tentera de convaincre Wolfe de la laisser visiter sa bibliothèque personnelle. Ce n'est certainement pas gagné d'avance, et le BOA risque de répondre par la négative, mais Cléo espère fortement le contraire. Il y avait quelque chose, dans son attitude, qui signifiait clairement que la jeune fille l'intriguait, qu'il voulait en savoir plus sur elle.

L'adolescente pose une main sur la poignée, mais n'ouvre pas. Ses lèvres se tordent d'ennui. Denys est-il revenu ? Est-ce qu'il lui en voudra d'être partie si longtemps avec Salie ? Que va-t-elle lui raconter ?

Prenant son courage à deux mains, elle ouvre la porte et entre dans l'appartement. Quelques minutes plus tard, elle en ressort, affolée. Denys n'est toujours pas là. Et s'il lui était arrivé quelque chose ?

Inutile de céder à la panique pour le moment.

Elle entre de nouveau dans l'ascenseur, place dans la fente la clé spéciale qui lui permet d'atteindre certains étages privés et appuie sur le bouton menant à la salle d'exercice. Denys détient également une de ces clés.

L'odeur de chlore lui assaille les narines dès qu'elle pose le pied sur l'étage. Elle traverse la salle d'un pas décidé après s'être assurée que Denys n'y était pas, se dirigeant vers la porte qui sépare cette grande pièce de la piscine. Les clapotis lui confirment qu'il y a quelqu'un dans l'eau avant même qu'elle n'entre. Le corps massif qui fend l'eau claire sur la longueur n'a aucun secret pour Cléo. C'est bien celui de Denys. Toujours chaussée de ses sandales à talons aiguilles, la jeune fille marche bruyamment jusqu'au bord de la piscine.

Denys stoppe sa course à ses pieds et sort la tête de l'eau. Il essuie l'eau qui ruisselle sur son visage d'un geste nerveux de la main.

— Tu t'es enfin rendu compte que j'étais absent, lance-t-il froidement.

— Mon père m'a invitée pour la collation. Tu n'étais pas à l'appartement quand je suis rentrée après ma rencontre avec Salie, je n'ai pas pu te prévenir.

— Ouais. Comme tu ne revenais pas, j'ai décidé d'aller faire un tour.

— Un tour ?

— Dehors.

— Tu sais que c'est dangereux, tu...

— Et toi, où étais-tu ? la coupe-t-il en sortant de la piscine.

Il s'assoit sur le rebord, dos à Cléo, comme s'il préférait contempler les mouvements réguliers de l'eau plutôt que de supporter son expression troublée.

— J'étais avec Salie...

– Tu es partie pendant plus de deux heures, clame le jeune homme d'une voix tranchante. Je suis descendu aux cuisines pour te trouver, et tu sais que c'est dangereux, parce que je ne porte pas de masque, moi. Je n'ai pas une nouvelle coupe de cheveux ni des verres de contact pour changer la couleur de mes yeux. N'importe quel employé de ton père aurait pu me reconnaître, mais je l'ai fait quand même, parce que je m'inquiétais.

– Denys, je...

Il se retourne subitement.

– Que vas-tu me dire ? Quelle excuse as-tu inventée, cette fois ?

– Je ne comprends pas...

– Après tout ce qu'on a traversé, Cléo, je ne sais pas ce qui me fait le plus mal : que tu me mentes ou que tu me prennes pour un con.

Prise de court, elle déglutit. La colère dans les yeux de son partenaire la paralyse.

– Je te laisse le choix, reprend-il en se levant pour lui faire face. Soit tu continues de me tenir à l'écart de tes petits secrets et je me tire, soit tu me dis la vérité. Alors ?

– C'est... délicat...

– Je compte si peu à tes yeux ?

– Bien sûr que non. J'ai juste peur... que tu ne comprennes pas.

– Eh bien, c'est à moi de décider.

Le vert implacable de son regard la frappe de plein fouet. Elle est prise au piège. Impossible de continuer à lui mentir, sans quoi elle risque de le perdre.

– Je... J'ai infiltré le monde de mon père pour...

Elle baisse les yeux pour ne plus avoir à supporter les iris accusateurs de son partenaire.

– ... pour approcher Wolfe.

– C'est bien ce que je redoutais, lâche le jeune homme en se levant.

Il la contourne et marche jusqu'au banc de bois placé contre le mur. Il y prend une serviette et s'essuie par gestes saccadés.

– Denys, je ne suis pas seule. Les autres sont avec moi, ils interviendront quand...

– Les autres sont au courant ? l'interrompt Denys en fronçant les sourcils.

– Euh... oui.

– OK. Donc en plus d'être con, je ne suis pas digne de confiance. Tout le monde est au courant de ton petit jeu, sauf moi ! rage-t-il en enfilant son t-shirt.

– J'avais peur que tu le prennes mal...

– Et tu avais vu juste ! Merde, Cléo, qu'est-ce qui t'est passé par la tête ? Tu t'en prends à Claudius Wolfe, là. Tu te rends compte que tu es sur le point de te jeter dans la gueule du loup ?

– Bien sûr, répond Cléo, à la fois embêtée et agacée par le ton de Denys. J'ai le pouvoir d'agir, de faire quelque chose, et je compte bien me rendre utile. Il n'y a pas que toi qui as le droit de te battre. Moi aussi, j'ai souffert. Moi aussi, je veux voir Wolfe disparaître.

Denys finit de se rhabiller en silence, les lèvres pincées et le geste brusque.

– Écoute, fait Cléo en expirant profondément, l'objectif est que je puisse approcher Wolfe durant le bal dont je t'ai parlé. Je l'attire à l'écart, et l'équipe de Josef intervient pour le mettre hors d'état de nuire.

– Pourquoi dois-tu faire ça ?

– Parce que Wolfe est malin. Il est toujours entouré de ses gardes du corps.

– Et tu comptes le séduire pour arriver à tes fins, c'est ça ? crache Denys.

– C'est la seule solution. Tu sais que j'ai été formée pour cela. Je peux réussir.

– Et s'il te reconnaît ?

– Ça n'a pas été le cas aujourd'hui...

Les yeux du garçon se réduisent à deux fentes suspicieuses. Cléo détourne les siens, mal à l'aise.

– Tu l'as vu, comprend-il.

– Et ça s'est très bien passé, lui assure l'adolescente sans le regarder. Il s'est montré charmé, et...

Comme elle hésite à poursuivre, Denys approche de quelques pas.

— Et ?

— Mon père va tenter de le convaincre de m'inviter chez lui, pour qu'il me montre ses livres...

Denys recule aussitôt, ses épais sourcils noirs exagérément froncés.

— C'est quoi, cette connerie ? Des livres ? Tu te fous de moi ?!

— Wolfe m'a tendu une perche, et je compte m'en servir. Je dois absolument gagner sa confiance pour le soir du bal !

Au lieu de répliquer, Denys l'observe en secouant la tête, comme s'il la voyait sous un jour nouveau... et décevant.

— Je veux mettre toutes les chances de notre côté, insiste-t-elle.

— En le séduisant.

— En gagnant sa confiance, rectifie-t-elle.

— Ouais, c'est pareil.

— Denys, ce n'est pas un jeu. Notre... notre histoire, dans tout cela, c'est un cadeau inespéré, mais ça ne doit pas nous faire dévier de notre objectif.

— Notre objectif ?

– Libérer la ville du joug de son tyran.

– C'est ton objectif, Cléo.

– Mais tu as accepté de te battre avec les résistants ! s'emporte l'adolescente.

– Pour aider les humains, oui.

– C'est exactement ce que je fais !

– Non, c'est très différent. Dans mon monde, on ne se met pas inutilement en danger.

– Ah non ? Et quand tu pars en mission avec les autres, c'est quoi, au juste ?

– Ça n'a rien à voir ! Je suis immortel, toi non, je te rappelle. Et je ne drague pas l'ennemi dans l'espoir de lui tendre un piège ! Voyons, as-tu perdu la raison ?!

– Denys...

– Si tu voulais te rendre utile, tu n'avais qu'à intégrer l'équipe de Josef.

– Tu sais bien que c'est impossible à cause de ma jambe.

– Je ne peux pas accepter ce que tu es en train de faire, Cléo. Je ne peux pas...

Prise d'un mauvais pressentiment, l'adolescente cherche ses mots, fouille dans sa tête en quête d'une réponse satisfaisante qui pourrait convaincre Denys que cette mission est de la plus haute importance. Mais elle a beau s'énerver, rien ne sort.

– Tu avais raison, dit-elle faiblement. J'ai ma place dans ce monde, comme toi, comme Oxana et les autres. Je compte la prendre. Mais pas comme mon père, ni comme Wolfe. Mon premier pas dans cet univers sera marqué par un acte de courage. C'est ce que je veux être : une personne courageuse.

Denys la dévisage sévèrement.

– Je savais que ça te monterait à la tête, crache-t-il en se détournant.

Cléo fait un pas vers lui et lui saisit le bras pour le forcer à la regarder.

– Ça pourrait être notre monde, Denys. Je t'aime, tu le sais. C'est juste que mon cœur me dicte d'agir. Si je ne le fais pas, je m'en voudrai toute ma vie, et c'est une âme flétrie que tu auras à tes côtés.

– Je n'ai jamais voulu de tout cela, rétorque-t-il en désignant la piscine. Si je suis ici, c'est pour te rappeler ce que nous sommes, tous les deux, mais aussi et surtout pour être avec toi.

– Alors, ça ne change rien...

– Au contraire ! Je viens de comprendre que tu mettrais notre relation en péril pour faire partie des hautes sphères de Liberté.

– Ce n'est pas notre relation que je risque de détruire, Denys, mais ma vie...

Il l'observe longuement.

– Pour moi, c'est pareil, lance-t-il avant de sortir.

OXANA

– C'est elle. Faut la déplacer avant que ça commence.

Le BOA tout près de la porte désigne Oxana de l'index.

– T'es certain que Wolfe la cherche ? C'est pas une combine ?

– Certain. L'autre a parlé, et vu ce qu'on lui a fait, il disait la vérité. Merde, il faisait partie de la Brigade du Sang, ce traître. C'est pas l'envie qui me manque de lui bousiller la gueule une bonne fois pour toutes.

– Nous ne sommes pas ici pour régler des comptes. Et côté raclée, il a eu ce qu'il méritait.

Oxana serre les poings. Le bâillon lui obstruant toujours la bouche, elle fusille les deux BOA d'un regard mauvais.

– Et on fait comment, pour ce soir ?

– Trevis s'occupe de trouver un remplaçant.

– L'heure tourne.

– Il sera là à temps.

– Et celui qui est blessé, t'as pas peur qu'il meure avant que le client arrive ?

– Il tiendra, lui assure d'un ton ferme le BOA près de la porte.

À cette évocation, l'humaine ligotée près d'Oxana éclate en sanglots. Son ami n'a pas relevé la tête depuis qu'il a sombré dans l'inconscience. Seuls quelques grognements plaintifs lancés dans son sommeil indiquent qu'il est toujours vivant.

– Bon, si tout est correct...

L'autre BOA approche d'Oxana, et l'adolescente bande les muscles, prête à se défendre. Ils n'ont pas allumé de lampe dans la chambre, et la lumière du couloir ne suffit pas à éclairer les traits de l'homme qui s'accroupit devant elle.

– Tout doux, OK ?

C'est mal la connaître !

Comme elle commence à se débattre, le BOA plaque une main contre sa gorge, lui coupant la respiration.

– Je me fous de te faire mal, la menace-t-il, alors calme-toi. Ton petit copain t'attend dans l'autre pièce et, si tu te débats, tu ne feras qu'allonger le moment qui vous sépare de vos retrouvailles.

Au bord de l'asphyxie, Oxana hoche la tête vigoureusement. Les doigts se retirent de sa gorge.

Le cliquetis d'une clé se fait entendre, puis le BOA aide Oxana à se relever. Elle a les muscles ankylosés et ses bras, toujours retenus dans son dos, lui font un mal de chien.

– T'es sûr qu'elle est immortelle ? demande l'homme en poussant Oxana vers l'autre, près de la porte.

– J'ai vérifié, c'est bien celle qui a été gagnée à la loterie.

– Ses poignets pissent le sang à cause des liens, c'est normal, ça ?

– J'en sais foutrement rien ! s'énerve son acolyte. Et ce ne sera bientôt plus mon problème.

Ils la conduisent dans une autre pièce, quelques portes plus loin. Le plancher craque sous leurs pas. Le papier peint aux murs se décolle par plaques entières et une odeur de désinfectant pique le nez d'Oxana. Pas besoin d'être très malin pour comprendre que cet endroit est un autre lieu de torture pour BOA en mal de sensations fortes, mais il n'a rien à voir avec le luxe de l'Amarante. Ici, les ombres dévorent la moindre parcelle agonisante de lumière, donnant l'impression que les murs dégoulinent de sang là où la colle a laissé des traces brunâtres. Souffrir par les canines d'un BOA n'est jamais plaisant, mais la jeune fille a l'impression que ça doit être encore pire dans un endroit comme celui-là. Ici, pas de contrôle sanitaire, de contraception ou de belles robes à frous-frous. Ce n'est pas un lieu de réjouissances. C'est un abattoir.

– Entre là-dedans et tiens-toi tranquille, lui ordonne l'un des BOA tandis qu'il la pousse dans la pièce.

La porte se referme derrière elle. Kael est allongé sur le sol au fond, sa silhouette immobile se dessinant clairement grâce à une ampoule blanche fixée au mur. Après ce qu'elle a entendu, elle redoute presque d'aller le rejoindre. Elle approche donc lentement. Dos à elle, Kael doit entendre des pas approcher, car il se recroqueville un peu plus. Oxana aurait aimé le rassurer, mais ses geôliers n'ont pas jugé utile de lui enlever son bâillon. Elle se laisse tomber à genoux près de lui et pose sa joue sur son épaule. Kael réagit aussitôt d'un tremblement.

– Oxana...

Il roule sur le dos et lui fait face.

L'adolescente a envie de crier. Le visage de son ami est tellement tuméfié qu'il est à peine reconnaissable. Les paupières enflées, il ne peut pas ouvrir les yeux et renifle par petites inspirations successives avant d'essayer de sourire.

– Tu es là...

La haine qui tourmente Oxana depuis des semaines explose dans son ventre. Une rage noire s'empare de tout son être, et son nez se plisse pour refouler les larmes âpres qui lui piquent les yeux. Ils ne lui ont pas fait cela uniquement pour qu'il parle. Ils l'ont tabassé presque à mort parce qu'il a déserté les rangs de la Brigade du Sang.

Kael tend une main croûtée de sang vers elle. Oxana y dépose son visage, et les doigts du garçon découvrent le morceau de ruban adhésif.

– Est-ce qu'ils t'ont fait du mal ? croasse-t-il.

La jeune fille fait non de la tête. Une boule douloureuse s'est fichée dans sa gorge. Oxana a beau avaler sa salive à plusieurs reprises, rien n'y fait. Une mixture faite de hargne, de désespoir et de tristesse décharge un relent aigre dans tout son être.

— Attends, murmure Kael, je vais t'enlever ça...

Il grimace sous l'effort, mais parvient malgré tout à arracher le bâillon de la bouche d'Oxana. La douleur que ça provoque sur la peau de l'adolescente ne fait qu'alimenter un peu plus la tempête qui fait rage dans son âme. Tant qu'on s'en prenait à elle, ça allait. Elle encaissait. Mais voir Kael dans cet état, sa lèvre inférieure fendue, sa peau d'ordinaire blanche maculée de sang séché, ses mains tremblantes... elle ne le supporte pas. C'est trop !

— Est-ce que tu penses pouvoir enlever les liens sur mes poignets ? lui demande-t-elle.

— Oui, donne-moi tes mains.

Elle se retourne et place les liens entre les doigts de Kael. Ça prend du temps, mais il parvient à la libérer totalement.

— Ça va mal, déclare-t-il.

— Je sais.

— Je les ai entendus parler. Wolfe te veut, Oxana.

— Nous sommes ensemble. Ça va aller, comme toujours...

Comment Kael pourrait-il avaler ce mensonge alors qu'elle n'y croit pas elle-même ?

— C'est quoi, cet endroit ? lui demande-t-elle pour changer de sujet. On était trois dans une chambre, mais ça ne ressemblait pas du tout à l'Amarante.

Le BOA s'assoit contre le mur en grimaçant de douleur.

– Ça n'a rien à voir avec l'Amarante, lui explique-t-il après un moment de silence.

Comme il tarde à poursuivre, Oxana prend l'une de ses mains dans la sienne.

– Pourquoi ?

– J'ai peur que tu me détestes si je te dis ce qu'est cet endroit.

– Jamais. Kael, je ne peux pas te haïr.

– Tu ignores tellement de choses...

– Alors, vas-y, raconte. Je suis prête à tout entendre.

– C'est ce que tu crois...

Il soupire.

– C'est une planque à Chasseurs, lance-t-il avec amertume. Tu sais que leur instinct est plus fort que celui des autres BOA, n'est-ce pas ?

– Oui, tu me l'as déjà dit.

– La plupart des Chasseurs finissent par travailler pour la Brigade du Sang. Ils sont peu nombreux, et donc très précieux.

– Je sais tout cela, Kael, dit Oxana avec douceur. Le demi-frère de Cléo était un Chasseur, lui aussi, tu m'as expliqué sa façon de fonctionner. Où veux-tu en venir ?

Le BOA serre très fort les doigts de l'adolescente avant de les porter à ses lèvres tuméfiées. Puis il reprend, d'une voix rauque :

– Je suis un Chasseur, Oxana.

– Un... Quoi ?

– Josef m'a appris à refréner mes pulsions, en buvant un peu plus que les autres BOA, mais aussi en m'exerçant physiquement. Ça fonctionne... la plupart du temps. Parfois, j'ai l'impression que je vais flancher. Dans ces cas-là, Josef me parle, me rassure et, quand c'est vraiment nécessaire, il m'injecte une substance qui m'aide à y voir plus clair.

– Alors, tout ce temps, chez toi et dans le Nid..., commence Oxana en sondant le sol à la recherche de réponses qu'elle ne trouvera pas.

– J'ai essayé de te tenir à distance, complète Kael. Tu n'aimais pas les BOA et tu te montrais assez dure, alors ça allait. Mais quand ton frère t'a demandé de me faire confiance, ton regard a changé. En ce qui me concerne, c'est là que la torture a commencé, parce qu'en plus de désirer ton sang plus que tout autre dans cette ville, j'avais des sentiments pour toi. J'en ai toujours...

Oxana est sonnée. Elle rejette la tête vers l'arrière et ferme les yeux. Elle se revoit, à l'Amarante, ordonner à Kael de boire son sang devant tout le monde. Et la nuit, dans le Nid, quand elle exigeait de dormir avec lui pour se sentir mieux. Elle pensait qu'il ne devait lutter que contre le manque, mais ça allait beaucoup plus loin que cela.

– Pourquoi as-tu accepté de me tenir compagnie toutes ces nuits si c'était si difficile pour toi ? lui demande-t-elle calmement.

— Parce que ça te faisait du bien. Oxana, écoute, le temps est compté et je dois t'expliquer. La plupart des Chasseurs sont mauvais, une grande majorité développent même des instincts sadiques. La souffrance et le sang font partie de leur plaisir.

— De ce que j'ai vu, c'est pareil pour tous les BOA, dit Oxana avec dédain.

— Tu n'as rien vu, réplique-t-il sombrement, absolument rien. Le Chasseur, ce qu'il cherche, c'est le contrôle et la destruction. Ces gens qui ont partagé la chambre avec toi connaîtront une fin atroce. Le Chasseur évoluera dans l'obscurité. Il choisira l'ordre de destruction de ses proies en fonction de leur odeur, gardant bien souvent la meilleure pour la fin. Les victimes sont toujours bâillonnées, car leurs cris pourraient terrifier les voisins, même s'il n'y en a qu'à plusieurs pâtés de maisons d'ici. Quand c'est fini, il ne reste plus des corps qu'un amas d'os et de muscles. Le Chasseur, rassasié, pourra retrouver une vie normale, jusqu'à ce que ses instincts le poussent à payer de nouveau ceux qui nous ont capturés, pour s'offrir une nouvelle séance. C'est comme ça que ça marche.

Il détourne le visage vers l'autre côté de la pièce.

— Est-ce que... Est-ce que tu...

— Je ne suis jamais venu dans un endroit comme celui-ci, répond-il d'une voix tourmentée.

Oxana soupire intérieurement, soulagée.

— Dans ce cas, pourquoi avoir honte de qui tu es ?

— Mon père m'a payé une séance, un jour.

Il tourne de nouveau la tête vers elle. Même si ses paupières gonflées cachent ses yeux, elle a l'impression qu'il peut la voir. C'est sans doute son odorat surpuissant qui lui permet de savoir où elle se trouve exactement. Ça lui fait froid dans le dos.

– J'ai rencontré Josef avant d'y aller, ajoute-t-il. J'avais douze ans. Mon père m'avait frappé si violemment que j'avais deux côtes cassées. Impossible de chasser dans ces conditions, j'ai donc dû voir un médecin... Le destin a joué en ma faveur, aussi ironique que ça puisse paraître. Mais mon père n'allait pas me laisser tranquille pour autant. Il voulait me mettre à l'épreuve.

Il baisse le menton.

– Ne t'arrête pas de parler, l'incite Oxana. Je t'en prie, raconte-moi.

– Tu détestes les BOA depuis toujours, grogne-t-il, et tu as raison...

– Non, arrête. Ce qui s'est passé avant notre rencontre est important pour que je te comprenne, mais c'est révolu. Tu es différent des autres.

– J'ai tué, Oxana, lance-t-il subitement. J'étais terrifié à l'idée que mon père me batte encore, ou ma mère, ou Victor. Je voulais le rendre de bonne humeur et je n'étais qu'un enfant ! Un enfant qui pensait pouvoir le changer. Il m'a fait chasser une jeune humaine. Je me suis senti pris au piège, et j'ai obéi. J'ai chassé cette gamine. Je l'ai attrapée et je l'ai vidée de son sang. Je me déteste depuis. Si tu savais comme je me hais. Et tu aurais raison d'en faire autant...

Il plonge son visage dans le creux de ses mains meurtries.

Surprise par cette réaction, Oxana met quelques secondes à réagir. Elle inspecte finalement la pièce, se lève et va s'emparer du bol d'eau posé près de la porte. Elle déchire un morceau de son chandail, le trempe dans l'eau et pose le linge imbibé sur les phalanges du garçon.

— Qu'est-ce que tu fais ? lui demande-t-il en relevant la tête.

— Tes blessures ne sont pas belles à voir. Je vais essayer de les nettoyer du mieux que je peux.

— Ce que je viens de te dire...

— ... alimente ma colère contre cette ville, pas contre toi.

Elle l'observe un instant, la main et le linge en suspension dans les airs.

Lui, dangereux ? Elle l'a cru, au début de leur relation. Aujourd'hui, elle sait qu'il est capable de contrôler ses instincts. Même s'il a déjà failli la tuer. Même s'il s'est déjà montré brusque à son égard.

Elle nettoie lentement ses plaies, en silence. Kael se laisse faire, docile et apparemment surpris. À part Josef, elle est peut-être la seule personne à lui faire confiance de la sorte. Même s'il aime sa mère, il sait qu'elle lui en veut d'être un Chasseur. Quant à Victor, il pensait que son frère faisait partie de la Brigade du Sang et l'a rejeté longtemps à cause de cela. Kael a grandi seul.

L'adolescente repose le linge dans le bol et observe le BOA. Elle rabat quelques mèches de ses cheveux, dévoilant totalement son visage blessé. Puis elle approche lentement ses lèvres de celles de Kael, les frôle pour ne pas raviver la douleur, tout en faisant glisser son nez sur le sien. Le BOA place une main dans le dos d'Oxana pour l'inciter à s'approcher davantage. Sa bouche se durcit contre la sienne, son souffle s'accélère.

Même s'il lui en coûte de l'avouer, Alex avait raison. Il avait vu les sentiments alors naissants d'Oxana pour Kael. Il les avait vus alors qu'elle-même les ignorait. Son frère lui manque tellement...

– Viens contre moi, lui demande doucement Kael.

Oxana s'assoit à califourchon sur ses jambes et se blottit contre son corps. C'est l'odeur du sang qu'elle perçoit, cette fois, en plongeant son nez dans son cou. Elle s'en fout. Leur étreinte est tout ce qu'ils ont, et ils auront sans doute besoin de ce souvenir pour adoucir ce qui va suivre.

TROISIÈME PARTIE

CLÉO

Cléo est roulée en boule sur son lit lorsque Babette vient la trouver. Quand elle voit les larmes sur les joues de sa demi-sœur, la BOA s'assoit à côté d'elle, caressant tout à la fois les cheveux courts de Cléo et la légère courbe de son ventre.

– Qu'est-ce qui se passe ? Où est Denys ?

– Parti, l'informe Cléo.

– Pourquoi ?

L'adolescente renifle et se redresse. Babette lui tend un mouchoir en papier qu'elle accepte.

– Il ne comprend rien, dit-elle après s'être mouchée.

– Ah ! Les querelles d'amoureux..., lance Babette avec un sourire.

Cléo la dévisage d'un air ahuri.

– Ce n'est pas une querelle d'amoureux, Babette, rétorque-t-elle. Je ne vis pas dans le même monde que le tien, où tout est beau et sécurisant. Tu as grandi dans une tour de cristal, et tu penses que c'est pareil pour tout le monde. Mais c'est faux ! Mon univers à moi est difficile et complexe.

– Je sais, Cléo...

– Alors pourquoi tu t'entêtes à me balancer des banalités de la sorte ?

– Parce que je suis maladroite. Mais, Cléo, je suis heureuse que tu sois ici, avec nous.

Cléo hausse légèrement les épaules, un peu honteuse de son attitude défensive.

– Tu veux une preuve de ma bonne foi ? lui demande Babette.

Elle n'attend pas que sa demi-sœur réponde et poursuit :

– Wolfe a accepté de te rencontrer chez lui... aujourd'hui, et je vais t'accompagner.

Les deux parties de la phrase se percutent dans la tête de Cléo, la rendant confuse.

– Pourquoi veux-tu venir ?

– Parce que je ne lui fais pas confiance, sourit Babette.

– Tu crois qu'il pourrait me faire du mal ?

– Il enferme des êtres humains pour leur sang, je crois qu'il est capable de tout. Au moins, si je t'accompagne, je suis certaine qu'il se tiendra droit.

– Il ne risque pas d'être mécontent ?

– On s'en fiche, n'est-ce-pas, de ce qu'il pense ?

Babette étire les lèvres d'un air taquin. Qu'elle vienne n'était pas prévu, mais Cléo avoue que ça la rassure un peu. Bon, elle ne pourra pas séduire Wolfe comme elle le voulait, mais, au moins, elle doute que le BOA s'en prenne à elle en présence de Babette.

– Cela dit, ajoute sa demi-sœur en se levant, je ne comprends vraiment pas ce qui te motive. Nous avons nous aussi une petite bibliothèque tout à fait adorable. Je crois que tu aimes le danger, jeune fille.

Cléo hoche doucement la tête en prenant un air contrit.

– J'aime vivre comme ça, ment-elle.

– Écoute, je connais un thérapeute génial qui fait des miracles. Je crois que tu devrais le consulter, il pourra t'aider.

Bien que l'idée de se faire aider psychologiquement soit certainement bonne, Cléo ne peut s'empêcher d'étouffer un rire. Si Babette avait connaissance de son plan, elle la ferait interner dans la seconde !

– Allez, prépare-toi, lui ordonne Babette en sortant. Je t'attends devant l'ascenseur dans trente minutes !

La demeure de Claudius Wolfe est perdue dans les bois. Un sentier forestier très étroit y conduit. Le chauffeur n'a pas émis un seul mot durant le trajet, à l'inverse de Babette, qui n'arrête pas de jacasser, empêchant Cléo de se concentrer sur sa mission.

La maternité lui va à ravir. Ses joues sont un peu plus rondes, ainsi que la plupart des formes de son corps. Déjà qu'elle avait une belle poitrine, il semble maintenant que les seins de Babette vont déborder de son bustier. Cléo l'envie. Elle-même ne connaîtra jamais les sensations que procure le fait d'être enceinte.

La maison qui apparaît enfin au bout du sentier est plus petite que l'adolescente l'aurait imaginé. Toute en bois, enveloppée dans l'atmosphère feutrée et calme de la forêt, elle appelle à la détente. Difficile de croire qu'un tyran vit derrière ces murs.

Cléo est à peine descendue de la voiture que la porte d'entrée de la maison s'ouvre. Claudius Wolfe fait quelques pas sur le perron avant de s'immobiliser, le visage impassible. Il regarde Cléo et Babette approcher, se contente de les saluer poliment lorsqu'elles arrivent à sa hauteur, plante son regard pâle plus longuement dans celui de l'adolescente. La dernière fois qu'elle l'a vu, Cléo avait le bras de son père pour l'aider à se déplacer. Là, elle doit marcher avec sa canne, et elle espère que ça ne l'empêche pas d'être séduisante aux yeux de Wolfe.

Le BOA ne fait aucun commentaire sur le fait qu'elle est venue accompagnée, ce qui est déjà une bonne chose.

Avant d'entrer à sa suite, Cléo remarque un garde à l'extrémité de la galerie, et un autre légèrement dissimulé à l'orée des arbres, non loin. Combien y en a-t-il autour de la maison ? Si elle a songé, dans la voiture, qu'il serait facile de refaire le même chemin avec les résistants pour s'attaquer directement à Wolfe dans son antre, elle réalise maintenant que ça risquerait d'être plus compliqué qu'elle ne le pensait. Non seulement parce qu'elle aurait de la difficulté à se repérer, mais aussi parce que le BOA semble très bien protégé.

Cette idée se confirme une fois à l'intérieur. Deux BOA armés tournent la tête vers Babette et Cléo avant de reprendre leurs occupations, l'un nettoyant son pistolet et l'autre aiguisant son couteau de chasse. Si Wolfe avait un message à faire passer, c'est gagné !

– Prendriez-vous un thé, ou bien un café ? demande Wolfe en se tournant vers elles.

– Un thé, volontiers, répond Babette d'une voix un peu trop aiguë.

Elle a l'air nerveuse, et Cléo lui décoche un regard appuyé pour la forcer à se calmer.

– Et pour vous, Céleste ?

– Rien, merci, dit Cléo. J'ai juste hâte de voir vos livres.

Après un mince sourire, Wolfe disparaît dans ce qui semble être la cuisine, les laissant seules, au milieu du salon, en compagnie des deux gardes. Ces derniers les observent sans rien dire, comme s'ils avaient pour ordre de les avoir à l'œil.

Quand Wolfe revient, une tasse fumante à la main, Babette le remercie un peu trop vivement.

– Puis-je m'asseoir ? lui demande-t-elle en portant une main à son ventre. C'est la route, je me sens un peu fatiguée.

Inquiète, Cléo l'aide à s'asseoir sur l'un des sofas.

– Est-ce que ça va ? Veux-tu qu'on rentre ? murmure-t-elle.

– Non, ça ira. C'est juste un petit inconfort de grossesse, rien de plus. Je vais rester là, d'accord ? Je vous rejoins dès que ça va mieux.

Cléo tourne la tête en direction de Wolfe, et ce dernier hausse simplement les épaules pour signifier que ça lui convient. Puis il tend une main vers l'adolescente, qui le suit dans un couloir, non sans jeter un dernier regard angoissé à Babette. Angoissé parce que sa demi-sœur ne se sent pas très bien, ou parce qu'elle se retrouve seule avec Wolfe ?

– J'ai été surpris par l'appel de William, lui dit le BOA en l'entraînant dans les entrailles de la maison. Je ne pensais pas que votre passion pour les livres était si intense.

– William aime les femmes instruites, répond aussitôt Cléo. Mon seul but est de lui plaire.

– Je comprends. Il aime aussi la perfection, d'ordinaire...

Sa phrase reste en suspens, et Cléo frémit.

– La perfection peut parfois se trouver là où on ne l'attend pas, réplique-t-elle dignement.

Wolfe lui lance un regard en coin, l'air amusé.

– Effectivement...

Que cet homme est mystérieux ! Impossible de savoir ce qu'il pense réellement.

Le BOA pousse une porte et conduit Cléo à l'intérieur d'une pièce divine. Les murs sont couverts de livres, et une échelle est nécessaire pour atteindre ceux placés en hauteur. La lumière du jour entre par une grande fenêtre et inonde l'endroit d'une aura inspirante, invitant au bien-être. Même si sa passion pour les livres est un mensonge, Cléo pourrait vivre ici pour le reste de sa vie.

– Votre masque est sublime, dit Wolfe au bout d'un silence. Puis-je ?

Il tend une main vers le visage de Cléo. Comme il l'a fait la dernière fois qu'ils se sont rencontrés, le BOA frôle le masque du bout des doigts, les sourcils froncés.

– Celui-ci est différent. Le gris vous va à ravir, on dirait de l'argent. Combien de masques possédez-vous ?

– William m'en a offert une dizaine. Chacun s'ajuste à l'une de mes tenues.

Inutile de lui dire que celui qu'elle préfère est d'un cuir bleu foncé, celui que lui a confectionné Oxana. C'est le premier de tous, il est à l'origine de sa renaissance. De son courage, aussi.

Loin de se douter de ce qui se trame dans la tête de Cléo, Wolfe se contente d'esquisser une moue à la fois impressionnée et moqueuse, puis il désigne les livres du menton.

– Un sujet en particulier ?

– Les histoires d'amour, répond Cléo.

– Ah oui ?

Il a l'air réellement surpris, et la jeune fille le gratifie d'un sourire timide.

– Je... William me voulait romantique, dit-elle en faisant mine de rougir.

– Il a bien changé, alors. Avant, il avait plutôt l'habitude de prendre ce qu'il voulait en occultant tout sentimentalisme.

Est-ce qu'il la teste ? Difficile de déchiffrer ce regard intense constamment posé sur elle.

– Et vous ? réplique-t-elle pour changer de sujet, en baissant les yeux. Quel genre d'homme êtes-vous ?

– Vous tenez vraiment à le savoir ?

Cléo hoche la tête.

– Vous n'avez qu'à explorer cette bibliothèque, et vous le saurez.

Comment crever cette carapace épaisse qu'il a façonnée autour de lui ? s'interroge Cléo en se détournant pour consulter les ouvrages. Certaines reliures sont abîmées, d'autres, intactes, souvent en cuir, comme si le BOA avait souhaité reconstituer une bibliothèque d'antan, telle quelle, avec ses formes et ses odeurs. Pas de retouches, pas de tricherie. Les livres semblent bel et bien avoir traversé les âges pour se rendre jusqu'ici. Cléo penche la tête pour lire quelques titres au hasard. *Justine*, *Faust*, *Les Fleurs du mal...* Elle tourne la tête vers Wolfe, qui la regarde en souriant. Ces titres ne lui disent rien, et pour cause, elle n'a jamais lu que des ouvrages confectionnés par la Sang et Prestige pour lui apprendre à être une marchandise obéissante.

– Quelque chose vous tente ? demande-t-il avec cet air moqueur qui commence à agacer Cléo.

– Que me conseillez-vous ?

Wolfe s'approche, se place derrière elle et tend un bras vers les ouvrages. Il est si près qu'elle sent son souffle dans son cou. Les nerfs à vif et le cœur battant, l'adolescente penche légèrement la tête sur le côté, offrant sa nuque dans l'espoir de le déstabiliser. Elle l'entend respirer plus fort, preuve que son petit manège fonctionne. Les doigts du BOA caressent l'épine des livres avec lenteur, puis s'arrêtent sur l'un d'eux et le font glisser hors de l'étagère.

– Celui-ci vous plaira, j'en suis certain.

Amour et Psyché...

– De quoi parle-t-il ?

– De jalousie, d'amour et de trahison. C'est l'un des rares livres de cette bibliothèque dont l'histoire se termine bien, et je pense que c'est ce qu'il vous faut.

Cléo inspecte la couverture en cuir écru et serre l'ouvrage contre son cœur en se retournant.

– Merci..., souffle-t-elle, ses yeux explorant ceux, tout près, du BOA.

– Souhaitez-vous toujours m'accorder une danse le soir du bal ? demande Wolfe en la dévisageant.

– Oui.

Il sourit, l'œil brillant, et Cléo comprend qu'elle a réussi. Le séduire a été si facile qu'elle a du mal à le croire. Cependant, n'est-il pas un BOA comme les autres ? Malgré son masque et sa jambe infirme, Cléo n'a rien perdu de son pouvoir d'attraction, ce qui la ravit au plus haut point.

– Vous êtes là ! s'exclame Babette avec joie en ouvrant la porte de la bibliothèque.

Elle réalise sans doute la proximité indécente de Cléo et Wolfe, car elle approche d'un pas rapide et pose une main sur le bras de sa demi-sœur.

– Il est temps de partir, indique-t-elle froidement. Mon père ne supporte pas de la savoir loin de lui trop longtemps.

Wolfe étire de nouveau les lèvres, avec malice cette fois.

– C'est tout à fait compréhensible, dit-il. J'ai un rendez-vous dans une petite heure, de toute façon. Je vous raccompagne...

– Qu'est-ce qui t'a pris ?

Babette semble hors d'elle. Rouge comme une tomate, elle inquiète Cléo, qui tente pourtant de l'apaiser.

– Je t'ai dit que ce n'est rien, répète-t-elle. Il m'a offert un livre et s'est approché pour me le remettre.

– Vous étiez presque collés l'un à l'autre ! s'emporte sa demi-sœur. Tu te rends compte que cet homme est dangereux ?

– Et qu'aurais-je dû faire ? Le repousser, au risque qu'il s'en prenne à moi ?

Babette se renfrogne et tourne la tête vers la fenêtre opposée, faisant mine de regarder la forêt qui défile à l'extérieur de la voiture. Cléo soupire.

– Tu es arrivée à temps et je t'en remercie. N'y pensons plus, d'accord ?

– Hors de question que je te ramène ici pour lui rendre ce fichu bouquin !

– J'ai compris, l'avise Cléo en souriant. Ne te mets pas dans des états pareils, ce n'est pas bon pour le bébé. Et puis, tu n'as pas à t'inquiéter, je suis assez grande pour savoir ce que je fais.

– Ça, j'en doute...

Dans le fond, Babette a sûrement raison. Cléo prend des risques inconsidérés. Mais il lui semble que son existence mène à cette mission, qu'elle en est le point culminant.

– Je suis chanceuse, avoue-t-elle.

– Pourquoi ? lui demande Babette sans la regarder.

– Parce que tu veilles sur moi, et ce, depuis toujours. Et dire que j'ignorais ton existence...

Cette réplique apaise un peu sa demi-sœur. La peau de son visage redevient pâle comme avant, et sa respiration se calme. Elle finit par regarder de nouveau Cléo dans les yeux.

– Parfois, je me dis que ce n'était peut-être pas une si bonne idée de te jeter dans ce monde sans t'y préparer, dit-elle sérieusement.

– Tu as tort, je suis bien avec vous.

– Non, je veux dire... que tu ne sais rien. Tu as dix-sept années d'éducation à rattraper, et je ne sais pas par où commencer.

– Allons-y un pas à la fois, propose Cléo en passant un bras autour des épaules de Babette. Quelle est la première leçon ?

Babette réfléchit un instant.

– Méfie-toi de Wolfe, voilà ma première leçon.

– Compris.

– Je sais qu'il est riche et puissant, et que c'est le genre d'homme qu'on t'a appris à apprécier, mais éloigne-toi de lui, d'accord ?

Babette se méprend tellement sur les intentions de Cléo que c'en est risible.

– Je te promets de faire mon possible pour ne plus m'approcher de lui. Mais s'il vient encore à notre table, je ne pourrai pas refuser de m'asseoir près de lui.

– Oui, bien sûr, mais, dans ce cas, papa et moi serons là pour veiller sur toi.

Cléo hoche la tête. Elle espère que Babette ne se mettra pas en tête de la protéger aussi le soir du bal.

OXANA

Kael frappe le BOA qui s'est introduit dans leur cellule de fortune et qui l'empêche de suivre Oxana. Malgré ses blessures au visage, il a visé juste et a fait mouche. Le gars hurle, le nez en sang, tandis que son collègue cogne Kael au niveau du plexus solaire, le faisant aussitôt suffoquer. Comprenant que la situation est en leur défaveur, Oxana saute sur le dos du BOA qui vient de frapper Kael et passe un bras autour de son cou dans le but de l'étouffer. Le chahut provoqué par la bagarre attire un autre de leurs geôliers. Cette fois, le BOA empoigne Oxana par-derrière, l'obligeant à lâcher prise, et la serre suffisamment fort contre lui pour l'empêcher de se battre.

– Enfoiré ! crie le premier BOA en avisant ses doigts recouverts de sang. Tu m'as pété le nez !

Enragé, il frappe de nouveau Kael du pied, cette fois dans la cuisse, et ce dernier s'écroule en poussant un nouveau cri de douleur. Oxana hurle son nom à plusieurs reprises, même lorsque le BOA qui la tient l'éloigne de lui, l'emmenant dans le couloir.

– Qu'allez-vous faire de lui ? demande-t-elle, paniquée.

— C'est pas ton problème ! vocifère le BOA dont le nez pisse le sang.

Déchaînée par la colère et la peur, l'immortelle agite les jambes. Les bras bloqués par ceux de celui qui la porte, elle ne parvient pas à se délivrer et pousse des cris bestiaux en se cabrant.

— Arrête de t'énerver, je suis bien plus fort que toi. Si on t'a amenée près de lui, c'était pour libérer l'autre chambre, mais maintenant, faut le laisser.

— Où m'emmenez-vous ?

Elle imagine une nouvelle pièce, de nouveaux clients, des tortures, et son cœur manque d'exploser de rage. Non, ça ne peut pas arriver encore ! Elle en a assez bavé !

— Kael !! appelle-t-elle de nouveau, au bord d'un gouffre de désespoir.

Elle a peur. Pour lui, surtout. Tout ce qu'il a fait, ces derniers temps, c'était pour la protéger. Tout ce qui lui arrive est donc sa faute à elle. Parce qu'il a des sentiments pour elle, parce que malgré ce qu'il peut penser de lui, c'est quelqu'un de bien. Et elle, qui est-elle, au juste ? Une emmerdeuse doublée d'une malchanceuse ! Et il a fallu qu'elle emporte Kael avec elle dans cette spirale infernale.

Des larmes se mettent à couler sur les joues de l'immortelle. Tout cela est tellement injuste qu'elle serait prête à mettre cette ville à feu et à sang. Après tout, elle le mériterait. Liberté est un repaire de loups infesté de cafards. Est-ce qu'il y a seulement quelque chose de bon, dans ses rues ravagées par la vermine ?

Les trois BOA l'escortent de façon musclée jusqu'à une ruelle obscure. C'est la nuit. Oxana lève la tête, mais n'aperçoit aucune étoile. Rien qu'un trou noir béant au-dessus de son crâne.

Elle se retrouve bientôt à l'arrière d'une camionnette, dans laquelle on l'a jetée sans ménagement. Sautant sur ses pieds, elle se précipite sur la portière fermée et frappe des poings de toutes ses forces en leur ordonnant de la laisser sortir. Le véhicule démarre. Oxana court jusqu'à la paroi en métal qui la sépare du chauffeur, tambourinant de nouveau comme une damnée. Rien n'y fait. Des voix se font entendre de l'autre côté, ainsi que des rires. Ils se foutent d'elle !

Aux prises avec une dizaine d'émotions violentes, Oxana se laisse tomber sur les fesses. Ses mains empoignent des mèches de cheveux sur ses tempes et elle tire fort dans l'espoir que cette nouvelle douleur physique lui fera oublier l'orage destructeur qui rugit en elle. Rien à faire, ses pensées se dirigent obstinément vers Kael. Que lui réservent-ils ? Le reverra-t-elle seulement vivant ?

Ces questions menacent de lui faire perdre la raison. Elle se recroqueville sur elle-même, en pleurs, écorchée jusqu'au plus profond d'elle-même, avec l'horrible sensation que le pire reste à venir.

C'est avec consternation qu'elle observe son environnement.

Deux BOA l'ont sortie de force de la camionnette, alors qu'elle était repliée dans le fond, telle une renarde hargneuse.

Maintenant, elle contemple les restes calcinés devant elle. Des carcasses d'immeubles encore fumantes, leur chair de brique et de bois réduite en cendres. Malgré le désastre évident, elle reconnaît le Cellier. Son Cellier. Il n'en reste plus rien. De nouvelles larmes se faufilent sous les paupières d'Oxana.

— Où sont-ils ? croasse-t-elle tandis que les deux gardes l'emportent au cœur des décombres.

— Qui ça ? grogne l'un d'eux.

— Les humains de ce Cellier, qu'en avez-vous fait ?

Le BOA lui décoche un bref regard, sans répondre.

Leurs pas s'enfoncent dans la poussière grise, balayent des débris, les menant vers la forêt, à l'ouest. Oxana est presque soulagée lorsqu'ils entrent sous le couvert des arbres. Ici, tout est intact, si ce n'est l'odeur, lourde et âcre, qu'exhalent les restes du Cellier.

Ils marchent ainsi un long moment, jusqu'à une petite hutte émergeant de la mousse et des racines. Il faut quelques secondes à Oxana pour reconnaître la cabane par laquelle Denys et elle sont sortis, avant d'être emmenés à Liberté avec les autres. L'adolescente s'arrête, raidie par ce souvenir. En dessous, il y a les laboratoires secrets du Cellier, là où ont eu lieu les expériences sur les esclaves humains. Pourquoi la conduisent-ils ici ?

L'un des deux BOA pose une main dans son dos pour la contraindre à avancer.

Une fois à l'intérieur de la cabane, ils prennent l'ascenseur qui mène aux étages inférieurs. Les menottes autour des poignets d'Oxana brûlent sa peau. En bas, elle contemple les cellules vides. On dirait qu'ici aussi le ménage a été fait. Elle est conduite dans une pièce aseptisée, blanche et épurée, uniquement garnie d'une table en aluminium et d'appareils médicaux. Se peut-il qu'il s'agisse de la même table où elle était allongée, plusieurs mois plus tôt ? Est-ce là qu'elle a vu Claudius Wolfe pour la première fois ?

Perdue dans ses souvenirs, elle entend la porte se refermer derrière elle et se retourne vivement. Les deux BOA sont sortis, la laissant seule. Oxana tourne la tête vers l'immense miroir qui prend quasiment toute la place sur l'un des murs. Ce n'est pas un miroir comme les autres, elle le sait. De derrière, on l'observe. Mais dans quel but ?

– Bonjour, Oxana.

L'immortelle frémit et recule jusqu'à la table. Bien que déformée par le micro, cette voix est reconnaissable entre toutes. C'est celle de son ennemi juré. Wolfe est donc ici et il la contemple, dissimulé derrière le miroir sans tain.

– Je suis heureux de t'avoir enfin retrouvée.

– Pourquoi ne venez-vous pas me le dire en face ! crache-t-elle avec force, un index levé vers le miroir.

– Ça viendra, patience...

– Qu'est-ce que je fais ici ?

Bref silence de l'autre côté.

– Tu m'as donné du fil à retordre, avoue Wolfe de sa voix synthétique. Mais tu es là, maintenant, c'est tout ce qui compte.

– Vous n'avez pas répondu à ma question !

– Tu vas m'aider à comprendre.

– Comprendre quoi ?

– Pourquoi votre cohorte rejette le système.

– Vous cherchez l'anomalie ?

– En effet. Comme tu es la jumelle d'Alex, je présume que ton organisme doit lui aussi rejeter l'immortalité.

– Vous faites fausse route, ricane Oxana. Contrairement à Alex et à Cléo, je n'ai ni migraines ni maux de ventre !

– Le rejet peut se matérialiser sous différentes formes. Il se peut que tu sois en parfaite santé, mais maintenant que je t'ai sous la main, je vais vérifier.

– Et tout cela, c'est dans le but de perfectionner votre processus pour créer des Celliers d'immortels, je me trompe ?

Comme il ne répond pas, Oxana soupire.

– Qu'avez-vous fait des humains de ce Cellier ? lui demande-t-elle en essayant de contenir sa haine. Où sont-ils ?

Elle prie pour qu'il ne les ait pas tués, appréhendant qu'ils aient tous brûlé dans l'incendie.

– Ne t'en fais pas pour eux, ils sont en lieu sûr, affirme Wolfe.

Pourquoi ne se sent-elle pas soulagée par la réponse du BOA ? Peut-être parce qu'il lui a dit cela avec un peu trop de légèreté, comme si cette question n'avait aucune importance.

– Je veux les voir, lâche Oxana.

– Mais tu les verras, c'est certain. Avant cela, toutefois, tu dois me rendre un service.

– Que voulez-vous dire ?

Elle attend la suite, qui ne vient pas. Elle entend un léger sifflement et se met à en chercher la provenance. Il ne lui faut pas longtemps pour réaliser que quelque chose est en train d'emplir l'air de la pièce. Un gaz.

L'adolescente se retient au support en aluminium, soudainement prise d'un vertige. Plus elle respire, plus elle se sent défaillir. Elle a tout juste le temps de s'asseoir sur le carrelage blanc. Le décor devient brumeux, son corps bascule, et elle perd connaissance.

Quand elle se réveille, des voix chuchotent près d'elle.

Allongée sur une surface froide, elle comprend vite que sa peau est en contact avec la table d'opération en aluminium.

Elle émerge pour de bon, réalise qu'elle a les yeux ouverts et essaye de parler en regardant les personnes qui se déplacent autour d'elle. Sa bouche ne lui obéit pas. Ni même ses mains, ses pieds ou le reste de son corps. Il lui semble qu'elle est enfermée dans son enveloppe charnelle, sans aucun moyen de communiquer, comme à l'Amarante, quand on l'a balancée dans la cellule de Besma.

– Son rythme cardiaque s'accélère, dit une voix.

– Elle est réveillée. Ce n'est pas grave, j'ai presque fini.

Un visage se penche au-dessus du sien. La partie inférieure est dissimulée sous un masque chirurgical. Les yeux, d'un vert très pâle, confirment qu'il s'agit d'un BOA.

Oxana s'affole. Que font-ils ? Pourquoi est-elle nue ? Pourquoi ne peut-elle pas bouger ?

Elle a tellement de questions à poser, et aucun moyen de le faire.

– Sa tension chute.

– C'est bon, j'ai terminé. On referme.

– Ça va cicatriser ? intervient une troisième voix.

– Sans doute, mais son système d'immortalité est mal en point, ça risque de prendre un peu plus de temps.

– Son frère avait des migraines. Elle, c'est quoi son symptôme ?

– J'ai décelé deux tumeurs sur un poumon. Mineures, pour le moment.

– Combien de temps ?

– Avec son système, quelques années, même s'il est défaillant. Mais pour cela, il faudrait qu'elle survive.

– Est-ce qu'elle pourra combattre sur les deux fronts ?

– Je t'avoue que je me fous un peu de ce qui va lui arriver. Wolfe a eu ce qu'il voulait, c'est tout ce qui compte.

Oxana sent son corps bouger. Elle entend des bruits qu'elle n'oubliera jamais. De la chair qu'on triture, des os qui craquent. Les siens. Elle a envie de crier de terreur, mais son hurlement ne résonne que dans les abysses de son âme.

– Elle revient trop vite, s'inquiète une voix, injecte-lui une nouvelle dose.

Quelques secondes plus tard, elle dort de nouveau.

Oxana soulève les paupières. Elle est toujours allongée sur la table d'opération, mais elle peut enfin bouger. Ça sent les produits nettoyants. Tout a été lavé. Le sang, les instruments chirurgicaux, même son corps. Tout.

Se relevant lentement pour faire passer le vertige qui lui fait tourner la tête, Oxana regarde le chandail, la jupe et les chaussures en toile qu'on lui a mis pendant qu'elle dormait. Une brève inspection lui confirme qu'elle porte même des sous-vêtements.

Elle se souvient alors des bruits écœurants et porte une main à sa poitrine. Elle tire sur le col du chandail. Dessous, la cicatrice sur son torse est plus nette, plus fraîche. Ils l'ont rouverte. Est-elle toujours immortelle ? Étant donné sa forme et la propreté de sa cicatrice, elle dirait que oui. Tout cela n'a aucun sens !

Elle se remémore alors les mots échangés quand elle s'est réveillée la première fois. Elle est malade. Deux tumeurs, si ses souvenirs sont exacts, visiblement provoquées par son immortalité.

Oxana dirige son regard vers le miroir, en face d'elle. Rien ne prouve qu'il y ait quelqu'un derrière. Tout est si calme... En tout cas, son reflet est sans équivoque, elle a l'air malade. Rectification. Elle est malade. La colère forme une nouvelle boule dans son ventre, remonte dans ses muscles et vient exploser dans son bras, qui se projette contre la vitre. Son poing en frappe violemment la surface, laquelle se fendille en toile d'araignée.

– Salauds !! hurle-t-elle.

Pas de réponse. Sa main, elle, est en sang.

Oxana marche jusqu'à une tablette en plastique fixée au mur et s'empare d'un lot de compresses qu'elle plaque sur ses articulations meurtries.

C'est alors qu'elle réalise que la porte sur sa droite est entrouverte.

Elle hésite, se demandant si c'est un piège. N'y tenant plus, elle se rend jusqu'au couloir. Il est désert. Elle contourne le mur avec prudence et jette un œil là où Wolfe devait l'observer, grâce au miroir sans tain. Personne. La jeune fille pivote de nouveau sur elle-même, confuse. Est-elle seule dans le complexe ?

De plus en plus perplexe, Oxana se dirige vers les ascenseurs, avec la désagréable sensation d'être l'unique rescapée d'un naufrage. Avant d'atteindre la cabine, quelque chose attire son regard, à gauche. Elle tourne la tête lentement. Un cri puissant est propulsé hors de ses poumons. Terrassée par la vision d'horreur qui s'offre à elle, Oxana tombe sur les fesses, en pleurs.

– Non... Oh, non...

Le regard vitreux d'Elza est posé sur elle. Ainsi que celui des esclaves qui étaient dans les cages durant la loterie.

Les sept corps sont suspendus à des crochets, pendus par le cou, dans l'une des cellules où Denys et elle ont été enfermés au début de ce cauchemar.

Oxana ferme les yeux et se griffe les joues.

– Non. Non. Non, répète-t-elle pendant de longues minutes, vacillant un moment près du gouffre de la folie.

Personne ne savait ce qu'ils étaient devenus, mais tous espéraient qu'ils avaient été épargnés.

Wolfe savait qu'elle devait passer par là pour rejoindre l'ascenseur. Il savait qu'elle les verrait.

Wolfe...

– JE VAIS TE TUER !! !

Son cri ne rencontre qu'un vide terrifiant.

Les muscles tremblants, elle se relève en prenant garde de ne pas laisser son regard dévier vers la grande fenêtre devant elle. Si elle voit encore les sept corps sans vie, elle ne pourra plus continuer.

Elle atteint la cabine d'un pas chancelant, appuie sur le bouton, attend et grimpe à l'intérieur de l'appareil comme un automate.

Une fois en haut, elle pousse la porte du cabanon avec empressement et court à l'extérieur. Il fait jour. Combien de temps a-t-elle passé là-dessous ? Elle inspire et expire, les yeux fermés, laissant la brise fraîche lui éclaircir les idées. Puis elle vomit, libérant son âme de toute cette crasse, jusqu'à ce qu'elle n'ait plus rien dans l'estomac.

Wolfe sait désormais que son processus a des effets indésirables sur Oxana également. A-t-il eu le temps de comprendre pourquoi ? Va-t-il trouver une solution et mettre son plan à exécution ? Ce n'est certainement pas en restant plantée là qu'elle va le découvrir ! Elle doit regagner Liberté, trouver Josef et tout lui raconter. Elle doit lui dire, aussi, pour Kael.

Les larmes roulant toujours sur ses joues sans qu'elle s'en rende compte, elle se remet à courir en direction des bâtiments calcinés. Peut-être y trouvera-t-elle une voiture. Elle n'a jamais conduit ailleurs que dans les limites du Cellier, et encore, c'était des chariots de marchandises à deux vitesses, mais c'est toujours ça.

Elle n'a pas fait une cinquantaine de mètres qu'elle s'immobilise, recule et plaque son dos contre un arbre. Son cœur manque un battement. Là, non loin, un Charognard avance dans sa direction. Il ne semble pas l'avoir vue, car il marche lentement, la tête penchée vers le sol. Un faible râle, effrayant et continu, se faufile entre ses lèvres. Tétanisée, l'adolescente ne bouge pas. Elle craint que le moindre mouvement n'attire l'attention du Charognard sur elle, et elle n'a aucune arme pour se défendre.

Quand le Charognard passe à seulement dix mètres devant elle, Oxana cesse de respirer. Elle ne se résigne à faire entrer de nouveau l'air dans ses poumons que lorsqu'il s'éloigne, disparaissant peu à peu derrière les arbres. Merde, elle a eu chaud !

La tête penchée en avant pour le suivre des yeux, elle se redresse finalement et pousse un cri d'effroi. Terrifiée, Oxana observe un autre Charognard qui s'est immobilisé à deux mètres d'elle, et dont les yeux vitreux semblent la dévisager. Il l'a entendue. Il l'a vue. Et maintenant, il va se jeter sur elle. Aura-t-elle le temps de grimper dans l'arbre avant qu'il ne l'atteigne ? Sera-t-il capable de la suivre ?

Paralysée par la peur, elle se contente d'observer la créature. Le Charognard renifle l'air qui les sépare, pousse un grognement et détourne la tête. C'est avec consternation qu'Oxana le regarde s'éloigner, lui aussi, dans la même direction que la créature précédente.

Impossible...

Pourtant, il l'a bel et bien vue, elle en est persuadée ! Pourquoi ne l'a-t-il pas attaquée ? Certainement pas à cause de son immortalité, puisque des Charognards s'en sont pris à elle à plusieurs reprises à Liberté. Alors quoi ?

Des craquements sinistres résonnent soudainement autour d'elle. En fait, elle les entendait déjà, mais elle les avait mis sur le compte de petits animaux comme des écureuils ou des lapins. La vérité lui explose en pleine face. Elle voit les silhouettes au loin, entend les grognements dans son dos, perçoit le froissement de vêtements abîmés un peu partout. Des Charognards, par dizaines, qui se déplacent autour d'elle, avançant tous dans la même direction.

Oxana trébuche d'effroi et se retient au tronc d'un arbre. Elle n'en a jamais vu autant.

L'un d'eux la contourne. Comme l'autre, il passe son chemin sans s'intéresser à elle. L'adolescente le reconnaît, malgré sa peau transparente, ses yeux blancs et son crâne presque chauve. Elle porte une main à ses lèvres pour ravaler ses larmes. Ce Charognard n'a que douze ans. Elle le croisait souvent au réfectoire. Soudain, son dos se détache de l'écorce, et elle inspecte les créatures qui passent près d'elle. En seulement quelques minutes, elle en reconnaît trois. Trois esclaves.

– Non..., expire-t-elle en comprenant, le cœur au bord des lèvres.

Wolfe a transformé les humains de ce Cellier en Charognards ! Pourquoi a-t-il fait cela ? Et pourquoi ne réagissent-ils pas à sa présence ?

Abattue, Oxana tombe à quatre pattes. En pleurs, elle s'empare d'une branche et la casse en deux, créant du même coup une extrémité pointue. Une pensée effroyable lui a traversé l'esprit. Elle doit en avoir le cœur net.

Elle frotte vivement le bois contre son avant-bras, pendant plusieurs secondes, jusqu'à ce que la peau cède et libère un peu de sang. Elle jette alors la tige de bois et disperse le sang sur sa peau. Puis elle se lève, marche jusqu'à un Charognard, tout proche, et plaque son bras sous son nez. Le monstre, visiblement agacé par cette incursion soudaine, s'arrête et grogne en direction d'Oxana, balayant l'air du bras dans un mouvement d'impatience. Comme il le ferait avec l'un de ses congénères...

Oxana recule alors, et le Charognard reprend sa route comme si de rien n'était.

Si les créatures autour d'elle ne l'attaquent pas, c'est parce que son sang est infecté. Wolfe ne s'est pas contenté de la disséquer, il l'a également contaminée. Parce que son autorité ne se défie pas. Pour qu'elle comprenne ses torts avant de devenir un zombie assoiffé de sang. Son immortalité étant défaillante, il sait qu'elle a peu de chances d'en réchapper. Ce n'est pas pour rien qu'il l'a emmenée dans le Cellier, le message est on ne peut plus clair. Et lui-même doit être loin depuis longtemps.

Déboussolée et terrorisée, le corps secoué de sanglots, Oxana met une bonne quinzaine de minutes à reprendre ses esprits. Quand elle parvient enfin à se reconnecter à la réalité, elle se relève et se remet en marche. Il lui reste peut-être peu de temps, mais elle doit l'utiliser pour prévenir Josef et retrouver Kael. Une fois que ce sera fait, elle pourra se laisser aller à la peur et au désespoir, mais certainement pas avant !

Rassemblant tout son courage, Oxana se remet à courir, à contre-courant des Charognards. En voir autant est toujours aussi déstabilisant, même en sachant qu'ils ne s'attaqueront pas à elle. Elle ne les dévisage plus, de peur d'y reconnaître quelqu'un.

Elle atteint rapidement les limites de la forêt et se met aussitôt en quête d'un véhicule. Les carcasses des bâtiments prennent un tout autre sens, désormais. Wolfe a détruit ce Cellier. La question est de savoir pourquoi.

Pour le moment, c'est comme quand elle vivait dans le Cellier. Courir, être à l'heure et ne pas trop réfléchir.

Alors qu'elle ne court que depuis cinq minutes dans les artères de la ville fantôme, elle tombe sur une jeep et y monte avec empressement. Les clés sont sur le contact. Le conducteur a certainement dû partir de façon précipitée.

Merci, merci, merci..., pense-t-elle en tournant la clé.

Le moteur émet une plainte mécanique, comme s'il renâclait à obéir. Oxana tente de le faire partir à trois reprises, en vain.

– C'est pas vrai ! crie-t-elle en frappant le volant des deux mains.

Il ne manquerait plus que la voiture soit en panne d'essence !

Du calme, c'est pas le moment de péter les plombs. Réfléchis...

Elle ferme les yeux pour se concentrer. Après tout, elle est montée dans une voiture comme celle-ci à plusieurs reprises après son opération. Elle était trop faible pour se rendre jusqu'à l'infirmerie à pied et, comme elle dormait dans sa chambre la nuit, un garde venait la récupérer chaque matin pour l'emmener voir le médecin. Elle doit retourner en arrière, visualiser la scène.

Le BOA s'installait à côté d'elle, lui ordonnait de mettre sa ceinture alors que ça lui faisait un mal de chien, puis il tournait la clé et la voiture démarrait. Voilà. Sauf que... Oui, elle se rappelle ! Il étirait toujours la jambe gauche avant de démarrer, comme s'il appuyait sur l'une des pédales.

Oxana se plie en deux pour regarder sous le volant. À gauche complètement, c'est celle des vitesses. Elle se redresse, appuie sur la pédale en question, respire un grand coup et tourne de nouveau la clé. Le moteur crache et démarre. Elle n'y croyait plus ! Survoltée par ce petit miracle, elle frappe dans ses mains. Une première étape réussie. Maintenant, il faut qu'elle apprenne à manier une boîte à cinq vitesses au lieu de deux. En principe, ça doit être la même chose. Et elle doit trouver la sortie. Avec un peu de concentration, elle devrait y arriver. Elle est en territoire connu, ici.

Un bref coup d'œil aux compteurs lui apprend que le réservoir d'essence est à moitié plein. Ou à moitié vide. En aura-t-elle assez pour se rendre jusqu'en ville ?

Elle desserre le frein à main, passe la première vitesse et fait crisser les pneus en démarrant un peu trop vite. Il ne lui faut que quelques minutes pour apprivoiser la jeep, et elle circule lentement entre les Charognards qui errent encore autour du Cellier.

Au loin, le soleil commence à descendre vers la cime des arbres. Elle aimerait bien atteindre Liberté avant la nuit. Terrifiée à l'idée de se perdre dans la forêt en plein crépuscule, de croiser des ours et des loups peut-être tout aussi affamés que les Charognards, elle passe la vitesse supérieure et file dans ce qui lui semble être la direction de la sortie.

CLÉO

Les mains de Cléo tremblent. L'adolescente les place derrière son dos.

Josef l'a appelée un peu plus tôt pour lui transmettre les directives pour ce soir. Tout semble en place... sauf Denys. Le résistant ignorait qu'ils étaient fâchés et ne l'a pas vu depuis la dispute. Plus inquiète que jamais, Cléo a raccroché en affirmant qu'elle était prête à passer à l'action.

– C'est ravissant, affirme Babette en croisant les mains sur sa poitrine, un sourire extatique sur le visage.

Cléo se tourne vers le miroir suspendu à la porte de la garde-robe. Pour le bal, Babette lui a offert un masque plus élaboré que les autres. Sa surface argentée est ornée de broderies sombres et gracieuses. Des plumes blanches partent de la pointe de l'œil pour contourner la tempe et se plaquer sur les cheveux noirs et lissés de Cléo.

L'adolescente redresse le buste et juge son reflet. La robe, noire elle aussi, recouvre sa poitrine, son ventre et ses jambes d'une soie lustrée et légère, jusqu'à la pointe de ses orteils. Son dos, ses épaules et ses bras sont diaprés de dentelle dorée, pour rappeler la couleur de ses yeux. Cléo bouge légèrement la jambe pour vérifier que l'attirail sous son jupon ne se voit pas avec les mouvements du tissu.

Elle a dégoté un coupe-papier bien aiguisé dans l'un des tiroirs de son appartement et l'a fixé à sa cuisse à l'aide d'un élastique.

Tout chez elle respire la grâce, l'élégance et l'assurance. Pourtant, à l'intérieur, elle lutte contre une tempête de doutes et d'appréhensions, ce qui lui donne l'impression de se trouver dans une boule à neige qu'on aurait brassée.

Son visage s'assombrit. Non content de l'avoir quittée, Denys a également disparu. Et s'il lui était arrivé quelque chose ? La ville regorge de BOA assoiffés en quête d'une âme perdue.

La mine défaite, elle se détourne et sort de la garde-robe, Babette sur les talons.

– Il te trouverait magnifique, j'en suis persuadée, dit-elle avec un sourire sincère.

Cléo la dévisage en silence. Elle n'arrive pas à ouvrir son cœur à sa demi-sœur. Exprimer ses craintes à cette femme à la fois proche et étrangère est encore trop dur.

– Tu es certaine de ne pas vouloir venir ? l'interroge Cléo.

– Oui, lui assure Babette. J'ai déjà pris du poids, et aucune robe ne me va.

– C'est une fausse excuse, l'accuse gentiment l'adolescente, il te suffit de claquer des doigts pour qu'on te procure une robe sur mesure, exactement comme celle que je porte.

– Je ne serai jamais aussi belle que toi, dit Babette dans un petit rire.

– C'est grâce au masque et à cette robe, qui cachent mes cicatrices.

– Cesse donc de te sous-estimer ! Ce soir, tu vas t'amuser ! Ne pense pas à moi. Je suis un peu fatiguée, le bébé avale toute mon énergie. Tu me raconteras tout demain.

Cléo se contente de hocher doucement la tête. Du bon temps, ce soir, elle n'en aura certainement pas. Elle ne va pas au bal pour danser et se pavaner, mais pour appâter Wolfe. Sa mission pèse lourdement sur ses épaules. Elle n'a pas droit à l'erreur. Il ne reste plus qu'à voir si les leçons d'Abagail, à la Sang et Prestige, ont été aussi efficaces que cette dernière le prétendait. Sans compter que la réaction de la population BOA de la ville reste imprévisible. Cléo espère que la mort de Wolfe permettra aux humains de vivre enfin librement, mais personne ne peut prévoir la réaction du peuple. Les BOA ont déjà commencé à se faire à l'idée des Sacs à sang immortels, c'est une solution facile. Wolfe promet de sauver ses congénères de la soif, et il y a bien long-temps que Liberté ne se soucie plus des questions éthiques. Quand les gens apprendront que la résistance a tué ce projet dans l'œuf, ils se retourneront peut-être contre...

Cléo se mord l'intérieur de la joue jusqu'au sang.

Non ! Elle n'a pas le droit de douter ! Cette mission est leur seule chance d'avoir une vie, une vraie ! Aux humains, aux résistants et à ses amis, qui ont déjà tant souffert...

– Allez, papa doit t'attendre, sourit Babette en la poussant vers la porte qui mène à l'ascenseur.

Cléo ramasse la petite sacoche brillante sur son lit et se laisse guider à l'extérieur de l'appartement par sa demi-sœur, dont l'excitation ne fait que refléter ses propres préoccupations.

❖

Dans la voiture, le silence est accablant. La tension dans l'habitacle est certainement aussi grande que la distance qui sépare Cléo de son père sur la banquette arrière. William Steel lui lance des coups d'œil, de temps à autre, et elle fait semblant de ne pas les remarquer. La tempe posée contre la vitre, elle regarde au-dehors pour échapper à la mine hagarde de son paternel.

– Cléo, regarde-moi, s'il te plaît, prononce William Steel d'une voix suppliante.

L'adolescente accepte de tourner la tête dans sa direction. Murée dans le silence, elle attend qu'il poursuive en haussant un sourcil.

– Je ne veux pas que tu le fasses.

Le sang de Cléo ne fait qu'un tour. Elle réalise que ses doigts ont agrippé un pan de sa robe et se force à respirer de nouveau en esquissant un sourire qu'elle espère convaincant.

– De quoi parlez-vous ? lui demande-t-elle avec une moue attendrie.

Elle réalise qu'elle a instinctivement utilisé le vouvoiement pour lui parler, mais Steel ne semble pas s'en formaliser.

– Tu m'as dit que tu voulais voir Claudius Wolfe mourir. Je ne sais pas ce que tu prépares, ce soir, mais je veux que tu y renonces.

– Vous êtes ridicule, se moque gentiment l'adolescente, je vais juste m'amuser, il n'y a rien de mal à cela.

Steel la contemple quelques secondes en triturant son nœud papillon, comme s'il était trop serré.

– Quand je t'ai vue pendant la loterie, reprend-il, je n'ai pas vu une esclave. Tu étais autre chose...

– Pardon ?

Cléo a volontairement adopté un ton badin afin de dissimuler la panique qui secoue tout son être. Cette conversation prend une direction qui lui déplaît, et elle jette un bref regard vers la fenêtre dans l'espoir de voir le bâtiment Wolfe, ce qui indiquerait la fin du voyage et mettrait un terme aux propos troublants de son père.

– Je ne savais pas encore que j'étais ton père, à ce moment-là, explique Steel, et tu me fascinais. Normalement, mes filles...

Il marque une légère pause en prenant sans doute conscience de la maladresse de sa formulation.

– Je veux dire...

– Vos filles, oui, vous pouvez le dire, le coupe Cléo un peu sèchement.

Elle se reprend aussitôt en plaçant une main sur celle de son père, posée sur la banquette.

– Ne vous en faites pas, j'ai accepté tout cela, ajoute-t-elle en souriant.

– Hum... oui, approuve le BOA en ôtant sa main.

Cléo se redresse, sur le qui-vive, ses yeux toutefois remplis d'une indulgence factice.

– Tu n'étais pas comme les autres, poursuit Steel. Et pour cause ! Ce qui me troublait, c'était ta capacité à prendre des décisions, ce qui n'aurait pas dû être le cas. Les produits de la Sang et Prestige sont programmés pour obéir, mais toi... tu gardais la tête haute.

Steel baisse les yeux, comme plongé dans ses souvenirs.

– Oui, tu me fascinais, mais, en même temps, tu me faisais peur. Je sentais que je pouvais perdre le contrôle avec toi, que la situation pouvait m'échapper à tout instant, et je ne comprenais pas pourquoi.

Il redresse la tête, la regarde droit dans les yeux.

– Je te l'ai déjà dit : tu ressembles tellement à ta mère. Pas tant physiquement que du point de vue de ton caractère, de ton attitude. Au risque de t'offenser, je peux t'affirmer qu'elle aurait brillé autant que toi si elle n'avait pas fini dans un bordel de quartier.

– Vous auriez pu lui donner la place qu'elle méritait, lui reproche Cléo en retenant l'animosité qui lui pique le cœur.

– Là n'est pas la question, Cléo. Malgré son statut et tout ce qu'elle a traversé, ta mère restait digne. C'est ce qui m'a envoûté. Elle aurait fait n'importe quoi pour te protéger. Si elle m'a menacé, c'était pour toi, pour te garantir une vie. Jamais elle ne t'aurait vendue à un Cellier, je peux te l'affirmer.

Ces révélations laissent Cléo bouche bée. Elle réalise qu'elle ne sait rien de sa mère, de ses espoirs, de ses souffrances.

– Tu as hérité de sa détermination, de son courage, continue Steel. Et je suis persuadé que tu n'es pas le genre de femme à vouloir te rendre à un bal pour le simple plaisir de te faire voir, parce que ce n'était pas son cas.

– Vous n'avez rien à craindre de moi, lance-t-elle, sans sourire cette fois.

– J'aimerais le croire. Tu es ma fille. Je suis heureux de te savoir dans ma vie et je n'ai pas envie de te perdre.

– Je vous assure que tout va bien, ment de nouveau l'adolescente en se détournant.

Le crépuscule projette un halo orangé sur les vitrines, comme la promesse d'un brasier imminent. Les yeux de Cléo se recouvrent d'un voile humide. Les déclarations de son père l'ébranlent.

– Je ne veux pas qu'il t'arrive malheur, chuchote Steel dans son dos.

Ces mots percutent le cœur de Cléo, la chamboulant de la tête aux pieds. Elle aimerait lui promettre que ce ne sera pas le cas, qu'elle sortira indemne de tout cela, mais elle n'en sait rien. Pour la première fois depuis qu'elle ambitionne de tuer Wolfe, l'appréhension se transforme en peur. Parce qu'elle sait qu'elle pourrait mourir cette nuit, mais aussi parce qu'elle réalise qu'elle a peut-être plus à perdre qu'elle ne le pensait.

OXANA

– Merde ! Merde ! Merde !

Oxana tape trois fois sur le volant, comme si ça pouvait remplir le réservoir d'essence par miracle. Elle a tellement tourné en rond qu'elle a brûlé tout ce qu'il y avait dans la jeep. À sec, la voiture ne lui sert plus à rien, et l'immortelle en descend en pestant.

Un peu avant de tomber en panne sèche, elle a vu un panneau au croisement de deux routes. Elle a suffisamment vu le mot Liberté dans sa vie pour le reconnaître. Elle sait donc qu'elle a pris la bonne direction, et cette maudite voiture qui la lâche maintenant !

– Merde ! expulse-t-elle une dernière fois en frappant l'un des pneus du pied.

Oxana lève le nez vers la cime des arbres avec inquiétude. Le soleil a déjà déserté le ciel, et même s'il n'est pas totalement couché, le crépuscule enveloppe la forêt d'une ambiance hostile. Comme elle ne compte pas moisir ici pour voir les surprises que lui réserve la nuit, elle quitte la jeep et se met à courir en direction de la ville.

Si elle perd la notion du temps, la nuit totale est là pour lui rappeler qu'elle court depuis au moins une heure lorsqu'elle sort enfin de la forêt. Elle quitte un instant la route qui bifurque sur la gauche et se retrouve au sommet d'une colline. Au loin, Liberté brille de ses atours flamboyants, comme un piège à moustiques. Oxana a réussi ! Liberté est à portée de main. Seul un pont la sépare de la ville. Une fois qu'elle a repris un peu son souffle, elle se remet à courir sur la voie balisée.

Sur le pont, elle ralentit. Ses articulations lui font un mal de chien. Ses poumons sont en feu. Quant à ses muscles, ils ne se sont jamais autant révoltés sous l'effort. Est-ce que ce sont les premiers effets du virus ? Si tôt ? Il a fallu plusieurs jours à Alex avant de se transformer, et il ne s'est jamais plaint de douleur avant d'en arriver là. Il serait illusoire de penser qu'il n'a pas souffert, mais a-t-il serré les dents à ce point pour ne pas inquiéter sa sœur ? Il en aurait été capable.

Tout en marchant, Oxana observe les eaux noires du fleuve entre les barreaux de la longue balustrade qui longe le pont. La mort d'Alex a laissé un trou béant dans son cœur, et c'est à peine si elle a pu faire son deuil. Les semaines passées au Nid, après sa disparition, n'ont fait que lui rappeler qu'il n'était plus là. Ensuite, tout s'est enchaîné si vite qu'elle n'a même plus eu le temps d'y penser. Et il y a eu Kael. Une étincelle insensée dans l'obscurité, un éclat d'horizon, comme si une vie après tout cela était envisageable.

Oxana essuie d'un geste rageur ses joues baignées de larmes. Imaginer qu'on soit en train de lui faire du mal à l'heure qu'il est lui entaille de nouveau le cœur. Maintenant qu'il est inaccessible, elle a plus que jamais besoin de lui, de sa présence, de la chaleur de ses rares sourires. Kael lui redonnait du courage, et elle ne s'en rendait même pas compte. Son absence tragique l'éclaire alors qu'il est peut-être déjà trop tard. Si elle devait le perdre, lui aussi...

Se forçant à ne pas penser au pire, l'adolescente fait taire son corps fatigué et reprend sa course.

Les premiers bâtiments qu'elle croise sont délabrés. Elle se trouve au sud de la ville, autant dire dans la gueule béante du loup. Mais les rues sont quasiment vides, et elle ne va pas s'en plaindre.

Elle remonte une artère qui devait être animée, jadis. Des enseignes gigantesques, éteintes et brisées pour la plupart, s'accrochent désespérément aux façades noircies des immeubles. On dirait qu'elles refusent de mourir, qu'elles veulent se souvenir de leur gloire d'antan. Plus Oxana remonte vers le centre-ville, et plus les rues s'éveillent. Elle reconnaît même l'enseigne de l'Amarante et accélère sa course pour s'éloigner au plus vite. La bannière est allumée. Malgré l'incursion musclée des résistants, le bordel est toujours en activité. En est-elle vraiment surprise ?

Humains et BOA sortent peu à peu des édifices. Des voitures se garent, d'autres avancent lentement, en quête du meilleur endroit. La tête baissée, Oxana se fraye rapidement un chemin en longeant les bâtiments. Perdue dans les ombres, elle tente de passer le plus inaperçue possible, les entrailles nouées par la peur. Même si elle se fait apostropher à quelques reprises, elle sent que les esprits ne sont pas encore échauffés. Peut-être parce qu'il est encore tôt. Les BOA ont l'embarras du choix, pour le moment, inutile de courir après un Sac à sang qui n'a visiblement aucune envie de se faire mordre.

C'est donc en un seul morceau, et la carotide intacte, qu'Oxana parvient aux quartiers un peu plus chics. Les boutiques sont presque toutes fermées, à l'exception de quelques restaurants. Se sentant davantage en sécurité, l'immortelle se permet une pause, pour réfléchir.

Comment trouver Josef dans cette ville immense ? Elle n'a aucune idée de l'endroit où il se trouve. Tellement accaparée par sa détermination à sortir de la forêt, puis à se fondre dans les ombres du quartier sud, elle n'a même pas réfléchi à cela. Et elle fait quoi, maintenant ?

Le numéro de Kael... Elle s'en souvient par cœur ! Mais s'il est retenu captif, ou s'il est blessé, il ne pourra certainement pas lui répondre... Tant pis ! Elle doit essayer !

Prenant son courage à deux mains, Oxana pousse la porte d'un restaurant. À l'intérieur, toutes les tables sont occupées, et quelques BOA tournent distraitement la tête dans sa direction sans interrompre leurs conversations. Gênée, l'adolescente marche jusqu'au comptoir. Le liquide rouge, dans les verres, est-ce que c'est du sang ? Sans doute. Et il doit provenir des Celliers qui n'ont pas été calcinés.

Elle avance plus vite et soupire de soulagement en constatant que l'un des serveurs est humain. Le jeune homme, de quelques années plus âgé qu'elle, lève la tête du plateau garni de tasses à café fumantes qu'il remplit soigneusement, et la regarde avec un air interrogateur.

– Est-ce que je peux vous aider ?

– Euh... oui. Est-ce que vous avez un téléphone ?

Comme il la regarde sans répondre, elle sourit et plonge une main dans ses longs cheveux défaits pour les rabattre en arrière.

– C'est pour une petite urgence, ajoute-t-elle en plissant le nez d'une façon qu'elle espère adorable.

Ce petit jeu de séduction fonctionne. Oxana en est la première étonnée. L'humain lui sourit en retour et lui tend un combiné sans fil.

– Faites vite, d'accord ? Vous pouvez aller aux toilettes, si vous voulez être tranquille.

– Merci...

Le serveur lui fait un signe entendu de la tête et disparaît de son champ de vision en entrant dans la cuisine. Oxana écoute son conseil et se rend aux toilettes, où elle s'enferme à double tour. Après une seconde d'hésitation, elle compose le numéro de Kael. Et si ce n'est pas Kael qui répond ? Et si ce sont ceux qui les ont enfermés qui lui parlent, que leur dira-t-elle ?

Une sonnerie. Deux. Trois...

– Allô ?

Ce n'est pas la voix du BOA.

– Euh... Qui est à l'appareil ? demande froidement la jeune fille.

– Oxana, est-ce que c'est toi ?

Silence troublé de la part de l'intéressée.

– C'est Josef ! On te cherche partout, où es-tu ?

– Josef ?

Abasourdie, elle s'assoit sur la cuvette des toilettes. Elle s'attendait à tout sauf à cela.

– Est-ce que tu vas bien ?

– Oui.

– On va venir te chercher. Dis-moi où tu es !

– Dans un restaurant, en ville.

– Lequel ?

– Je ne sais pas.

Elle se pince l'arête du nez, tente de revenir totalement à la réalité. Mais la voix de Josef la déstabilise. Elle a l'impression de rêver, parce que la chance n'est pas vraiment de son côté depuis quelque temps. Entendre un allié, même si ce n'est que par l'intermédiaire d'un téléphone, menace de faire céder toutes ses barrières, et elle sent les larmes lui picoter les yeux.

– La devanture est bleue, il me semble, dit-elle. Il y a plusieurs restaurants dans cette rue, je... je n'arrive pas à me souvenir d'autre chose.

– D'accord, c'est parfait, je pense savoir où c'est. Reste là, d'accord ? Tu es en sécurité dans ce restaurant.

– OK. Josef ?

– Oui ?

– Est-ce que Kael est avec vous ?

Le silence qui suit sa question ne lui plaît pas.

— Il n'y a presque plus de pile dans le téléphone, Oxana. Attends-moi, je serai là dans quelques minutes !

Et il raccroche, laissant l'immortelle au bord d'un précipice. Elle observe longuement le téléphone, puis se met à pleurer en silence. Ce n'est que lorsqu'on vient frapper à la porte qu'elle se résigne à sortir. Une serveuse BOA lui sourit poliment.

— Est-ce que vous avez fini ?

— Oui, bien sûr, répond Oxana en dégageant l'entrée des toilettes.

La BOA s'approche d'elle et place une main près de sa bouche, comme pour lui transmettre un secret.

— Si vous pleurez à cause d'un garçon, sachez que personne n'est irremplaçable. Il y a beaucoup de trésors dans cette ville.

Elle ricane doucement, lui lance un clin d'œil complice et ferme la porte des toilettes derrière elle. Immobile, Oxana scrute le battant avec désespoir. Cette femme a tort, il y a des personnes irremplaçables en ce monde. Alex en faisait partie. Et Kael aussi.

C'est quand elle voit Josef entrer dans le restaurant qu'Oxana craque complètement. Épuisée, elle se laisse presque tomber dans ses bras, pleurant à chaudes larmes, se moquant des regards curieux des clients. Le médecin échange quelques mots avec un employé du restaurant, peut-être s'agit-il même du propriétaire, avant d'emmener l'immortelle à l'extérieur.

Une fois dans la camionnette, Josef lui tend quelque chose.

– Tiens, j'ai trouvé ça. Je me suis dit que tu serais contente de l'avoir maintenant.

Oxana attrape l'urne d'Alex dans un geste désespéré. Elle se recroqueville tout autour, les jambes repliées. La fatigue assiège son corps. Pourtant, elle veut rester lucide. Elle a tellement de questions à poser.

– Vous n'avez pas répondu à ma question, au téléphone. Où est Kael ?

Les deux mains sur le volant, Josef secoue légèrement la tête, les yeux rivés sur la route devant lui.

– Je ne sais pas, avoue-t-il.

– Mais... vous avez son téléphone.

– Nous sommes retournés au Nid, pour récupérer un peu de matériel. Mon ordinateur était intact, ainsi que l'équipement que je gardais à l'intérieur de mon bureau. Chacun de mes résistants a un traceur sur son cellulaire. Dès que le téléphone s'allume, je suis en mesure de savoir où il se trouve. C'est comme ça que j'ai mis la main sur le cellulaire que j'ai donné à Kael, il était dans une poubelle. Ceux qui le détiennent ont dû le jeter pour éviter qu'on les traque. Oxana, tu dois me dire ce qui s'est passé.

– Nous nous sommes retrouvés dans un repaire de Chasseurs.

– Tu plaisantes ?

– Est-ce que j'en ai l'air ?

Il la dévisage avant de reporter son regard sur la route.

– Ils ont battu Kael, parce qu'ils savaient qu'il a trahi la Brigade du Sang. Wolfe a dû faire passer le message...

– Et ensuite ?

– On nous a séparés, et j'ai été emmenée dans mon ancien Cellier. Josef, ils ont tout brûlé, mais, pire, ils ont transformé tous les esclaves en Charognards. Et ils ont tué nos amis...

Il tourne de nouveau la tête vers elle, sans demander si elle plaisante cette fois. Oxana frissonne. Elle ne doit plus rien lui cacher, mais lui dire la vérité revient à admettre qu'elle est fichue, et elle met quelques secondes à se décider.

– Josef, je suis contaminée, moi aussi...

Le véhicule fait une légère embardée et un piéton invective Josef, qui rétablit fort heureusement la trajectoire de la camionnette pour éviter une voiture en sens inverse. Les mains crispées sur sa ceinture de sécurité, Oxana se remet à pleurer.

– Combien de temps j'ai, à votre avis ?

– C'est très variable, répond le médecin d'une voix enrouée. Au moins deux ou trois jours, peut-être plus. Est-ce que tu as toujours ton système d'immortalité ?

Oxana fait oui de la tête, et Josef soupire.

– Ça change tout. Oxana, il y a de fortes chances pour qu'il parvienne à combattre le virus.

– Au contraire, le corrige-t-elle.

– Que veux-tu dire ?

Elle lui raconte l'opération, commandée par Wolfe, dans le Cellier. À ce moment-là, elle n'avait pas encore compris qu'elle était infectée, parce qu'ils ne l'avaient pas énoncé clairement.

– Il voulait voir ce qui clochait avec nos systèmes, et je crois qu'il a trouvé. En m'ouvrant, ils ont découvert des tumeurs sur mes poumons. Mes chances de survivre au virus sont considérablement réduites. Et il se peut que Denys, Sam et Kim soient malades, eux aussi.

Josef expire bruyamment.

– Nous n'avons pas de nouvelles de Denys, lui apprend-il.

– Quoi ?

C'est au tour du médecin de lui raconter tout ce qui s'est passé durant son absence.

– Cléo compte tuer Wolfe de ses propres mains ?

– J'ai l'impression qu'elle est déterminée à aller jusqu'au bout, s'il le faut.

– On doit lui venir en aide !

Une montée d'adrénaline galvanise Oxana, qui s'est redressée sur son siège pour scruter l'expression sur le visage de Josef.

– C'est prévu. Il n'est pas question qu'on la laisse régler cela toute seule.

— Et pour Kael, on fait quoi ?

— Mélissa est sur le coup. Elle commande une petite équipe chargée de trouver des indices. Sam l'aide dans ses recherches. Ça lui fait du bien et ça lui permet de se changer un peu les idées.

— L'état de Kim ne s'améliore donc pas ?

— Pas vraiment...

Oxana fronce les sourcils.

— Je sais qu'elle a vécu des choses horribles, dit-elle, mais se pourrait-il que ce soit son immortalité qui provoque ses troubles psychiques ?

— C'est une possibilité, mais elle a été battue et violentée à maintes reprises, son état peut tout à fait en être la conséquence, même sans le système dans son corps.

C'est certain, mais Oxana aime à penser qu'elle pourrait être libérée de tout cela si on la délestait de son immortalité. C'est une possibilité, comme dit Josef, et il faudra y songer, quand les choses se seront calmées. Si elles se calment un jour.

Oxana s'adosse au siège passager, l'esprit embrouillé. Elle aimerait venir en aide à Cléo. En temps normal, elle aurait harcelé Josef jusqu'à ce qu'il plie, malgré la fatigue et tout ce qu'elle vient de traverser. Sauf que là, dans sa tête, c'est plus compliqué. Il y a Kael. L'adolescente est morte d'angoisse quand elle pense à lui. Elle ne peut pas se lancer tout bonnement dans une nouvelle mission et risquer de passer à côté d'informations importantes susceptibles d'arriver entre les mains de Mélissa durant son absence. Quand ils retrouveront le BOA, elle veut être là, tout de suite, et aux premières loges. Qui sait dans quel état il sera...

— À quoi penses-tu ? lui demande Josef.

— À Kael. Merde, Josef, ce satané BOA me manque !

Elle essuie de nouvelles larmes, du revers de la main.

— J'arrête pas de chialer, ça n'aidera personne, grommelle-t-elle.

— Ça t'aide, toi, répond doucement le médecin. Tu peux te laisser aller, je ne le dirai à personne.

Elle rit entre deux sanglots, sèche totalement ses larmes et soupire.

— Je pensais vraiment que Wolfe mourrait de ma main.

— J'avoue que je l'ai toujours cru, moi aussi, admet le médecin. Vu ta façon de le haïr, c'était une évidence. Mais le principal, dans le fond, c'est qu'il disparaisse, n'est-ce pas ?

— Sans doute...

Oxana dissimule son visage en tournant la tête vers la vitre. Abandonner sa quête pour les beaux yeux d'un garçon, ça ne lui ressemble absolument pas. À bien y penser, pourtant, ses sentiments pour Kael sont bien plus précieux que sa haine envers Wolfe. Peut-être parce que la colère l'habite depuis toujours, alors que l'amour, pour elle, c'est tout nouveau. Ou peut-être parce qu'à l'article de la mort, elle ne veut plus perdre de temps à courir après la vengeance. Tout ce qu'elle souhaite, maintenant, c'est retrouver

Kael et lui avouer ses sentiments avant de mourir. Ce qu'elle désire, c'est qu'il fasse pour elle ce qu'elle a fait pour Alex. La délivrer du mal qui l'habite, en lui offrant ses magnifiques yeux bleus comme dernier lieu de repos.

CLÉO

Sa canne argentée sous le bras, Cléo tient le coude de son père tandis qu'il l'emmène avec lui dans la grande salle de bal. Les gens les regardent passer en souriant, détaillant la jeune femme de la pointe des cheveux aux orteils, saluant William Steel et le félicitant pour cette soirée mémorable.

Cléo observe son environnement. Alors, c'est cela, une fête organisée pour le « grand monde » de Liberté. Des murs recouverts de dorures, des lustres chatoyants, des centaines de BOA drapés d'étoffes lustrées, des bouches graissées de rouge à lèvres, ces mêmes bouches qui ne cessent de jacasser, de pavoiser, de rire...

Cléo tire légèrement sur le bras de son père, le forçant à s'arrêter.

– Est-ce que ça va ? lui demande-t-il à l'oreille tout en souriant à ceux qui les entourent.

– Je ne sais pas...

– Viens, dit-il en l'entraînant vers le buffet.

Une fois devant les victuailles, le malaise de Cléo s'intensifie. La nausée lui bloque la trachée lorsqu'elle voit les dizaines de mètres de plats, tous garnis, et les serveurs, jamais loin, prêts à les remplacer pour qu'il n'en manque jamais. Des gens se font vider de leur sang dans la rue. Des familles crèvent de faim, d'autres ont du mal à boucler les fins de mois, humains comme BOA. Cette débauche d'aliments n'en est que plus immorale, totalement déplacée.

– William !

Cléo se retourne en même temps que son père. Elle écarquille les yeux et baisse la tête, par réflexe, avant de se rappeler qu'elle n'est pas censée connaître qui que ce soit.

– Charles, le salue amicalement William Steel.

Est-ce que Charles Roth perçoit lui aussi les notes de malaise dans la voix de son père ?

Cléo se force à regarder le BOA comme si de rien n'était. Pourtant, le visage poupin de l'homme devant elle fait éclater une bulle de souvenirs désagréables dans sa tête. La première fois qu'elle s'est fait mordre, c'était par sa bouche à lui, quelques jours avant la loterie. L'adolescente se souvient de ne pas s'être sentie à la hauteur et d'avoir longuement pleuré après qu'il l'eut quittée, ce soir-là, plus honteuse que jamais. C'est alors que tous ses rêves ont implosé. Cette première expérience, fort désagréable, a laissé une marque douloureuse en elle.

– La voici donc, sourit Charles Roth. Céleste...

Il tend une main vers elle, et Cléo met trois secondes à réagir, observant ces doigts blancs sans comprendre. Elle se secoue finalement et tend sa propre main, qu'il porte goulûment à ses lèvres. Pendant ce bref contact, Cléo jette un œil à l'humaine qui accompagne Charles Roth. Elle ne la reconnaît que trop bien. C'est la grande brune immortelle qui vient de la Sang et Prestige, celle dont la beauté et l'attitude l'intimidaient. Même maquillée, elle n'a pas réussi à dissimuler tout à fait les marques de fatigue qui encerclent ses yeux. Amaigrie, elle scrute Cléo de ses yeux verts, et l'adolescente détourne les siens pour échapper à la vision affligeante de l'esclave. Leurs destins à toutes les deux se sont frôlés l'espace de quelques minutes, avant de partir dans des directions complètement différentes. Malgré la loterie, les cicatrices et ce qu'elle a vécu dans le manoir de Killian, Cléo préfère mille fois son sort à celui du Sac à sang de luxe qui se tient devant elle.

– ... n'est-ce pas, Céleste ?

Cléo tourne la tête vers son père, le front plissé.

– Quoi ?

– William me disait à quel point vous avez fait sensation, lors des précédentes soirées qu'il a organisées.

Elle incline la tête et gratifie le BOA d'un sourire gêné. Est-ce qu'il s'attend à une réponse de sa part ? Certainement, parce qu'il se contente de la fixer comme un crétin.

– Euh... Oui. Mais je ne pense pas mériter toute cette attention, vraiment.

– Et modeste, par-dessus le marché ! s'exclame Roth, impressionné. Celle-là aurait bien besoin d'une dose d'humilité, si tu vois ce que je veux dire, ajoute-t-il en indiquant l'humaine brune à côté de lui. Si je peux me permettre une critique, William, tu devrais mieux dresser tes spécimens avant de les mettre sur le marché.

Cléo sent son père se crisper contre elle.

– Tu voulais une immortelle, rétorque-t-il sèchement. Elles sont différentes, je pensais que ça te plairait.

– J'ai aimé la briser, en effet, s'esclaffe l'autre en tirant la brune plus près de lui.

Nul doute qu'il lui masse les fesses, là, devant tout le monde ! Cléo doit déguerpir, et vite, car elle risque de ne plus pouvoir se contenir longtemps !

William s'excuse poliment auprès de Charles Roth et s'éloigne avec Cléo.

– J'avais envie de lui planter un couteau dans chaque œil, grogne-t-elle. Je ne peux pas croire que vous vendez des filles à des gars comme lui. Comment pouvez-vous vivre avec cela ?

– Ce n'est plus le cas.

– Comment cela ?

– Je prends ma retraite, Cléo.

– Quoi ?

Elle le force à s'arrêter et plante ses yeux dans les siens.

– Quand avez-vous pris cette décision ?

– Tout récemment, lui avoue-t-il.

Il regarde autour d'eux, s'assure que personne ne les écoute et poursuit, tout bas :

– Je ne peux plus faire ce que je fais, pas depuis que tu es arrivée dans ma vie. Tu m'imagines, continuer à créer et élever des êtres humains pour les vendre ensuite, puis te rejoindre le soir pour souper ?

Cléo est sidérée.

– Je me fais vieux, ajoute-t-il dans un soupir. En fait, cela fait déjà quelques années que je me sens las de tout cela. Accepteras-tu un jour de me pardonner pour tout le mal que j'ai fait ?

C'est trop soudain, trop imprévu.

– Je ne m'attendais pas à cela, offre-t-elle en guise de réponse.

– Ça va, dit son père. Je comprends qu'il te faille plus de temps. On en a, maintenant, n'est-ce pas ? Ce que j'ai dit dans la voiture, ce n'est pas du bluff. Je veux vraiment apprendre à te connaître. Mais, pour cela, je dois être certain que tu seras encore en vie dans quelques heures. Cléo, je t'en prie, ne fais pas de bêtise, d'accord ?

Elle s'approche de lui pour l'étreindre dans un geste qui peut passer pour de la tendresse.

– Je ne serais pas votre fille si je n'allais pas jusqu'au bout de mes convictions, dit-elle froidement à l'oreille de son père.

Sur ce, elle recule, le dévisage durement et fait demi-tour pour disparaître dans la foule.

Qu'on en finisse ! grogne-t-elle intérieurement en cherchant Claudius Wolfe des yeux. Elle a l'impression que le coupe-papier contre sa cuisse palpite d'impatience.

Quelqu'un lui empoigne le bras et elle se retourne avec agacement. Encore un qui l'a reconnue et souhaite faire sa connaissance ?

Quand son regard se pose sur l'importun, cependant, sa colère retombe d'un cran. L'homme qui lui fait face est plutôt grand, élégant dans sa tenue sombre, son visage partiellement dissimulé derrière un loup noir brodé de filaments dorés. Ses yeux d'un vert électrique la toisent avec intensité, et Cléo soupire de soulagement. Prise de l'envie de se jeter dans les bras de Denys, elle se contente d'accepter la main qui l'invite à danser.

— T'étais où ? grommelle-t-elle en se collant contre lui.

— Je réfléchissais.

Un couple de BOA la salue brièvement en passant tout près d'eux. Tendue, Cléo leur retourne un sourire radieux, heureuse qu'ils n'insistent pas pour lui parler. Danser avec Denys, ici, au beau milieu de tous ces BOA, ce n'est franchement pas une bonne idée.

— Tous les yeux sont braqués sur toi, chuchote Denys.

— C'est Céleste qu'ils voient, peste-t-elle à voix basse. Une poupée docile, défigurée pour le plus grand bonheur des sadiques de cette ville.

— Je croyais que tu étais faite pour ce monde...

— Tu as entendu ce que tu voulais bien entendre, rétorque-t-elle, les nerfs en pelote. En tout cas, si tu voulais me punir en disparaissant, c'est réussi. Quand Salie m'a dit que tu n'étais pas avec Josef et qu'elle ne t'avait pas revu depuis notre dernière conversation, j'ai cru que le monde s'ouvrait sous mes pieds. J'ai imaginé les pires scénarios.

Elle a volontairement utilisé un ton dur, tout en tâchant d'éviter son regard. Plusieurs danseurs les observent avec étonnement, ce qui la rend nerveuse. Il y a peu d'humains à cette soirée, et ceux qui sont présents ont davantage le statut de Sacs à sang que celui de riches gentlemen. Denys attire trop l'attention...

– J'ai été con, pardonne-moi, soupire le jeune homme. Tu auras compris que mes habiletés sociales ne sont pas au point.

– Alors quoi ? Tu acceptes que je mette mon plan à exécution, maintenant ? Qu'est-ce qui a changé ?

– Rien, en fait. Je ne suis toujours pas d'accord, mais je ne pouvais pas te laisser agir seule. Je suis con, mais je ne suis pas un salaud. Je ne vais pas t'abandonner dans un moment pareil.

Cette fois, elle le dévisage. La musique arrive à sa fin et il recule d'un pas avant de plier le buste dans un geste galant. Puis il la regarde avec insistance, tourne les talons et sort de la piste de danse.

Cléo reste là quelques secondes, à scruter les environs pour observer ceux qui l'entourent. Comme elle ne voit ni Wolfe ni Steel, elle quitte la piste à son tour pour emprunter la même direction que le jeune homme. Elle n'a pas fait un pas dans la partie plus tamisée de la salle de bal, derrière une série de colonnes, qu'elle l'aperçoit un peu plus loin, à mi-chemin dans un escalier discret. Elle a terriblement envie de le suivre, mais hésite, de peur que quelqu'un les voie disparaître ensemble. Elle est censée appartenir à William Steel. Si on la trouve avec un autre homme, un Sac à sang de surcroît, ça risque de créer une confusion qu'elle préfère ne pas avoir à désamorcer ce soir.

Elle se mord la lèvre inférieure en jetant un regard circulaire, puis reporte son attention sur l'escalier et réalise que Denys n'y est plus.

Et puis zut !

Elle marche le plus lentement possible dans cette direction, malgré les fourmillements dans ses jambes qui la poussent à courir.

En haut, quelques BOA discutent calmement et elle leur sourit poliment. Une humaine les escorte. Si Cléo se fie à son port de tête bien droit, à son visage symétrique et à ses formes parfaitement proportionnées, elle doit provenir d'une éprouvette de la Sang et Prestige.

William compte-t-il vraiment arrêter ses activités ? Ou a-t-il cherché à amadouer Cléo dans l'espoir qu'elle renonce à ses plans, quels qu'ils soient ? L'adolescente s'en veut un peu de l'avoir planté au milieu de la piste de danse sans avoir vérifié le fond de ses pensées.

Elle sursaute presque quand elle voit Denys surgir des ombres pour l'entraîner avec lui dans une pièce sombre. La porte claque derrière eux, et le garçon la plaque contre le battant avant de poser sauvagement ses lèvres sur les siennes. Cléo se laisse aller complètement à ce baiser fougueux, fouillant les cheveux du jeune homme de ses doigts, gémissant sous ses caresses suggestives. Il s'arrête finalement, à bout de souffle, et rit tout bas pour qu'on ne l'entende pas de l'autre côté du battant.

— Je suis tellement con quand je m'y mets, se morfond-il. C'est mon tempérament, je crois. J'ai du mal à gérer mes émotions et j'ai souvent tendance à fuir plutôt qu'à leur faire face. On ne m'a jamais appris à affronter mes problèmes, et j'ai souvent cogné pour les régler.

– Je ne te trouve pas si con que ça, ricane Cléo. Un peu stupide, peut-être...

Il essaye de la chatouiller et elle pousse un petit rire incontrôlé.

– Chuuut..., la gronde-t-il gentiment en riant doucement. Allez, viens là, ajoute-t-il en la tirant vers lui.

C'est avec délectation qu'elle pose la partie exposée de son visage contre l'épaule de Denys. Qu'il est bon de le sentir contre elle ! Elle se laisse aller un long moment en tentant d'oublier qu'il est d'abord et avant tout ici pour l'aider dans sa mission.

– Où étais-tu, ces dernières heures ? l'interroge-t-elle. Et où as-tu déniché ce costume ?

– J'ai pas mal flâné. Cléo, cette ville est malade. J'ai vu des BOA sortir des magasins d'alimentation le panier vide, la mine défaite et le cœur gros. Le prix du sang a encore augmenté, c'est presque la pénurie. Du coup, ça gronde et ça s'échauffe. Les humains sont dans la merde, je peux te l'affirmer. Si je n'avais pas été un bon bagarreur, je ne serais certainement pas là pour t'en parler.

– On s'en est pris à toi ?

– Ouais, et pas qu'une fois. Ce n'est pas le désespoir ou la soif qui ont poussé les BOA à m'attaquer, Cléo, c'est la colère...

Un silence inquiet s'installe entre eux.

– Et le costume ? reprend Cléo.

– C'est ta sœur.

– Babette ?

– Ouais. Figure-toi qu'elle a parcouru toute la ville à ma recherche. Si tu savais le savon qu'elle m'a passé !

Il rit de nouveau en plaquant sa bouche contre la tempe dénudée de Cléo.

– Si elle savait ce qu'on s'apprête à faire, elle m'aurait sans doute assommé !

Cléo ne répond pas, trop abasourdie par les révélations de Denys. Babette a vraiment fait cela ? Malgré sa grossesse et sa fatigue ? Cléo a eu si peu de temps pour la connaître ! Après tout ce que Babette a fait pour elle, elle se sent soudainement ingrate, indigne de ses attentions, et peut-être même de son amour.

– Elle va me détester après ce soir...

– Est-ce que tu veux toujours le faire ?

L'adolescente rassemble ses idées et calme le flot d'émotions qui ne demande qu'à déborder.

– Oui.

Elle doit le faire, quel qu'en soit le prix. Tant que Wolfe vivra, Denys, elle et les autres humains de cette ville ne pourront pas vivre en paix.

– Et quel est le plan ? lui demande Denys.

– Je dois trouver le moyen d'emmener Wolfe à l'écart. Il y a une cour intérieure, un peu en retrait de cette aile du bâtiment. Josef pense qu'on y sera tranquilles.

Elle l'entend déglutir.

– Je vais tâcher de vous surveiller de près, déclare-t-il.

– Non, il vaut mieux que tu nous attendes là-bas.

– Pas question...

– Denys, s'il soupçonne quoi que ce soit, c'est foutu. Je t'en prie, fais-moi confiance, je vais y arriver, l'implore-t-elle en encadrant son visage de ses mains.

– Je ne sais même pas où se trouve cette fichue cour, grogne-t-il.

– Tu prends la sortie près du buffet, celle qui se trouve à gauche. Tu longes le couloir sur une bonne vingtaine de mètres avant d'entrer dans un autre pavillon. Tu traverses le corridor qui se trouve face à toi et tu sors par la porte qui se situe pile en face. C'est là.

– T'es bien informée...

– Salie m'a donné les informations que Josef lui a transmises. J'ai tout appris par cœur. Je te l'ai dit, je suis prête.

– Cléo, je suis revenu pour t'aider, pas pour te voir mourir.

– Ça n'arrivera pas, dit-elle pour le rassurer.

Ou pour se persuader elle-même...

OXANA

Oxana a les yeux dans le vague.

Josef est parti depuis une heure, avec deux autres résistants. Ils ne sont plus très nombreux depuis l'attaque du Nid, et elle s'en veut de ne pas les avoir suivis. Josef a insisté plusieurs fois sur le fait qu'il comprenait et qu'il ne l'aurait de toute façon pas laissée les accompagner dans son état de fatigue. Pourtant, elle se sent coupable.

L'appartement de Sara est plongé dans une semi-obscurité. L'infirmière dort sur le canapé, les jambes repliées contre elle, prête à bondir au moindre signal. Tout cela ne la concerne pas vraiment, et Oxana trouve formidable la façon qu'elle a de les soutenir.

Mélissa, quant à elle, scrute son écran d'ordinateur avec concentration, l'éclat bleuté de l'écran illuminant ses traits sévères d'une aura presque surnaturelle. D'après ce qu'Oxana a compris, elle passe toutes les caméras de la ville au peigne fin, dans l'espoir de trouver un indice concernant Kael. Oxana a bien essayé de l'aider, mais Mélissa l'a repoussée au bout de seulement quelques minutes, avec impatience, prétextant que ça la déconcentrait quand quelqu'un regardait l'écran par-dessus son épaule.

Depuis lors, Oxana attend sagement dans l'un des fauteuils, juste en face de Mélissa, elle aussi prête à intervenir. Sa nervosité a peu à peu laissé place à l'épuisement. Comme elle ne veut pas dormir, elle se lève et se rend dans la cuisine. La cafetière est encore pleine, et elle se sert une tasse de café en bâillant. Une ombre s'arrête près d'elle et elle sursaute en poussant un cri de surprise.

– Victor…, soupire-t-elle en léchant les quelques gouttes de café qui se sont échouées sur sa main lorsqu'elle a bondi. Tu m'as fait peur.

– Je vois ça, sourit le garçon. Désolé.

– Non, ça va. Si j'étais pas autant sur les nerfs, je t'aurais sans doute entendu approcher.

Elle désigne sa tasse fumante.

– T'en veux ?

– Tu plaisantes ? C'est dégueulasse, ce truc !

Oxana boit une gorgée et plisse le nez.

– Ouais, t'as raison, mais ç'a le mérite de me maintenir éveillée.

– Pourquoi tu ne dors pas ?

Question somme toute évidente, à laquelle Oxana a du mal à trouver une réponse.

– Parce que je suis têtue comme une mule. Et puis, j'ai peur de faire des cauchemars. Ça m'arrive souvent, ces derniers temps. D'habitude, ton frère est là pour me réconforter…

414

Elle réalise qu'elle est en train de se confier sur un sujet très intime et sent ses joues s'échauffer.

– Enfin, je veux dire...

– T'embête pas, je sais qu'il y a quelque chose entre vous depuis la minute où je vous ai vus ensemble chez nous. Ça crevait les yeux et il y avait que vous deux pour pas le reconnaître.

Oxana sourit tristement. Tout cela lui rappelle qu'elle n'a pas profité de Kael quand elle en avait l'occasion. Et maintenant...

Victor s'adosse au comptoir. De profil, c'est fou comme il ressemble à son grand frère ! Ses cheveux ont poussé, ces derniers mois, et des mèches retombent sur ses yeux. C'est hallucinant.

– J'ai peur, confesse-t-il après un silence.

Il tourne la tête vers Oxana, qui l'encourage à poursuivre d'un hochement de tête.

– Ma mère est toujours dans le coma et, si elle meurt, je n'aurai même pas pu lui dire au revoir. Et puis, maintenant, c'est lui. S'il ne revient pas, Oxana, je vais me retrouver tout seul.

– Non, tu n'es pas seul, lui assure-t-elle en tendant un bras vers lui.

Le garçon se colle contre elle. Que doit-elle faire ? Elle n'a pas l'habitude de jouer les confidentes. Et puis, elle ne peut même pas promettre à Victor qu'elle restera près de lui, puisqu'elle risque de crever très prochainement.

— Tu penses qu'il est où ?

— Si je le savais, j'irais le chercher tout de suite, dit-elle tendrement. Je pense qu'il se trouve au sud de la ville, parce que c'est là que nous étions avant qu'on m'emmène dans le Cellier. Le problème, c'est qu'on ignore où chercher. Je n'ai pas pu voir où se trouve la planque des Chasseurs parce que quand j'y suis arrivée, j'étais inconsciente, et quand j'en suis sortie, on m'a placé un bandeau sur les yeux. Peut-être que Kael aurait pu reconnaître l'endroit, mais, pour moi, tous les quartiers de Liberté se ressemblent.

Elle marque une pause.

— Josef ne te laissera jamais tomber, affirme-t-elle en frottant le dos du garçon de ses mains.

— Et toi ?

— Moi, je... je ferai mon possible.

— Promis ?

Elle se mord l'intérieur de la joue, refusant de lui avouer la vérité sur son état de santé. Pas ce soir, en tout cas, pas dans ces circonstances.

— Je vais essayer, d'accord ? se contente-t-elle de répondre, le cœur brisé.

CLÉO

Cléo redescend dans la grande salle de bal.

Elle se place entre deux colonnes et regarde les gens danser devant elle. Pas évident de reconnaître qui que ce soit avec ces masques et ces loups. Beaucoup ont adopté la mode du demi-masque qui ne recouvre que la partie gauche ou droite du visage.

Au bout d'un moment, elle repère William Steel, près du buffet. Un verre rempli d'un liquide rouge à la main, il discute avec un groupe d'hommes. Son père est-il en train de boire du sang ? Elle tente de réprimer la nausée qui monte en elle.

– Vous cherchez quelqu'un ? demande une voix dans son dos.

Tous les poils de Cléo se hérissent. Elle se retourne, un sourire aux lèvres.

– Monsieur Wolfe...

– Je vous en prie, Céleste, appelez-moi Claudius, susurre le BOA en portant la main gantée de Cléo à ses lèvres. Avez-vous lu le livre que je vous ai prêté ?

– J'ai peur d'avoir manqué de temps.

– Prenez tout le temps qu'il vous faudra, nous pourrons en discuter une autre fois.

Ses yeux trop pâles transpercent ceux de Cléo, et elle a du mal à étouffer la terreur qui remonte dans sa trachée.

– Comment fait William pour délaisser une femme aussi ravissante que vous ? l'interroge-t-il en pointant l'inté-ressé du menton, un peu plus loin.

– Les hommes se lassent vite de leurs acquisitions, explique-t-elle en rabattant une mèche de cheveux imagi-naire derrière son oreille.

– Je ne les comprends pas.

Il se tait et attend. Il attend quoi ?

Le cœur lancé dans une cavalcade presque doulou-reuse, Cléo baisse les yeux en prenant un air farouche.

– Vous semblez être le genre d'homme à apprécier ce qui vous est offert, je me trompe ?

Et voilà, le jeu commence. Première étape : appâter l'ennemi.

– Toujours, répond-il en penchant la tête sur le côté.

Il la désire, ça crève les yeux !

— Mons... Claudius, se rattrape-t-elle en souriant timidement, pensez-vous que j'ai été créée pour servir un homme tel que vous ? Vous représentez tellement pour cette ville.

Deuxième étape : le flatter.

À voir la commissure de ses lèvres s'étirer sensiblement, cette question semble le combler.

Wolfe pose une main sur la taille de Cléo et la force à se décaler légèrement sur le côté, de façon à ce qu'elle disparaisse de la vue de Steel, cachée par la colonne. Il s'approche alors, la dévisage et approche ses lèvres de son oreille.

— J'aimerais goûter votre sang, si vous le permettez...

— Ce serait un honneur.

Il recule, une drôle d'expression sur le visage, puis il lui prend la main et l'entraîne avec lui vers l'escalier qu'elle vient tout juste de descendre. Elle l'arrête en lui offrant son rire le plus adorable.

— Peut-être pourrions-nous aller à l'extérieur, dans un endroit calme et retiré ? Un peu d'air frais me ferait du bien.

La main de Wolfe durcit sa poigne sur celle de Cléo.

— Non, je préfère monter. J'ai réservé une chambre.

L'adolescente fait mine de comprendre et se laisse de nouveau guider jusqu'à l'étage supérieur. Le mince poignard contre sa cuisse lui rappelle incessamment sa mission, lui ordonnant de ne pas se défiler. Si Wolfe tente quoi que ce soit de malsain ou de dangereux, elle pourra au moins se défendre. Et s'il le faut, elle le tuera de ses propres mains.

— J'espère que William ne m'en tiendra pas rigueur, sourit Wolfe en invitant Cléo à entrer dans la pièce dont il vient d'ouvrir la porte.

— Je suis certaine qu'il ne le remarquera même pas, le rassure-t-elle.

— Ça, j'en doute.

Elle pivote vers lui et le jauge du regard pour tenter de comprendre ce qu'il vient de dire. Comme il n'ajoute rien, elle contemple la chambre en se frottant les bras du plat des mains.

— Vous avez froid ?

— Non, ça va, merci.

— Nerveuse, alors ?

— Un peu.

Cette fois, il n'est pas nécessaire de mentir.

Cléo le laisse approcher sans bouger. Elle ne réagit pas quand il lui prend les mains pour les placer derrière son dos, légèrement inquiète à l'idée de ne pas pouvoir s'emparer de son coupe-papier avant qu'il la morde. Parce qu'elle n'a pas l'intention de le laisser aller jusqu'au bout.

— Détendez-vous, souffle Wolfe dans son cou.

La jeune fille tire sur ses mains pour se dégager, mais le BOA les tient fermement entre ses doigts. Quelque chose glisse sur ses poignets. Cléo veut reculer, se dégager de l'étreinte de Wolfe. Il la retient aussitôt contre lui, plus rudement cette fois, tout en manœuvrant elle ne sait quoi à son insu. Quand la première menotte se referme sur son poignet, Cléo sent l'adrénaline se décharger dans ses muscles. Non, pas question qu'il l'attache !

– Arrête de bouger ! grogne Wolfe.

Ce tutoiement subit ne plaît pas du tout à l'adolescente. Le mot danger résonne dans son esprit. Elle doit sortir de là !

Comme elle n'arrive pas à se libérer, elle attrape le lobe de l'oreille du BOA avec ses dents et mord le plus fort possible, si fort que sa bouche se retrouve bientôt remplie de sang.

– Merde ! hurle Wolfe en reculant.

Il la foudroie du regard, sa main recouvrant son oreille meurtrie. Quand il éclate de rire, Cléo a un sursaut. Abasourdie, elle le regarde reculer vers la porte et en tourner la poignée.

– Tu n'es vraiment qu'une petite garce, siffle-t-il en laissant entrer trois BOA dans la pièce.

Ils sont habillés chic. Ce ne sont pas des gardes, mais des invités de Steel !

– Qu'est-ce que ça veut dire ? demande Cléo.

– Tu m'as vraiment pris pour un crétin ? ricane Wolfe.

Il extirpe un mouchoir blanc de la poche de sa veste et le plaque sur son oreille en sang. Les trois autres BOA s'avancent vers la jeune fille, l'obligeant à se replier vers la fenêtre. La menotte toujours suspendue à son poignet droit cogne contre un radiateur quand elle atteint l'extrémité de la pièce.

– Un seul spécimen de la Sang et Prestige a osé me tenir tête, continue Wolfe. C'est exceptionnel, parce que les esclaves de Steel savent parfaitement ce qu'elles risquent si elles désobéissent.

Il secoue la tête avec dépit.

– Tu pensais vraiment que cette nouvelle coiffure et ces verres de contact m'empêcheraient de te reconnaître ?

Cléo est figée de terreur.

– Vous saviez... depuis le début ?

– Je me suis tellement amusé ! Te faire croire que tu me plaisais, te donner l'espoir que tu pouvais m'atteindre. Ce fut un bon divertissement, vraiment. Malheureusement, je ne compte pas te laisser aller plus loin. Je suis un homme d'affaires, Cléo. Cette ville a besoin de moi.

Il plisse le front, feignant de s'interroger.

– Je me demande pourquoi William t'a aidée...

– Il ne l'a pas fait, lui assure Cléo.

– Ça, j'en doute. C'est une question que je réglerai plus tard avec lui. En attendant, j'ai promis « Céleste l'Écorchée » à ces trois messieurs. Tu sais que c'est comme cela qu'on t'appelle, dans le milieu ?

– Allez au diable ! s'écrie Cléo.

– Très bien, mais toi d'abord.

Il éclate de rire, certainement heureux de sa boutade, puis exécute une brève courbette et quitte la chambre en refermant la porte derrière lui.

Quelle conne ! se morigène-t-elle.

Comment a-t-elle pu se faire avoir de la sorte ? Sa mère lui a pourtant appris à déchiffrer le langage corporel des hommes ! Wolfe l'a littéralement bernée, et elle se retrouve dans une situation plus que désespérée.

Comme le premier BOA s'approche, un homme d'une trentaine d'années aux cheveux cendrés, aux traits agréables et au corps sec, Cléo remonte son jupon et tire le couteau de son étui improvisé.

– N'approchez pas ! le menace-t-elle en brandissant l'arme devant elle.

Tout d'abord déstabilisé par ce geste, le BOA s'arrête et sourit.

– Tu penses pouvoir venir à bout de nous trois avec ton truc, là ?

– Peut-être pas, mais je peux faire de sacrés dégâts, crache Cléo, les joues en feu.

– Tu n'es qu'une enfant, lui rappelle avec amusement un deuxième BOA, derrière le premier.

– Une enfant ? Vous avez vu l'état de l'oreille de Wolfe, non ? Et j'ai déjà tué, avec un simple morceau de verre brisé.

– Allez, reprend le premier, on veut juste te goûter, c'est tout.

Cléo jette un coup d'œil vers la porte, derrière les trois BOA. Et dire qu'elle a demandé à Denys de l'attendre dans la cour intérieure !

– Je vais hurler, les avertit-elle.

– Avec la musique qui vient d'en bas, personne ne t'entendra.

Le regard de Cléo passe du BOA devant elle à la porte, à plusieurs reprises. L'homme en profite pour faire un pas en avant et elle presse subitement la pointe de son arme contre sa propre carotide. Plutôt mourir que de les laisser la toucher !

– N'approchez plus, tente-t-elle d'une voix tremblante.

– Tu es stupide ou quoi ? se met à rire le troisième BOA, un petit blond d'un peu plus de vingt ans. On veut ton sang. Même crevée, tu nous seras utile.

Le BOA aux cheveux cendrés soupire d'agacement.

– Bon, assez discuté, j'ai soif !

Quand il se jette sur Cléo, celle-ci fait un pas de côté et pousse un hurlement enragé en plantant son coupe-papier dans l'épaule de son assaillant, avec l'énergie du désespoir. La lame touche l'os. Ne s'étant certainement pas attendu à un coup de cette puissance, le BOA gueule en tentant de saisir Cléo. Mais elle retire vivement l'arme de la chair pour reculer vers le lit, ne lui laissant pas le temps de reprendre ses esprits.

– Attrapez-la ! beugle-t-il à l'intention de ses deux acolytes.

Encouragée par ce premier coup réussi, Cléo grimpe sur le matelas et se met debout. Ses talons s'enfoncent inconfortablement dans la couverture, et elle donne des coups de pied en direction des trois hommes pour leur balancer ses chaussures à la figure. L'une d'elles fait mouche, mais ne blesse certainement pas celui qui l'a reçue sur le nez.

Repérant un chandelier accroché sur sa gauche, elle tire dessus de toutes ses forces et l'arrache du mur avant de l'abattre sur la tempe du BOA qui profitait de ce moment d'inattention pour la rejoindre. Le gars s'écroule sans un mot, assommé. Tout d'abord médusée d'avoir réussi, Cléo défie les deux autres BOA du regard.

– Je ne suis pas une enfant ! répète-t-elle avec agressivité. Vous voulez voir de quoi j'ai l'air, c'est ça ? Vous voulez voir le monstre que je suis devenue ? Regardez !!

Elle arrache le masque de son visage et dévoile ses cicatrices avec fierté, heureuse de voir les yeux des deux BOA s'écarquiller d'incrédulité.

– Vous vous attendiez à quoi ? Vous pensiez peut-être que c'était du faux, que c'était un jeu ? Je me suis jetée de la tour d'un manoir pour sauver ma peau, et je me suis infligée cela toute seule ! Alors arrêtez de croire que je suis fragile, parce que je vais vous montrer que je peux être bien pire que vos plus terrifiants cauchemars !

Ces cris libèrent quelque chose de dangereux dans la tête de Cléo. La retenue dont elle a été prisonnière toute sa vie explose en mille morceaux, et c'est une bête furieuse qui la remplace. Une bête assoiffée de vengeance. Révoltée et déchaînée.

Les deux BOA doivent le sentir, parce qu'ils hésitent soudainement à tenter une nouvelle approche. Cléo les toise de toute sa hauteur, déterminée à réduire leur corps en charpie s'ils essayent de monter encore une fois sur le lit.

– Allez, vas-y, dit le troisième BOA, le plus âgé, à l'intention du plus jeune.

– Pourquoi moi ?

– Parce que tu n'arrêtes pas de te vanter d'être le plus fort. Prouve-le.

Quoi ? Ils ont peur d'elle, vraiment ? C'est tellement incongru que Cléo se met à rire. Son hilarité n'arrange en rien l'hésitation des deux autres.

– Elle est cinglée, souffle le BOA le plus âgé en secouant la tête d'effarement.

– Viens, on se tire, lance le plus jeune en se dirigeant vers la porte.

Ils disparaissent en laissant le battant ouvert. Des grognements se font entendre en bas du lit, et Cléo saute sur le tapis avant de s'accroupir devant le BOA toujours au sol, qui reprend lentement ses esprits.

– T'es pas mort, toi ? l'interroge l'adolescente.

L'homme ouvre difficilement les yeux, voit le coupe-papier dirigé vers lui et se réveille instantanément. Roulant sur le dos, il recule sur les fesses, effrayé, tout en jetant des coups d'œil autour de lui.

– Tes petits copains t'ont abandonné, susurre-t-elle en s'asseyant sur lui pour l'empêcher de reculer davantage.

C'est comme ça que tu imaginais notre rencontre, hein ? C'est comme ça que tu voulais me prendre ?

Transcendée par la haine, Cléo n'arrive plus à raisonner. Tout ce qu'elle voit, c'est un violeur en puissance. Elle lève son couteau au-dessus de sa tête et abat violemment sa main. La lame s'enfonce dans le bras du BOA, qui hurle à la mort. Elle a dû toucher une artère, car le sang se met à gicler en tous sens, arrosant sa robe noire, ainsi que son décolleté en dentelle, son cou et son menton.

– Pitié..., supplie l'homme en la voyant lever de nouveau son bras.

– T'en aurais eu, toi, peut-être ? Je suis une des vôtres, merde ! Mon père est une saloperie de BOA !

Elle lève de nouveau le coupe-papier, décidée à en finir, comme s'il s'agissait de Wolfe sous elle, ou de tous les BOA de cette ville.

– Cléo !

Son geste s'arrête au dernier moment. Elle tourne la tête dans la direction du cri et voit Denys courir vers elle.

– Nous devons partir ! dit-il en empoignant son bras pour la forcer à se lever.

Elle se débat férocement, parce qu'elle veut tuer le porc qui est à sa portée. Il doit payer !

– Qu'est-ce que tu fais là ? Tu devais m'attendre dehors ! rage-t-elle.

– Je ne suis pas du genre à obéir.

– Je dois en finir !

– On n'a pas le temps ! Il va crever de toute façon, regarde son bras !

Il la tire sans ménagement et l'entraîne vers le couloir, l'éloignant ainsi de cette scène sordide.

OXANA

Une porte claque. Oxana ouvre les yeux, sautant de son fauteuil, le cœur battant.

— Ça va, fait Mélissa en levant les yeux au ciel. C'est juste Sam qui est sortie des toilettes.

Oxana soupire, autant de soulagement que d'agacement.

— Je suis un peu tendue, réplique-t-elle d'une voix cinglante en marchant jusqu'à Sam.

Son amie observe la scène en silence, devant la porte des toilettes.

— Désolée de t'avoir réveillée, s'excuse-t-elle, confuse. La porte m'a glissé des mains.

— C'est rien. Il est quelle heure ?

— Onze heures passées.

— Tu ne dors pas ?

— J'ai du mal à trouver le sommeil, dit Sam en haussant les épaules.

– Comment va Kim ?

– Toujours pareil. Elle parle dans ses rêves, et ça m'empêche de dormir.

– Tu devrais dormir dans le fauteuil, lui conseille Oxana. Si tu veux, je peux veiller sur elle le temps que tu te reposes un peu.

– Non, je te remercie. J'ai besoin de sa présence contre moi. C'est con, je sais, mais il y avait quelque chose entre nous avant l'Amarante. Je garde espoir que tout ne soit pas détruit, tu comprends ?

Oxana fait oui de la tête, le cœur gros. Cela fait des mois que Kim est dans cet état. Si ça s'est légèrement amélioré, elle doute que l'immortelle revienne totalement à elle du jour au lendemain.

– Où en sont les recherches ? demande Sam en pointant Mélissa du menton.

– Toujours rien, je commence vraiment à craindre le pire.

Oxana baisse les yeux. C'est ridicule, parce que la pièce est plongée dans l'obscurité, et Sam ne risque pas de voir les larmes qui mouillent son regard.

– Je me sens tellement impuissante, avoue-t-elle.

– Je sais ce que c'est, dit Sam en posant une main sur l'épaule de son amie. Garde espoir, d'accord ? C'est tout ce qu'on a, de toute façon.

CLÉO

Denys et Cléo se frayent un chemin à travers la piste de danse. Ils n'ont pas le choix de passer par là pour atteindre la sortie. Les traces de sang sur le cou et le menton de Cléo ne passent pas inaperçues, et les danseurs leur adressent des regards à la fois étonnés et effrayés. Denys a tenté de les effacer à l'aide d'un coin de sa veste, mais n'a réussi qu'à étaler un peu plus le sang sur la peau de sa partenaire.

Ils ont presque atteint le bout de la piste quand il s'immobilise, le corps tendu. Sa main se crispe, serrant davantage les doigts de Cléo.

– Quoi ?

– Wolfe et trois hommes, près de la porte, là-bas, note-t-il en lui faisant faire demi-tour.

– Non, Denys, il faut qu'il nous voie, parce que...

Ils n'ont pas fait trois pas dans l'autre sens que Cléo se retrouve nez à nez avec son père. Le BOA les fixe avec consternation, visiblement aussi surpris qu'eux.

– Qu'as-tu fait ? demande-t-il, dépité. Wolfe ?

— Il n'est pas mort, si c'est l'objet de votre question, rétorque-t-elle froidement. Mais il a lancé trois violeurs dans l'arène.

William écarquille les yeux.

— Ça va, ils ne m'ont rien fait. On doit se rendre tout de suite dans la cour intérieure du pavillon est... et Wolfe doit nous suivre.

Son père hésite, puis ses yeux se ferment un court instant.

— D'accord, je vous accompagne.

Cléo se retourne et cherche Wolfe des yeux. Une BOA, tout près, pousse un petit cri indigné en apercevant les taches de sang sur son visage.

— Quoi ? Ça vous pose un problème ? l'invective férocement Cléo.

— Mais voyons ! s'offusque la BOA.

Cléo ne s'occupe déjà plus d'elle. Son but est atteint. Wolfe s'est tourné dans leur direction. Leurs yeux se croisent. Elle aime l'incrédulité qui anime un moment le regard de son ennemi, comme s'il avait du mal à croire qu'elle soit là, devant lui... vivante !

Le temps semble s'arrêter, puis c'est le chaos. Wolfe sort une arme de sa poche et tire en l'air. Aussitôt, les convives se mettent à hurler et à courir dans tous les sens.

Cléo les imite, sauf qu'elle sait exactement où elle va. Talonnée par Denys et son père, elle s'engouffre dans le couloir qui mène à l'autre pavillon en s'aidant de sa canne, faisant fi d'une douleur désagréable qui lui pique la hanche. Le jeune homme fait passer le bras libre de Cléo par-dessus le sien pour la soutenir et lui permettre de courir plus vite, tandis que Steel prend la tête.

Il bifurque dans un corridor plus étroit et propulse le plateau garni de petits fours qu'un serveur venu en sens inverse tenait tranquillement à bout de bras. Le BOA les insulte, mais ses injures se perdent déjà loin derrière eux. Cléo n'ose pas regarder en arrière pour voir si leurs assaillants sont toujours à leurs trousses. S'ils se rapprochent suffisamment, ils pourront les atteindre facilement dans ces longs couloirs.

Comme s'il avait perçu les pensées de sa fille, William pousse les portes battantes qui mènent aux cuisines. Un cuistot recule contre son fourneau en poussant un cri effrayé, s'enlevant de leur chemin de justesse alors qu'ils passent en courant tout près de lui. Serveurs et cuisiniers en font autant, leur ouvrant un passage entre les étagères, les éviers et les couteaux de cuisine. Cléo voit Denys s'emparer de l'un d'eux au passage.

Ils sortent des cuisines par un autre chemin et courent encore quelques minutes avant de se retrouver dans un jardin intérieur muni d'une fontaine. Quelques pas devant Cléo, son père s'arrête, le souffle court, une main posée sur sa poitrine.

— On... y est, dit-il.

— Est-ce que ça va ? lui demande Cléo en se plaçant à côté de lui.

— Je ne suis plus tout jeune, hoquette le BOA, plié en deux.

Denys se précipite vers lui au moment où il bascule sur le côté, le visage crispé de douleur. Le poids de William les entraîne tous les deux sur les dalles du jardin. Denys s'accroupit et allonge le BOA plus confortablement.

– Ma... poche... avant..., expire difficilement William.

Cléo fouille dans la poche de la veste de son père, ne trouve rien et recommence avec l'autre. Elle trouve une petite boîte ronde et l'ouvre, les doigts tremblants. À l'intérieur tintent une dizaine de petites pilules blanches.

– Une..., souffle William Steel en plissant les yeux de douleur.

Les doigts gourds, l'adolescente n'arrive pas à s'emparer des minuscules comprimés, et c'est Denys qui procède en lui retirant doucement la boîte des mains. Il fait glisser la pilule entre les lèvres de William et l'aide à se redresser. C'est alors que deux BOA débarquent en courant dans le petit jardin, armes au poing. Wolfe et un autre de ses gardes arrivent quelques secondes plus tard, essoufflés. Cléo pose une main sur le front de son père.

– Quel sprint ! s'exclame Wolfe en posant ses mains sur ses genoux pour reprendre son souffle. Vous avez failli nous semer. Pour une infirme, tu m'impressionnes !

Cléo se lève pour lui faire face, mais aussi pour protéger son père. Sa hanche lui fait un mal de chien, conséquence fâcheuse de sa course improvisée. Comme Denys la rejoint, elle s'appuie contre lui, ignorant le regard inquiet qu'il lui lance. Où sont Josef et les autres résistants ?

– Qu'as-tu fait de mes trois invités ? Ne me dis pas que tu en es venue à bout ?!

Son ton est plus impressionné qu'énervé, comme s'il n'en revenait pas.

– L'un d'eux est certainement mort à l'heure qu'il est, crache Cléo. Quant aux deux autres lâches que vous avez envoyés entre mes griffes, ils se sont sauvés en couinant.

La colère gronde dans son ventre. Sensible aux sons qu'émet son père à ses pieds, elle n'ose toutefois pas le regarder, craignant de quitter Wolfe des yeux.

– Vous allez faire quoi, maintenant ? lance Denys. Nous tuer ?

– En effet, corrobore Wolfe. J'aime bien finir ce que j'ai commencé. Et puis, ça m'apportera une certaine satisfaction. J'ai bien envie d'oublier la dernière loterie. Pour la première fois de ma vie, je me suis trompé. J'ai cru que je serais en mesure de vous plier à ma volonté, mais regardez-vous...

Il tend les bras devant.

– J'ai créé des résistants. Si j'avais prévu une telle chose... Fort heureusement, sur six immortels, j'ai déjà réussi à en éliminer un, et une deuxième suivra prochainement.

Un sourire monstrueux étire ses lèvres. Cléo frissonne. Wolfe braque son regard bleu ciel dans le sien.

– Je ne parle pas de toi, même si tu es la prochaine sur ma liste, précise-t-il.

– Qui, alors ?

– Votre chère petite Oxana. Dans quelques jours, elle vous sautera dessus pour boire jusqu'à la dernière goutte de votre sang.

– Quoi ?

– Cette garce m'en aura fait baver, elle mérite une mort lente et douloureuse, ajoute le BOA. Une mort semblable à celle de son cher frère...

– Enflure ! crache Denys, les poings serrés.

La sonnerie d'un téléphone se fait entendre. Wolfe saisit son appareil, appuie sur une touche et le porte à son oreille. Il écoute attentivement, un sourire se formant peu à peu sur ses lèvres.

– Bien, dit-il avant de raccrocher. J'aime que les choses se passent comme je les ai planifiées, ajoute-t-il à l'intention de Denys et Cléo. Au début, je pensais que les Charognards qui peuplaient les sous-sols de Liberté seraient suffisamment nombreux pour semer la panique chez les humains. Mais je me suis trompé, il en restait trop peu.

– C'était vous ? croasse Denys.

– Il a suffi de les déranger, de les obliger à sortir, explique le BOA. Une fois dehors, et malgré la peur que leur inspirait le nombre d'humains à la surface, ils n'avaient d'autre choix que d'attaquer pour survivre. Mais comme je l'ai dit, ils n'étaient assurément pas assez nombreux.

– Ils ont tué des innocents ! s'écrie Cléo.

– C'était le but !

– Mais pourquoi ?

Wolfe soupire de façon théâtrale.

– J'en ai assez des Sacs à sang. Franchement, ils se pavanent devant nous et ne servent strictement à rien, sinon à se révolter de temps à autre pour nous rappeler leurs droits. Je veux en finir une bonne fois pour toutes, passer à autre chose.

– Vous voulez éliminer tous les humains de la ville ?

Cléo n'en revient pas. C'est pire que tout ce que la résistance a imaginé !

– Un Cellier entier de Charognards est en train de franchir le tunnel désaffecté qui conduit directement à la ville, dit le BOA.

Les jambes de l'adolescente deviennent molles. Elle se ressaisit pour ne pas tomber à genoux de désespoir. Non, il n'a pas pu faire cela ? Un Cellier entier...

– C'est pourtant évident, maintenant que j'y pense, ajoute Denys en secouant la tête avec nervosité. Grâce à l'immortalité des humains de vos deux autres Celliers, vous n'aurez plus besoin de ceux de Liberté.

– Tu es perspicace, reconnaît Wolfe.

– C'est cruel, rétorque le jeune homme. Vous pourriez très bien procéder sans exterminer les humains de la ville. Après tout, vous parlez de droits, mais de ce que j'ai vu, les Sacs à sang n'en ont quasiment pas, et ils le savent. Ils plieront forcément l'échine devant les Celliers d'immortels.

– Tu oublies qu'ils ont la possibilité de me vendre leur premier-né en échange d'une belle somme d'argent, réplique Wolfe. Tu penses qu'ils vont cracher sur ce revenu aussi facilement ?

– C'est un prétexte, intervient Cléo. Vous aurez plus de sang avec les immortels, et donc plus de revenus, vous pourriez participer à l'amélioration des conditions de vie des humains de Liberté tout en continuant d'accroître vos propres gains. Certains investissements pourraient même être rentables !

Wolfe la dévisage avec fascination.

– Tu es intelligente.

– Où est le problème, alors ?

– Le problème, c'est que je veux voir les humains de Liberté disparaître totalement !

– Pourquoi ? s'emporte Cléo.

– Parce qu'ils ne servent à rien !! hurle le BOA.

Il renifle nerveusement, secoue la tête avec agacement et replace le col de son manteau à l'aide de sa main libre. Dans l'autre, le pistolet tremble légèrement, comme si Cléo et Denys avaient mis le doigt sur quelque chose qui le dérange.

– De toute façon, c'est trop tard. Impossible d'arrêter une horde aussi importante de Charognards. Finissons-en, vous voulez bien...

– Wolfe ! Lâche ton arme !

L'adolescente sursaute avant de sourire de soulagement. Des ombres longent les murs du petit jardin intérieur, l'encerclant lentement. Les gardes du corps de Wolfe visent les nouveaux arrivants de leurs flingues, même s'ils doivent bien voir qu'ils n'ont pas l'avantage numérique.

Son regard planté dans celui de Cléo, Wolfe donne l'impression de combattre une tempête intérieure. Les yeux révulsés de colère, il lève son arme vers l'adolescente quand une balle le touche au poignet, l'obligeant à la lâcher.

Le BOA laisse son bras retomber le long de son flanc. Le sang se met bientôt à couler sur le sol. Le sang de Wolfe...

Autour d'eux, sept ombres approchent, fusils en joue.

Cléo lève les mains dans leur direction.

– Ne tirez pas ! crie-t-elle. Ce n'est pas à nous d'en finir avec lui, ajoute-t-elle dans un souffle.

Wolfe éclate de rire.

– De toute façon, vous êtes déjà morts, ricane-t-il en la dévisageant cruellement.

OXANA

Oxana fixe l'écran d'ordinateur en dissimulant un bâillement derrière sa paume.

Elle a proposé à Mélissa de la remplacer le temps qu'elle se repose et, pour une fois, la résistante n'a pas refusé. Recroquevillée dans le fauteuil en face d'Oxana, elle dort tellement profondément qu'un léger ronflement fait trembler ses lèvres.

L'index d'Oxana appuie machinalement sur la touche du clavier que lui a indiquée Mélissa. Ça permet de passer d'un écran à l'autre, chacun montrant un coin différent de la ville. L'immortelle trouve incroyable que quelqu'un puisse parvenir à pirater ainsi le réseau informatique de Liberté. Elle se sent un peu ignare devant tant de connaissances.

Dommage qu'il n'y ait que trois caméras pour tout le quartier sud, contre dix-sept pour les secteurs les plus riches. Selon Mélissa, c'est parce que ce réseau sert dans un premier temps à protéger les BOA les mieux nantis, ceux qui payent plus de taxes. En cas d'attaque ou d'acte de vandalisme, les policiers peuvent intervenir plus rapidement.

En tout cas, Oxana a beau faire défiler les écrans et détailler chacune des personnes légèrement pixellisées qu'elle voit, aucune trace de Kael. Elle redoute de le manquer et, à force de fixer l'écran de la sorte, ses yeux pleurent de fatigue.

– Oxana...

Elle se retourne net.

– Kim ? dit-elle sans y croire.

L'immortelle est debout à deux mètres d'elle, les bras ballants, ses longs cheveux noirs et lisses courant jusqu'à ses hanches, lui donnant un air inquiétant.

– Tu ne dors pas ? s'étonne Oxana.

– Je ne fais que ça, répond simplement Kim.

– Est-ce que... je ne sais pas, tu veux un thé, ou quelque chose ?

Kim prononce quelques mots, mais c'est surtout le hochement de tête approbateur qui incite Oxana à se lever. Elle tend un bras vers Kim pour l'inviter à la suivre, non sans ressentir un profond malaise. Est-ce que l'adolescente va se mettre à hurler soudainement, comme elle l'a fait à maintes reprises avec Sam ? Peut-être qu'Oxana devrait réveiller Sara, toujours endormie sur le canapé... Ce serait peut-être la décision la plus sage, mais elle ne se résout pas à le faire. Si ça se trouve, Kim est malade à cause de son immortalité, tout comme elle. Elle n'est pas responsable de son état, et Oxana ne doit pas la rejeter uniquement parce qu'elle a peur de ne pas savoir comment réagir en cas de crise.

Une fois dans la cuisine, Kim la regarde préparer le thé en silence. Son visage est amaigri, ses yeux, éteints. On dirait que la vie a déjà déserté son corps, accentuant l'aspect

441

fantomatique qu'elle dégage. Cependant, Oxana la trouve incroyablement belle. Avec son teint de porcelaine, ses yeux sombres et ses lèvres charnues, il ne lui manque plus que sa verve d'avant la loterie pour faire chavirer de nouveau les cœurs. En tout cas, elle fait battre celui de Sam.

– Est-ce que tu veux du sucre ?

Kim fait non de la tête.

– Je ne suis pas complètement folle, tu sais, dit-elle quelques secondes plus tard.

Cette remarque fait monter le rouge aux joues d'Oxana, parce qu'elle se sent coupable de l'avoir pensé. Heureusement que seule la lampe au-dessus de l'évier est allumée, dissimulant son visage dans les ombres.

– Nous le savons tous, Kim, la rassure-t-elle d'une voix douce.

– Je sais que je pète souvent les plombs, et j'ignore pourquoi. Je ne me souviens même pas de l'avoir fait quand je redeviens lucide. Mais parfois, je suis là, comme maintenant...

Oxana ignorait cette information. Elle s'en veut de ne pas avoir passé plus de temps avec elle, au Nid. Peut-être qu'elle aurait dû lui rendre visite plus souvent au lieu de s'enfermer dans son placard... Non, elle ne doit pas penser une telle chose. Après tout, elle ne pouvait pas être sur tous les fronts à la fois, sans compter qu'elle se sentait tout aussi paumée que les autres.

Lorsqu'elle estime que le thé est assez infusé dans la théière, elle le verse dans deux tasses et en tend une à Kim.

L'adolescente la remercie et respire l'odeur de menthe et de thé vert qui s'en dégage délicieusement.

– Ça me rappelle le Nid, lui confie-t-elle. Sam m'en faisait souvent, là-bas.

Elle marque une pause, les yeux perdus dans le vague.

– Tu sais, je crois que c'est pour elle que c'est le plus difficile, ajoute-t-elle.

– C'est difficile pour tout le monde, la corrige Oxana en souriant tristement.

– Oui, je sais, mais pour elle, c'est très particulier. Tu te souviens de la femme, dans la cage attribuée à Sam, avant la loterie, quand Wolfe voulait nous donner une leçon ?

Oxana acquiesce de la tête en baissant les yeux. Ce qu'elle se rappelle, ce sont les sept corps sans vie pendus à des crochets dans les sous-sols du Cellier. Cette femme en était assurément, mais elle garde ça pour elle.

– Elles étaient amoureuses, explique Kim sans attendre la réponse d'Oxana. Enfin, c'était avant, quand Sam était un peu plus jeune, parce qu'après cela, elles se sont séparées. Mais quand même, la voir dans cette cage, ça l'a anéantie. Je crois que ce qui l'a fait tenir, c'était moi...

Elle émet un petit rire nerveux.

– Elle a craqué dès qu'elle m'a vue, qu'elle m'a dit. Ç'a été plus long en ce qui me concerne, parce que je ne savais même pas que je pouvais tomber amoureuse, tu vois ? En tout cas, Sam, ça lui a donné de l'espoir. Elle est passée à travers tout le reste simplement parce qu'elle m'aimait, et moi, il m'a fallu du temps pour réaliser que je partageais ses sentiments. Il était trop tard. J'étais déjà cinglée.

Le récit de Kim touche Oxana en plein cœur, et elle pose sa tasse sur le comptoir pour prendre son amie dans ses bras.

– Tu n'es pas cinglée, compris ? La preuve, tu me parles, là.

– C'est pourtant le cas, je ne dois pas me voiler la face. J'aimerais tant qu'elle cesse de m'aimer, qu'elle trouve quelqu'un d'autre. Quelqu'un qui la rendra heureuse...

– Tu as tort. L'amour, ça ne s'efface pas en claquant des doigts, objecte doucement Oxana. C'est pas parce qu'on décide d'oublier quelqu'un qu'on y arrive. C'est plus compliqué que ça, et je pense qu'on doit essayer de vivre ce qu'on a tant qu'on l'a, même si c'est de la merde et que ça ne semble mener nulle part.

– Je crois que je lui ai déjà dit que je l'aimais, une fois, mais c'est vague. Penses-tu que je devrais le lui dire encore, mais plus sérieusement ? l'interroge Kim en la regardant dans les yeux.

– Je ne sais pas si je suis en mesure de prendre la responsabilité de ta décision, lui avoue Oxana, mais toi, qu'est-ce que t'en penses ?

Kim a un léger haussement d'épaules.

– Je ne veux pas m'éloigner d'elle...

– Écoute ton cœur. Sam saura gérer le reste, c'est une grande fille.

Kim dévisage longuement Oxana avant de hocher la tête.

– Kim ?

L'adolescente se retourne pour faire face à Sam, debout dans l'entrée de la cuisine.

– Tu aurais dû me réveiller, la gronde tendrement l'immortelle, un soupçon d'inquiétude dans la voix.

– Tu dormais bien, et puis ça va, Oxana m'a fait du thé.

Elle exhibe sa tasse. Sam sourit.

– Merci, lance-t-elle à Oxana.

Celle-ci lui fait signe que ce n'est rien, avant de se détourner pour laver la théière dans l'évier. En faisant cela, elle veut surtout donner un peu d'intimité aux deux filles, même si la cuisine est plutôt exiguë.

– Tu as besoin d'autre chose ? demande Sam dans un murmure.

– Je... J'aimerais te parler, chuchote Kim.

Un silence suit cette demande. Sam doit attendre que Kim poursuive sur sa lancée.

– Pas ici, dit-elle. On peut retourner dans la chambre, tu crois ?

Oxana tourne la tête dans leur direction, juste avant qu'elles sortent. Sam lui jette un regard interrogateur, et un peu anxieux, et son amie lui répond d'un sourire. Elle espère que les confidences de Kim mèneront à une belle histoire... et qu'elles ne seront pas perturbées par une nouvelle crise de démence.

Une main secoue l'épaule d'Oxana. L'adolescente se réveille brusquement. La tête enfouie dans ses bras posés sur le petit bureau, elle se redresse d'un bond.

– Je me suis endormie sans m'en rendre compte ! se justifie-t-elle en braquant ses yeux clairs dans ceux, sombres et implacables, de Mélissa.

La résistante la jauge de haut avant de sourire.

– T'inquiète, c'est de la connerie, cette surveillance, de toute façon.

– Quoi ?

– Autant chercher une goutte de sang dans les artères gonflées d'un BOA rassasié, si tu veux mon avis, renifle Mélissa. On ne trouvera jamais Kael en restant le cul assis sur nos chaises.

Oxana se frotte les yeux. Il fait toujours nuit, donc elle n'a pas dormi bien longtemps.

La voix de Sara lui parvient faiblement de la cuisine. On dirait qu'elle parle au téléphone, mais son ton est trop bas pour qu'Oxana comprenne quoi que ce soit.

– Des nouvelles de Cléo et Denys ? demande-t-elle en comprenant que personne n'est encore rentré de la mission de sauvetage.

Mélissa secoue la tête.

– Non, mais je crois que c'est Josef au téléphone.

Le cœur d'Oxana commence à battre plus vite. Elle n'ose pas s'approcher de la cuisine, craignant d'apprendre une mauvaise nouvelle.

N'y tenant plus, elle finit tout de même par y aller. Quand elle y entre, Sara lui fait un signe de tête pour la sommer de rester là. L'adolescente essaye de déchiffrer l'expression du visage de la BOA, mais elle n'arrive pas à deviner si les nouvelles de Josef sont bonnes ou mauvaises.

– D'accord, répond Sara, je le lui dis. Oui, on part dès que possible, je mettrai le GPS. Très bien. À tantôt.

Elle raccroche.

– Des nouvelles ? s'enquiert Oxana avec impatience.

– Oui. Une bonne... et une mauvaise.

– Commençons par la bonne.

– Ils ont eu Wolfe.

– Ils l'ont tué ?! s'exclame Oxana.

– Non, ils te l'apportent.

Quoi ?! Sonnée par cette information, Oxana met quelques secondes à recouvrer l'usage de la parole.

– Ici ?

– Non, dans un hangar désaffecté, près du fleuve. Personne ne doit voir Wolfe entrer dans l'immeuble, surtout pas comme prisonnier.

Une fois l'annonce digérée, Oxana plisse le front.

— Et la mauvaise nouvelle ?

— Josef m'a dit que tu avais vu des Charognards dans la forêt.

— Oui, les Sacs à sang de tout un Cellier.

— Eh bien, ils arrivent en ville.

Mélissa a promis d'aviser Kim et Sam du départ d'Oxana dès leur réveil. La résistante n'a même pas insisté pour les accompagner, prétextant qu'elle devait garder un œil sur ces foutues caméras de surveillance. L'annonce de l'arrivée imminente des Charognards l'a rendue plus nerveuse que jamais. Oxana la soupçonne d'avoir le béguin pour Kael, ou de beaucoup s'inquiéter pour lui, à tout le moins. Elle-même n'aurait-elle pas dû rester dans l'appartement au cas où le BOA réapparaîtrait ? Non, Mélissa a raison, ça ne sert à rien d'attendre bêtement. Et puis, elle a l'impression de perdre tout espoir en restant enfermée de la sorte. Son cerveau tourne à plein régime, mettant en scène les pires scénarios concernant Kael. Ce n'est pas sain.

Au volant de sa voiture, Sara conduit nerveusement, donnant des petits coups de volant réguliers vers la droite ou vers la gauche. Et rapidement, aussi ! Oxana a l'impression qu'elles ne sortiront pas vivantes du centre-ville malgré l'heure tardive et le peu de véhicules qui y circulent. Qu'est-ce que ça doit être quand elle conduit en pleine heure de pointe !

Maintenant qu'elles roulent sur une artère qui longe le fleuve, Oxana se sent à la fois soulagée et préoccupée. Quand la voiture s'arrête devant un hangar abandonné, à l'extrémité est de la ville, elle en descend lentement. Même si elle a toujours été présente dans son cœur, la colère se remet à enfler un peu partout en elle. Ses membres tremblent d'excitation et d'appréhension. Wolfe est là, tout près. Vulnérable.

Elle entre dans le bâtiment à la suite de Sara. Comment réagirait Alex s'il était là, avec elle ? Il l'inviterait à se calmer, à prendre tout cela avec un grain de sel. Il lui dirait d'un ton léger que Wolfe n'est qu'un BOA, après tout, qu'il a agi par instinct. Il réussirait à trouver des circonstances atténuantes à ce salopard. Mais Alex n'est pas là. Wolfe l'a tué, et en faisant cela, il a aussi soufflé sur la dernière étincelle de pitié qui vacillait dans la conscience d'Oxana.

Josef et Cléo, en pleine discussion près de l'entrée, se retournent de concert pour accueillir les deux nouvelles venues.

– Oxana ! crie Cléo en se jetant dans ses bras.

Elles s'étreignent tendrement, et Oxana réalise que son amie lui a manqué bien plus qu'elle ne l'avait soupçonné.

– Tu as réussi, la félicite-t-elle.

– Oui, et presque sans casse, explique Cléo.

– Presque ?

– Steel... il est parti à l'hôpital après avoir eu une crise cardiaque.

Devant le regard inquisiteur d'Oxana, elle poursuit :

– Il va bien, c'est juste par précaution.

Oxana a tellement de questions...

Elle doit les garder pour plus tard, car le temps presse. Les Charognards approchent et, même si les résistants ont prévenu les autorités de la ville, l'adolescente doute qu'elles soient en mesure de tous les retenir.

Le temps, toujours... Oxana en a si peu. Même si Wolfe meurt cette nuit, elle est toujours gravement malade. Pour le moment, rien n'indique que le virus a gagné son combat contre l'organisme d'Oxana, mais elle redoute de voir apparaître les premières taches sur sa peau.

— Ça ne va pas ? s'inquiète Cléo. Tu as l'air épuisée.

— Ce n'est rien, élude Oxana en laissant son regard glisser vers Josef.

D'un bref signe de tête, il lui indique qu'il n'a rien dit à personne, que son sort est encore un secret. Très bien, inutile d'alourdir la somme des soucis de ses amis.

— Wolfe ? demande-t-elle simplement.

— À côté, avec Denys et deux résistants, l'informe Cléo.

— Vous avez laissé Denys avec cette crapule ? s'étonne Oxana. J'espère qu'il m'en a laissé un peu.

— Ç'a été difficile de le convaincre, admet Cléo, mais il s'est retenu... pour toi.

Oxana dévisage Cléo, Josef et Sara avec émotion. Ils savent ce que la présence de Wolfe ici représente pour elle et ils respectent ça, bien que l'issue, inéluctable, ne soit pas forcément réjouissante.

L'adolescente commence à avoir le trac. Elle traverse la première pièce du hangar à la suite de Cléo, un point dans l'estomac, appréhendant de revoir celui qu'elle hait autant qu'elle le redoute.

Quand la porte s'ouvre en grinçant, Oxana découvre une salle petite, sans fenêtre. Les deux résistants sont adossés au mur du fond. Denys, lui, est assis sur une chaise au centre de la pièce, juste en face de Wolfe.

Le BOA n'est pas beau à voir. Son nez est de travers, du sang séché forme une croûte sur ses lèvres et son menton. Une entaille peu profonde suinte encore sur son front, et l'une de ses joues a gonflé sous la puissance d'un impact. Oxana se retient au cadre de la porte. Ce spectacle lui rappelle Kael, la dernière fois qu'elle l'a vu. Sauf que Kael ne méritait pas cela !

Denys se lève et tend un bras vers Oxana pour l'inviter à s'approcher. Comme elle se montre hésitante, Cléo lui prend la main et l'accompagne.

À chaque pas qu'elle fait, Oxana voit une image. Le chien infecté qui mord Alex. La cervelle de Brice qui explose. La gamine, dans le Cellier, qui regarde le monde autour d'elle avec une haine beaucoup trop virulente pour son âge, une main posée sur sa joue en feu. Les Sacs à sang du Cellier transformés en Charognards... Tous ceux qui ont souffert à cause de lui.

Elle pousse un cri de rage et frappe Wolfe en plein visage, du revers de la main. La tête du BOA vacille. Malgré tout, elle ne ressent aucune satisfaction. Pas tant qu'il respirera.

Wolfe se redresse et éclate de rire, ce qui la déstabilise.

– Ne t'en fais pas, il fait ça souvent, l'avise Denys en levant les yeux au ciel. J'ai bien essayé de le convaincre d'arrêter de ricaner, mais c'est plus fort que lui.

Le garçon montre son poing fermé.

– Merci de me l'avoir gardé, dit Oxana.

Denys hausse les épaules.

Elle se tord nerveusement les mains. Elle bouillonne. Comme elle compte faire parler Wolfe avant de le tuer, elle prend le temps de se calmer un peu en respirant lentement.

– Où est Kael ? demande-t-elle.

Wolfe la toise longtemps et avec suffisance, bien décidé à la faire languir. À bout de patience, elle le frappe une nouvelle fois, mais avec le pied, pile dans le tibia. Le BOA grimace de douleur en fermant les yeux, puis les rouvre en souriant.

– Vous me reprochez d'avoir agi avec violence, mais vous n'êtes pas mieux, ricane Wolfe. Tes copains ont tué mes gardes du corps, tu le sais, ça ?

– Je m'en fous, rétorque abruptement Oxana. Où est Kael ?

– Cette ville est sur le point de se transformer en brasier et, toi, tu ne penses qu'à ton petit copain ? Belle leçon de solidarité.

Oxana serre les poings.

– Où est-il ? insiste-t-elle, les lèvres pincées.

– Quelque part, répond-il en levant les yeux. Qu'est-ce que j'en sais ?

– Le nid de Chasseurs dans lequel on se trouvait, c'était l'un des vôtres. Vous avez donné des ordres.

– Comment peux-tu en être aussi sûre ?

– Vous vouliez m'atteindre, par tous les moyens possibles. Alex ne vous a pas suffi. Quand vous avez appris que Kael se trouvait entre les mains de vos sbires, vous avez dû jubiler... Je vous ai menti lors de la loterie, pour le protéger, et vous aviez promis de me le faire payer. Maintenant, répondez ! Qu'avez-vous fait de lui ?

Tout en parlant, Oxana s'est approchée de son ennemi, jusqu'à poser ses mains sur les cuisses de Wolfe pour braquer ses yeux furieux dans les siens. Il doit lire toute la haine qui l'habite. Il doit comprendre qu'elle ira jusqu'au bout pour retrouver Kael.

– Depuis quand il n'a pas bu, ton petit ami ?

– Pourquoi vous me demandez ça ? siffle Oxana.

– Est-ce que tu sais qu'un BOA qui ne reçoit aucune dose de sang pendant plus de quarante-huit heures commence à s'affaiblir ?

Bien sûr qu'elle le sait !

– Où voulez-vous en venir ?

– Cette sensation de faiblesse est suivie d'une soif intense, continue Wolfe en se léchant les lèvres. La plupart des BOA cèdent à ce manque. Ceux qui ont un peu de liquidités peuvent se procurer du sang sur le marché noir pour beaucoup moins cher que dans le commerce régulier. En passant, j'ai vite compris qu'il fallait que je sois sur ce coup-là aussi pour éviter que le marché ne se disperse trop, et ça m'a plutôt bien réussi.

Il sourit. Le sang séché sous son nez craque légèrement. Oxana en a assez de l'écouter, mais elle comprend qu'il tourne autour du pot pour éviter d'avoir à lui fournir des informations importantes. La patience est de mise, même si chaque seconde qui passe semble l'éloigner un peu plus de Kael.

– Quand les BOA en manque n'ont plus d'argent, reprend Wolfe, ils arpentent les rues à la recherche de sang frais, en sachant toutefois qu'ils ne doivent pas tuer, que c'est mal. Ils mendient, ils échangent quelque faveur contre une gorgée du précieux élixir, ils volent, aussi.

– Ils tuent, pourtant, sur le marché noir, rétorque froidement Cléo dans le dos d'Oxana.

– Ça, c'est parce qu'ils ne sont pas formés. Si le sang se vend en bouteille, ce n'est pas pour rien, nom d'un chien ! s'énerve soudainement Wolfe. Ils pensent pouvoir croquer un humain sans même savoir maîtriser leur soif et leurs instincts. Je ne peux pas vérifier les qualifications de chaque BOA qui se rend sur le marché noir, tout de même ! Je leur offre une alternative au circuit commercial traditionnel, ils n'ont qu'à s'informer avant d'y aller.

Oxana a envie de vomir. Qui paye vraiment, dans tout cela, si ce n'est ces humains malheureux qui se retrouvent forcés de donner leur sang pour quelques billets, dont la moitié au moins ira, au bout du compte, dans les caisses de Wolfe ?

– Bref, continue ce dernier en insistant sur le mot, comme si cet aparté était venu perturber son récit. En règle générale, les BOA ne tuent pas. Je parle du BOA moyen, bien sûr, pas de celui, riche à s'en faire exploser les poches, qui achète un cadavre en sursis juste pour le plaisir de le vider de son sang. Ça, c'est un marché que je n'exploite pas, ajoute-t-il en dévisageant Cléo. Moi, je vends du sang, pas des poupées. Malgré tout, ce sera moi, le monstre, cette nuit.

Il secoue la tête avec agacement. Oxana aimerait lui rappeler qu'il organise une loterie chaque année, mais elle s'en abstient. Inutile de le lancer sur le sujet.

– Et Kael ? réitère-t-elle avec impatience.

– Oui, j'y viens, dit-il. Les BOA, normalement, ne sont pas programmés pour tuer. Ils ont une morale, vous voyez ? Sauf une certaine catégorie d'entre nous. Les pires.

Les Chasseurs..., pense aussitôt Oxana.

– Tu sais de quoi je parle, n'est-ce pas ? lui demande Wolfe.

Elle n'a pas besoin de répondre, l'expression sévère sur son visage est suffisamment éloquente.

– Kael est un Chasseur, annonce-t-il finalement, je le sais depuis un bon moment. Depuis le jour où son père l'a amené à la Brigade, à vrai dire. Il était jeune, mais déjà si prometteur. Dommage qu'il se soit assagi. En fait, je suis tout de même impressionné, car je ne pensais pas qu'un Chasseur pouvait apprendre à maîtriser si bien ses pulsions. Le problème, avec les Chasseurs, c'est que la soif les rend dingues. Contrairement aux autres BOA, la morale s'efface au profit de l'instinct. C'est une anomalie génétique, ou une merveille de la nature, selon l'opinion que l'on s'en fait. Cela dit, je crois que mes hommes ont pris un malin plaisir à assoiffer ton cher et tendre, ma petite Oxana. À l'heure qu'il est, ils doivent être sur le point de le lâcher dans la ville. Tu imagines les dégâts qu'il s'apprête à faire...

L'œil de Wolfe brille d'un éclat terrifiant. Il veut briser Oxana, qu'il ne reste plus la moindre parcelle d'espoir en elle. Que ce soit des griffes acérées du virus ou des conséquences terribles de ses tumeurs, Oxana finira par mourir d'une façon ou d'une autre, et il le sait.

Tout ce qui gravite autour d'elle semble se briser inéluctablement, tout cela à cause de la haine que Wolfe ressent pour elle.

– C'est vrai, tu m'as menti le soir de la loterie, lui accorde-t-il. Tu m'as dit que tu ne connaissais pas le nom de celui qui avait tenté de vous libérer, ton frère et toi. J'ai le bras long, mais tu l'ignorais à l'époque. Tu n'en es pas moins responsable de ce qui arrive à Kael...

– Assez ! explose Oxana en lui sautant dessus.

Ils tombent tous les deux à la renverse. L'adolescente se met à lui assener des coups de poing en plein visage, les joues baignées de larmes. Enragée, elle se débat quand on la soulève pour l'éloigner, continuant de tenter de frapper Wolfe avec ses pieds alors qu'il n'est même plus à sa portée. Elle se dégage de l'étreinte de Denys et Josef en plaçant une main à plat devant elle.

– Un couteau ! hurle-t-elle.

– Oxana, veux-tu vraiment ?... commence Josef.

– Je sais ce que j'ai à faire, tranche-t-elle d'un ton qui ne souffre aucune contradiction.

Denys place un couteau sur la paume de l'adolescente, et celle-ci en contemple la lame sans dire un mot.

– Et vous qui pensiez devoir vous cacher de moi, rigole Wolfe malgré les ecchymoses qui se forment déjà sur son visage. Je savais où vous vous cachiez, Alex et toi, jusqu'à ce qu'ils vous emmènent dans leur précieux repaire de résistants. Là, je vous ai malheureusement perdus...

Son hilarité agace Oxana. En se mordillant les lèvres, elle regarde Denys et Josef replacer la chaise sur laquelle est assis Wolfe.

– C'est trop facile, dit-elle. Je ne veux pas le tuer.

Décontenancés, ses amis la regardent avec un air interrogateur.

– Josef, est-ce qu'une personne contaminée peut en contaminer une autre ?

L'expression de Wolfe change légèrement. Un pli barre soudainement son front. Il ne s'attendait pas à cela. À la mort, peut-être, mais pas à ça.

– Oui, répond le médecin. S'il y a contact du sang contaminé avec le sang sain, les chances de contamination sont d'environ quatre-vingt-quinze pour cent.

Oxana s'approche lentement de Wolfe, faisant signe aux autres qu'elle ne pétera pas les plombs cette fois, qu'ils doivent la laisser faire. Une fois à sa hauteur, elle demande, le plus calmement du monde :

— Vous avez sacrifié les humains d'un Cellier et vous vous apprêtez à exterminer ceux de cette ville. Comment pouvez-vous faire une telle chose ? Que s'est-il passé pour que vous en arriviez là ?

C'est la première fois que Wolfe la regarde avec autant de sérieux depuis qu'elle est entrée dans la pièce.

— Tu veux comprendre, n'est-ce pas ? Ça t'aiderait à expliquer la mort de ton frère, à lui trouver une raison. Si je suis psychologiquement instable, ton petit monde tiendra debout, parce que tu te diras que c'était normal que j'agisse de la sorte, mais que le reste de l'humanité vaut toujours la peine qu'on lui fasse confiance. Malheureusement pour toi, je suis ce qu'il y a de plus normal. Enfance heureuse. Parents aimants. Scolarité exemplaire. Mais, par-dessus tout, je possède une intelligence bien au-dessus de la moyenne. Je suis le meilleur, je l'ai toujours été.

Il ricane.

— Ce que je fais, c'est pour cette ville, pour la rendre meilleure. Regarde, je suis prêt à me sacrifier pour cette juste cause. Ne suis-je pas à plaindre, finalement ?

— Vous êtes dingue, siffle l'adolescente.

— Oui, sans doute. Mais ne le sommes-nous pas tous ? Notre présent ne vient-il pas d'une humanité désœuvrée et affolée ? D'un passé aussi sombre que l'âme d'un Chasseur ? Vous autres, les Sacs à sang, rêvez de ce que vous appelez le « Vaste Monde » en pensant que la vie y était meilleure. Je possède toute une collection de livres qui confirment que l'être humain a toujours été un prédateur pour lui-même. Les choses n'ont pas changé. La chasse fait partie de notre nature profonde.

— Pourquoi vouloir éradiquer tous les humains de Liberté, dans ce cas ?

— Parce qu'ils sont d'un ennui..., dit Wolfe en levant au ciel des yeux exaspérés. Jamais satisfaits, toujours à la limite de la révolte. Ils sont une épine dans le pied de cette ville. Sans eux, nous pourrons gouverner à notre aise. Toutefois, nous en garderons quelques-uns, pour le plaisir...

Il tente de se caler plus confortablement sur sa chaise, et il grimace sous l'effet de la douleur.

— Dans ce monde, Oxana, il vaut mieux être le prédateur que la proie, et c'est ce que j'ai été toute ma vie. Qu'elle s'arrête aujourd'hui n'est pas un problème, car elle a été longue et faste. J'ai œuvré pour le bien de mon espèce, pour lui offrir un avenir flamboyant, et j'ai réussi ! s'exclame-t-il en écarquillant les yeux. L'immortalité apportera à mon peuple la prospérité qu'il mérite. Nous ne chasserons plus pour survivre, mais pour nous amuser. Une nouvelle ère commence, et c'est grâce à moi. J'en suis le créateur.

— Il se prend pour un dieu, grommelle Cléo à l'intention d'Oxana. Il est temps de lui montrer qu'il n'est qu'un être constitué de sang et de chair, une créature tout aussi vulnérable que les autres.

Oxana hoche la tête.

Elle prend quelques secondes pour contempler cet homme narcissique qui lui a fait tant de mal, tout cela pour satisfaire son *ego* insatiable. Elle le déteste tellement. Que deviendra cette haine lorsqu'il aura disparu ? En quoi se transformera-t-elle ?

Prise d'une soudaine impulsion, elle s'avance de quelques pas et s'arrête juste devant lui. Puis elle se met à genoux. Elle doit guérir son âme avant de libérer l'humanité de cet homme infâme. Elle veut le faire pour elle, mais aussi pour Alex, pour Kael et pour tous ceux qu'elle veut aimer dans l'avenir, si toutefois elle en a un. Elle ne veut pas devenir une boule de ressentiment ni vivre dans les abîmes de l'amertume. Vivre, mais pas survivre. Et, pour cela, elle doit faire quelque chose qu'elle n'aurait jamais soupçonné.

– Je vous pardonne, lance-t-elle d'une voix faible.

Tout d'abord étonné, Wolfe éclate de rire.

Oxana tourne la tête vers Cléo, qui ne semble pas comprendre son geste. À voir leur expression confuse, c'est également le cas de tous ceux présents dans la pièce. Oxana elle-même ne se comprend plus. Mais elle sent le besoin de se libérer. Elle tourne de nouveau la tête vers celui qu'elle considère comme son ennemi depuis des mois.

– J'ai pitié de vous, prononce-t-elle un peu plus fort, parce que vous avez passé votre vie à détester ceux qui ne vous ressemblent pas. C'est triste. Vous allez mourir seul et dans de grandes souffrances. Oui, Claudius Wolfe, j'ai pitié de vous, et je vous pardonne. Ainsi, je me pardonne aussi de ne pas avoir été à la hauteur pour protéger ceux que j'aime. Ça devait se passer ainsi, c'est tout. Je ne veux pas ressasser le passé, mais me concentrer sur l'avenir.

Elle se relève, penche le buste et plante son regard dans celui du BOA.

– L'avenir, Wolfe, je vais vous le décrire. Nous allons protéger Liberté et ses habitants. Nous allons lutter contre les Charognards que vous nous avez envoyés, et nous allons réussir. Sans vous pour dicter sa conduite à l'Administration, cette ville va se transformer. Nous mettrons un terme à la tyrannie du sang et nous trouverons de nouvelles solutions. Sans vous pour contrôler le marché, nous serons libres d'avancer. Liberté redeviendra ce pour quoi elle a été fondée, et son nom retrouvera sa splendeur passée. Vous aurez fait tout cela pour rien, et c'est aussi pour cela que j'ai pitié de vous.

Elle se redresse.

— C'est terminé, crache Wolfe en tirant sur les liens qui lui entourent les poignets. Il est trop tard, vous ne pourrez pas détruire mon œuvre. Les BOA de cette ville survivront aux Sacs à sang, puis ils transformeront les deux Celliers restants pour développer le processus d'immortalité que j'ai mis en place. Tu gaspilles ta salive. Tu es stupide ! Un stupide Sac à sang !

— J'en ai assez entendu, conclut Oxana en relevant la manche de sa veste pour dévoiler totalement sa main. Faites saigner sa paume, s'il vous plaît.

Le calme qui l'habite à cet instant la désarçonne un peu. Quand elle imaginait la mort de Wolfe, c'était toujours atroce et violent. Ce fantasme l'a aidée à tenir debout, à ne pas perdre totalement la raison. Pourtant, maintenant, ça lui semble confus, comme les réminiscences d'un lointain cauchemar. La petite furie a grandi. Son frère serait-il fier d'elle ?

Sur cette pensée, elle voit Josef passer derrière Wolfe pour l'immobiliser. Le BOA doit réaliser que la fin est proche, car il s'agite de plus en plus, et Denys doit lui maintenir les avant-bras pour les plaquer contre ses cuisses.

— Vous ne ferez pas ça ! brame-t-il, les veines sous la peau de son visage se gonflant atrocement sous l'effet de l'émotion. Ce n'est pas dans votre nature de tuer les gens ! Vous êtes des résistants, pas des assassins !

Personne ne lui répond. Ce qui se passe dans cet entrepôt restera à jamais gravé dans leur mémoire collective, mais ils feront face, ils avanceront.

Cléo extirpe un petit couteau de sous sa robe. Elle prend la main de Wolfe et l'oblige à ouvrir les doigts. Le BOA se met à beugler de plus en plus fort, ses propos devenus incohérents rebondissant sur leur implacable détermination.

Quand la lame du couteau tranche la main de Wolfe, Oxana porte la sienne à sa propre paume. Les cicatrices de ses autres scarifications sont toujours présentes sur son poignet. Celle-ci sera la dernière. Puis l'adolescente tend la main vers celle du BOA, comme pour le saluer.

— Va au diable ! hurle ce dernier, la bave lui coulant sur le menton.

Oxana s'empare de la main de son ennemi, mêlant son sang au sien, scellant ainsi son destin. Des sanglots désespérés s'échappent de la gorge du BOA, des larmes lui maculent bientôt les joues. Triste tableau qui rend l'adolescente perplexe. Le voir pleurer et supplier creuse un énième trou dans son cœur. La dureté de la scène n'a d'égale que la cruauté de Wolfe, pourtant, Oxana se sent mal. Quand elle retire sa main, elle contemple le sang sur sa paume. Rien ne différencie celui de Wolfe du sien. Le rouge est identique. Il dessine des motifs abstraits sur sa peau.

— Oxana...

Elle fait battre ses cils pour revenir à la réalité. Sara lui tapote le dos, solidaire, puis elle lui prend le bras et la guide vers l'autre pièce. Avant de sortir, Oxana se tourne vers Wolfe. Il l'observe à travers ses larmes. Sa bouche est déformée par la haine. L'adolescente détourne aussitôt la tête, consciente qu'elle aurait mieux fait de s'abstenir, parce que ce visage s'ajoutera à tous les autres qui hantent ses cauchemars.

KAEL

La soif le tenaille.

Kael titube et frappe quelque chose. Un bras. Les cris autour de lui font écho à sa terreur. Quelque chose se passe dans la ville, et il a l'impression d'être aveugle. Son odorat, par contre, est aiguisé comme jamais. Il capte chaque fragrance qui l'entoure, de n'importe quel fluide corporel, ce qui lui donne la nausée.

D'une main, il tâtonne la façade d'un bâtiment et trouve un renfoncement dans lequel il se laisse tomber. Son estomac se contracte et une bile amère lui brûle la poitrine avant de franchir le seuil de ses lèvres. Il vomit ainsi à plusieurs reprises, alors que son corps n'a rien avalé depuis de nombreuses heures. C'est l'un des effets du manque. S'il ne fait rien, il perdra connaissance et mourra lentement. Sauf si...

– Non !

Un seul humain, et tu survis.

Ses narines se dilatent. Elles captent des odeurs de plus en plus appétissantes. Celles d'une femme, début quarantaine, transie de peur, immobile quelque part près de lui. Des tirs retentissent un peu plus loin. La femme disparaît. Kael grogne de frustration.

S'il reste assis là, il passera à côté de toutes les occasions.

Non, il doit lutter. Plutôt mourir que de devenir la chose que son père a toujours voulu qu'il soit. Un Chasseur. Un meurtrier.

Un hurlement déchire le voile dont Kael essaie de s'envelopper. Il ouvre les yeux. Si sa vision est toujours brouillée, ses yeux distinguent les silhouettes floues qui courent dans tous les sens devant lui. C'est un capharnaüm, il n'y comprend rien. Ceux qui le retenaient l'ont jeté sans même lui adresser un mot, sans lui dire où il se trouvait. Ils l'ont laissé là, seul et perdu, plus dangereux que jamais.

Ce qu'il aimerait sentir, là, c'est son odeur à elle. Enivrante, appétissante, mais aussi réconfortante.

Arrête ! hurle-t-il intérieurement.

Kael se recroqueville sur lui-même en gémissant. Si Oxana était près de lui, il ne résisterait pas au désir de boire son sang. Son odeur est trop forte, trop alléchante. Il ferme les yeux pour tenter d'effacer son souvenir. Car chaque parcelle de son corps lui dicte de partir en chasse pour la retrouver. Et il ne veut pas la faire souffrir, pas une fois de plus.

Une bagarre éclate non loin. Des cris fusent en tous sens et de nouveaux tirs, tout près, sont échangés.

Le BOA plisse le nez et renifle. Cette puanteur, d'où vient-elle ?

Ça n'a rien à voir avec l'odeur de la poudre contenue dans les armes, ni avec celle de la sueur que dégagent tous ces corps affolés. C'est pire.

Kael se redresse légèrement, en alerte.

Cette odeur, c'est celle de la mort.

OXANA

Ils ont dégoté une cage. Selon Josef, elle devait être destinée à certains animaux, comme des chèvres ou des moutons. Assis à l'intérieur, Wolfe fixe le vide en silence, donnant l'impression d'avoir capitulé.

Dans l'encadrement de la porte, Oxana se tourne vers l'extérieur. L'air est frais, mais pas glacial. Le printemps s'annonce comme une promesse de renouveau. Mais quel renouveau ? Malgré ses propos, l'adolescente craint le pire. Elle ignore si la ville viendra à bout des Charognards. Et s'ils tuaient tous les Sacs à sang ? Et si les membres de l'Administration décidaient de perpétuer l'héritage de Wolfe malgré sa disparition ?

Elle prend une grande inspiration et suit les autres vers les voitures. Derrière elle, Josef et deux autres résistants ferment la porte du hangar avec une chaîne et un cadenas. Wolfe va pourrir derrière les murs de cet entrepôt désaffecté, dans cette cage, jusqu'à ce que la soif le tue.

Pour une fois, Oxana se trouve du côté des gagnants. Pourtant, un vide a remplacé la haine dans son cœur. La joue collée à la vitre arrière du véhicule, elle écoute le silence de ses compagnons. Denys et Cléo sont assis à côté d'elle. Ils ne s'enlacent pas, ne fêtent pas leur victoire. Parce qu'il n'y a pas de victoire à fêter. Tout est parti de travers.

Derrière le volant, Sara est concentrée sur la route. Près d'elle, Josef consulte son téléphone, dans l'espoir, peut-être, qu'on lui envoie des nouvelles de Kael. Lui aussi est inquiet. Ils le sont tous.

– Merde...

La voiture ralentit. Oxana se redresse. Un rapide coup d'œil vers l'arrière lui indique que le véhicule conduit par les deux autres résistants les suit toujours.

Il ne lui faut pas longtemps pour comprendre ce qui se passe. Une horde de Charognards marche en sens inverse, dans leur direction, à environ cinq cents mètres de là.

– Il doit y en avoir quarante, au moins, les informe Josef, les yeux arrondis de stupeur.

– Il n'y a pas d'autre route ? lui demande Denys.

Oxana examine les environs. Ils longent toujours le fleuve. Un mur de deux mètres de haut borde la chaussée sur toute sa longueur.

– Il faut faire marche arrière, dit Cléo.

– Impossible de rejoindre le centre-ville par un autre chemin, objecte Sara. Derrière, c'est un cul-de-sac. Cette route est inutilisée depuis trop longtemps et elle est impraticable une fois l'ancienne zone industrielle dépassée. Nous serons bloqués de toute façon.

– Tu proposes quoi ? dit Josef.

– On tente une percée. Il y a une intersection un peu plus loin sur la droite et une voie qui conduit directement au centre-ville. Je pourrai y arriver avant ces monstres.

Une boule se forme dans la gorge d'Oxana lorsque le mot « monstre » atteint sa conscience.

— Tu en es certaine ? l'interroge Josef. Si on les frappe, pas sûr que la voiture résistera.

Sara ne répond pas. À la place, elle passe la première vitesse et fait crisser les pneus. Derrière, l'autre véhicule l'imite. Il faut espérer que les deux résistants à l'intérieur ont compris la manœuvre ! Oxana s'accroche au siège. Les Charognards en face approchent maintenant à une vitesse vertigineuse, courant même vers la voiture. Peuvent-ils vraiment sentir les humains à cette distance ?

– Accrochez-vous ! crie Sara avant de donner un coup de volant.

Cléo se retrouve sur les genoux d'Oxana, qui frappe elle-même l'intérieur de la portière, le souffle coupé par le poids de son amie. La voiture frôle les premiers Charognards. Leurs visages affamés hurlent en direction de la fenêtre d'Oxana, dont les muscles se contractent d'effroi. L'adolescente a l'impression que la voiture va basculer sur le côté sous l'effet de la force centrifuge. Elle n'ose pas imaginer ce qui arriverait si ça venait à se produire, et si les Charognards parvenaient à entrer dans le véhicule accidenté.

Mais la voiture tient bon. Elle se stabilise et s'engouffre dans la ruelle indiquée plus tôt par Sara. Oxana en embrasserait presque la carrosserie de soulagement ! Au lieu de cela, elle repousse doucement Cléo qui se tient la poitrine d'une main, visiblement au bord de la crise cardiaque, et se contorsionne pour regarder si les autres résistants s'en sont également sortis. Denys imite son geste, et ils voient la voiture des deux résistants frapper les premiers Charognards de la meute. Un instant, Oxana est persuadée que le véhicule ne tiendra pas le coup, car les roues se mettent à zigzaguer dangereusement. Mais la bagnole est bien plus solide que celle de Sara, plus large aussi, ce qui lui permet de se redresser *in extremis*. Elle frôle l'angle de béton du bâtiment qui court le long de la ruelle, perd un rétroviseur au passage et se stabilise enfin. Le conducteur met les gaz alors que deux Charognards se sont accrochés au coffre. Les créatures ne tiennent pas longtemps, dégringolant sur l'asphalte avant de faire un impressionnant roulé-boulé.

– Bordel ! s'écrie Denys en poussant un long soupir de soulagement.

– C'était juste, note Cléo.

– Et ce n'est pas gagné, leur rappelle Josef. On ne s'enfuit pas. On fonce tout droit vers les problèmes...

VICTOR

Les mains de Victor se collent à la vitre.

— Bon sang, s'inquiète Sam, à côté de lui.

Elle regarde en bas, dans la rue, et ce qu'elle voit semble la chambouler autant que lui.

— Sara nous a prévenus, leur rappelle Mélissa. Josef lui avait dit qu'une attaque de Charognards était imminente. Pourtant, j'ai du mal à croire ce que je vois.

Victor ne dit rien. Il est d'accord avec Mélissa, le spectacle à l'extérieur est aussi ahurissant que sinistre. Une vingtaine de Charognards poursuivent des humains, qui hurlent à se briser les cordes vocales, sans que personne semble en mesure de leur venir en aide.

Victor recule légèrement pour s'éloigner de la fenêtre, de cette vision traumatisante. Le monde est en train de s'écrouler.

Il regarde les trois filles qui lui tournent le dos. Concentrées sur le spectacle macabre qui se joue quatre étages plus bas, elles ne le voient pas s'emparer du pistolet dans la poche du manteau de Mélissa, puis se diriger d'un pas lent vers la porte d'entrée. Elles ne l'entendent même pas sortir.

Une fois sur le palier, il prend quelques secondes pour mesurer les conséquences de ce qu'il s'apprête à faire. Est-il prêt à se jeter ainsi dans la mêlée ?

C'est un BOA, alors les Charognards devraient le laisser tranquille. En tout cas, il l'espère, parce qu'il n'a jamais été confronté à une telle situation auparavant. Et c'est pour cela qu'il hésite, parce qu'il n'est pas totalement sûr. Mais les humains, en bas, ont besoin d'aide. Victor ne peut pas faire comme les autres. Il ne peut pas regarder sans rien faire. Kael l'a longtemps mis à l'écart pour le protéger, mais c'est fini. Il se sent prêt.

Dévalant l'escalier, il se retrouve rapidement devant la porte du rez-de-chaussée, qu'il tire lentement. Il pose un pied sur le trottoir, immédiatement oppressé par les cris qui résonnent dans la rue, et se fige lorsqu'un Charognard s'arrête devant lui. C'est une femme. Du moins, c'était une femme. Elle porte encore son chandail rouge et ses jeans, et c'est grâce à sa longue queue de cheval blonde que Victor a deviné son sexe. Les yeux vitreux de la créature le toisent, puis se détournent. Elle a compris que son sang à lui ne lui convenait pas, et se remet en route, en quête d'un réseau de veines comestible.

Victor recommence à respirer. Il n'avait jamais vu de Charognards de toute sa vie, et ils sont effroyables.

Suivant le mouvement, il accompagne les créatures sur une centaine de mètres. À l'angle d'un pâté de maisons, il voit deux Charognards se jeter sur un homme muni d'une canne. Ce dernier tente de les repousser en abattant sa matraque improvisée sur leur crâne, mais il ne les tiendra pas à distance bien longtemps.

Victor court dans sa direction. Lorsqu'il juge qu'il est suffisamment proche, il s'arrête, vise, et abat le premier Charognard d'une seule balle dans la tête. Ne prenant pas le temps de se réjouir, il tue la seconde créature de la même façon. Les leçons de Kael ont été salutaires.

– Merci, prononce l'homme d'une voix tremblante.

Victor jette un œil à la ronde. Les coups de feu ont attiré l'attention des autres Charognards, qui courent déjà dans leur direction.

– Entrez ! hurle-t-il en désignant la porte de l'immeuble qui se trouve derrière l'homme.

L'humain réagit aussitôt. Il ouvre le battant et s'engouffre dans le bâtiment à la vitesse de l'éclair. Victor est fasciné de voir les Charognards s'agglutiner contre la porte ; ils ne se souviennent pas de la façon de l'ouvrir. Ça donne au moins un peu de temps au rescapé pour se mettre à l'abri dans un appartement.

Alors que Victor est là à les regarder, l'un des Charognards se tourne dans sa direction et se met à grogner. Il ne l'attaque pas, mais démontre une agressivité évidente à l'endroit du jeune BOA, allant même jusqu'à balancer le bras dans sa direction, comme s'il voulait l'inciter à foutre le camp.

Perturbé, Victor fait demi-tour et se remet à courir.

Plus il s'éloigne du centre-ville et plus c'est le chaos. Les humains se sont fait surprendre au petit matin, et des cadavres jonchent déjà les trottoirs. Le garçon ne sait plus où donner de la tête. Il y a trop de monde, partout. C'est étourdissant. Il aimerait protéger tous les humains qu'il croise, mais il ignore combien il lui reste de balles.

Il finit par libérer une adolescente d'un Charognard qui lui avait agrippé les cheveux. La créature tombe en arrière, un trou dans le front. Paniquée, la jeune humaine ne semble même pas comprendre ce qui vient de lui arriver. Se relevant d'un bond, elle file à toute allure dans une ruelle sombre et disparaît. Près de là, la vitrine d'un magasin explose en mille morceaux. Victor, atterré, voit une bande de jeunes BOA passer par-dessus les débris de verre pour pénétrer dans une boutique d'alimentation encore fermée à cette heure matinale. Ils en ressortent quelques secondes plus tard, les bras chargés de bouteilles de sang.

Plus loin, une voiture entre en collision avec une moto, dont le conducteur est violemment projeté dans les airs. Quand il retombe sur la route, trois Charognards se jettent sur lui.

Les doigts de Victor se mettent à trembler autour de la crosse de son pistolet. Il ne peut pas tous leur venir en aide. Malgré les cris, les appels à l'aide et les supplications, il ne sait plus quoi faire. Qui doit-il sauver ? Qui doit-il laisser mourir ?

Contre toute attente, deux BOA sortent d'un immeuble, armés de barres de fer. Ils se mettent à frapper les Charognards au hasard, sans réaliser que la porte du bâtiment qu'ils viennent de quitter ne se referme que très lentement, si lentement qu'un Charognard la repousse facilement, s'apprêtant à entrer. Victor court jusqu'à lui, lui tire une balle dans le crâne et repousse son cadavre pour refermer correctement la porte de l'immeuble.

Quelque chose le percute alors, le propulsant contre le mur de brique. Sa lèvre éclate sous le choc. Il se retourne vivement. Un Charognard lui fait face. Sa bouche grande ouverte dévoile des dents sales et noircies. L'haleine qui s'en dégage donne l'impression qu'un rat a crevé dans sa gorge et menace de faire vomir Victor. La créature lève une main et l'abat sauvagement sur l'épaule du garçon, qui pousse un cri terrifié en se recroquevillant sur lui-même.

La décharge électrique provoquée par le coup se répand dans tout le bras du jeune BOA, qui en lâche son arme. Le Charognard grogne, ses yeux quasiment vides braqués sur Victor. Il ne veut pas son sang, c'est une évidence. Dans ce cas, s'il l'a attaqué, c'est parce qu'il était énervé. Parce que le garçon a tué l'un de ses camarades ? Vraiment ? Les Charognards sont-ils capables de penser de façon stratégique ? S'ils craignent la surface lorsqu'ils sont minoritaires, c'est peut-être parce qu'il leur reste une part d'instinct, comme des animaux. Des animaux de meute qui se protègent les uns les autres ?

On ne leur apprend pas à comprendre la psychologie des Charognards à l'école, voilà pourtant une matière qui aurait servi à quelque chose !

Immobile, Victor baisse les yeux pour éviter ceux, froids et sordides, du Charognard devant lui. Au bout de quelques secondes, la créature s'éloigne, le laissant tranquille.

Le garçon essuie sa bouche en sang, se baisse lentement et récupère son arme. Au passage, il vérifie qu'aucun autre Charognard ne s'apprête à lui foutre la trouille de sa vie.

Il remonte finalement la rue et bifurque sur une autre artère, elle aussi sens dessus dessous. Il marche ainsi pendant au moins trente minutes, au hasard des rues, dépité de voir que les Charognards ont investi une bonne partie du sud de la ville. Les humains sont moins nombreux. Sans doute ont-ils compris qu'il valait mieux demeurer à l'abri dans les bâtiments. Mais combien de temps faudra-t-il pour que les monstres à leurs trousses comprennent qu'ils peuvent ouvrir les portes ? Et qu'attendent les autorités pour intervenir ? Pourquoi aucun policier n'est-il visible ? C'est comme si Liberté acceptait son sort, et celui des humains qui peuplent cette ville. Comme si elle les avait complètement abandonnés... ou qu'elle voulait les voir mourir.

Un cri terrifiant fait sursauter le garçon.

À une vingtaine de mètres devant lui, une femme est coincée sous un porche, devant la porte d'un immeuble ancien. Les mains sur la tête, l'air terrifié, elle contemple un BOA qui se bat avec deux Charognards juste devant elle. L'homme tue l'une des créatures en lui dévissant violemment la tête, et repousse l'autre d'un coup de pied rageur avant qu'elle ne le morde.

Victor court aussitôt pour lui venir en aide. Le BOA, de dos, ne le voit pas arriver. Debout près de la femme, il attend que la chose s'approche, les poings serrés. Une fois à portée de tir, Victor s'arrête et vise. Le Charognard s'élance sur le BOA au moment où Victor appuie sur la détente. La balle ricoche sur la façade de l'immeuble. Le temps de viser de nouveau, le BOA a défoncé le crâne de la créature à coups de poing et la regarde s'effondrer à ses pieds. Il se tourne alors vers l'humaine. Celle-ci, ébranlée, lui sourit néanmoins en guise de remerciement. Comme le BOA s'approche d'elle, elle fronce les sourcils, tente de reculer encore mais se heurte au mur derrière elle.

– Qu'est-ce que vous faites ? crie Victor.

Le BOA tourne enfin la tête vers lui.

Le garçon recule d'un pas, sous le choc. C'est Kael ! Il ne l'avait pas reconnu de dos, avec toute cette terre et cette poussière sur ses vêtements. Ses cheveux sales lui tombent devant les yeux. Son visage est inhumain, son regard, marqué d'une lueur bestiale.

— Kael ? lance Victor.

Son frère reporte son attention sur la femme qu'il maintient d'une main. Il ne voulait pas la protéger. Il voulait anéantir les deux Charognards parce qu'ils convoitaient la même proie que lui !

Kael tire sur le bras de l'humaine pour l'attirer vers lui. Victor lève son arme dans sa direction.

— Arrête ! Kael, je vais tirer, c'est pas une blague !

La femme profite de l'hésitation du Chasseur pour tenter de se dégager, mais il tient bon, la tête légèrement penchée en avant, comme plongé dans une profonde réflexion.

— Je vais t'aider à trouver du sang, d'accord ? propose Victor.

Il grogne de rage en sentant une larme glisser sur sa joue. Voir son frère dans cet état est insupportable. Pourtant, il a toujours su que Kael était un Chasseur, parce que leur père s'en vantait ouvertement. Pour lui, c'était une grande source de fierté, mais, pour Kael, c'était un fardeau terrible. Et voilà qu'après tous ses efforts pour faire taire ses instincts, sa véritable nature ressurgit brutalement.

— Tu es capable de passer par-dessus ça, tente son petit frère en approchant un peu plus, le canon de l'arme toujours pointé vers Kael. Tu l'as déjà fait. Concentre-toi sur ma voix. Kael, laisse-la partir. On va trouver un moyen...

Kael empoigne soudainement le visage de la femme, qui se met à crier autant de peur que de douleur.

– Kael ! Ne m'oblige pas à tirer, je t'en supplie !

Le BOA ferme les yeux, pose sa bouche sous l'oreille de l'humaine. Victor ne tire toujours pas. Terrifié, il attend d'être sûr. Il a un léger sursaut quand il voit la tête de Kael reculer.

– Pars, grogne le BOA en lâchant enfin la femme.

Celle-ci détale sans demander son reste. Elle pivote sur elle-même, cherche avec panique la poignée de la porte et s'engouffre finalement sous le porche avant de refermer le battant au nez de Kael.

Soulagé, Victor rejoint son grand frère, dont la respiration sifflante et les veines en relief sur son cou et son visage font de nouveau monter l'inquiétude en lui.

– Viens, dit-il, on va trouver du sang.

OXANA

— Quoi ?! s'écrie Josef en se prenant le crâne à deux mains. Mais comment avez-vous pu le laisser filer ?

Sam se ratatine sur elle-même tandis que Mélissa relève le menton.

— C'est à lui qu'il faudra passer un savon, pas à nous. C'est lui qui a filé en douce, nous ne l'avons pas jeté dehors.

Assise sur le canapé, Kim observe la scène d'un œil détaché, et Oxana se demande si elle est tout à fait là. Quand elle pense que Victor est dehors, dans ce chaos brutal où la ville est mise à feu et à sang, elle sent ses jambes fourmiller d'impatience et d'appréhension.

— Il faut le retrouver, lance-t-elle en parcourant l'appartement de long en large.

— Qu'est-ce que tu cherches ? l'interroge Josef, toujours sur les nerfs.

— Une arme.

— Oxana, tu sais très bien que c'est dangereux pour les humains, dehors...

— Ce n'était pas une proposition, rétorque l'adolescente. Je sors, point. De toute façon, mon sang est imbuvable désormais. Les Charognards ne me feront pas de mal, ajoute-t-elle tout bas.

Elle s'arrête et regarde le médecin droit dans les yeux.

— Soit vous me donnez une arme, soit j'y vais sans rien. À vous de choisir.

— Je t'accompagne, annonce Mélissa.

— Moi aussi, ajoute Sam avec un peu moins d'enthousiasme que la résistante.

Denys lève l'index pour signifier qu'il compte participer, lui aussi, et Cléo lui prend la main.

— On a été formés pour ça, ajoute l'un des résistants en se plaçant à côté d'Oxana.

C'est un grand gars tout maigre, avec des cheveux longs, noirs, attachés en queue de cheval sur sa nuque. Ce n'est que maintenant que l'adolescente prend le temps de vraiment le regarder. Dans le hangar, elle n'en avait que pour Wolfe. L'autre résistant a demandé à prendre la voiture pour rejoindre sa famille, ce qu'a bien évidemment autorisé Josef.

Josef les observe en silence, pesant le pour et le contre.

— C'est le point culminant de tout le travail que tu as accompli ces dernières années, lui rappelle doucement Sara. Je sais que tu as peur pour tes soldats, mais tu dois leur faire confiance, et surtout, tu ne dois pas les obliger à assister en spectateurs à la destruction de cette ville.

Leurs regards se croisent. Josef soupire.

– Très bien, dit-il. Que tout le monde s'équipe avec ce qu'il trouve. Pas question de sortir les mains vides.

Cléo est assise à côté de Kim, sur le canapé. Elle veillera sur elle, s'assurera de fermer la porte de l'appartement à double tour durant leur absence. Elle échange avec Denys un baiser désespéré, comme si elle craignait qu'il ne revienne pas... ou qu'il ne revienne pas humain.

Avant de partir, Oxana passe rapidement aux toilettes. Prise d'une démangeaison sur l'un de ses avant-bras, elle soulève sa veste et dévoile une parcelle de peau boursouflée et rougie. La brutalité de cette révélation l'oblige à s'asseoir sur la cuvette. Elle avait beau savoir que son sang risquait fort d'être contaminé, elle gardait un peu espoir. De l'espoir, il n'y en a plus, maintenant. Le temps est devenu son pire ennemi.

Alors pas question de s'apitoyer sur son sort !

Oxana se relève, passe ses mains sous l'eau et s'asperge le visage. Elle prend soin de replacer la manche de sa veste pour que les autres ne voient pas les marques sur son bras, et rejoint le groupe devant la porte d'entrée.

Deux équipes ont été formées. L'objectif est de retrouver Victor, même si les résistants ont l'autorisation de venir en aide aux humains si ça s'avère nécessaire.

– Économisez vos munitions, commande Josef. Une grande partie de notre stock d'armes a explosé lors de l'attaque du Nid. Ce que vous avez, c'est tout ce qu'il nous reste, à l'exception de l'arme que gardera Cléo avec elle.

Tous approuvent en silence. L'impatience affecte leur attitude, la nervosité gagne rapidement le groupe.

– Nous supposons que Victor cherche à retrouver son frère, continue le résistant. Rien ne nous indique cependant s'il est allé au nord ou au sud de la ville.

– Au sud, affirme Oxana.

Comme tous l'interrogent du regard, elle explique que c'est ce qu'elle avait supposé devant Victor la dernière fois qu'ils se sont parlé.

– Bien, approuve Josef, ça resserre légèrement les recherches. Je ne veux pas que vous vous dispersiez ni que vous vous isoliez. On reste groupés pour pouvoir combattre plus facilement les Charognards, suis-je clair ?

Nouveaux hochements de tête. Même si ce laïus est nécessaire, Oxana aimerait qu'il arrête de parler pour passer à l'action. Chaque seconde perdue pourrait coûter cher à Victor. Si les Charognards ne sont pas attirés par son sang, ils peuvent quand même s'en prendre à lui, comme ce fut le cas du BOA à l'Amarante, tué brutalement parce qu'il s'était placé devant une fille pour la protéger.

– Si vous n'avez pas de questions, on y va !

Denys, Oxana et Sam saluent une dernière fois Cléo et Kim, puis sortent de l'appartement. Une tête dépasse de la porte du troisième étage lorsque les résistants passent devant, bientôt accompagnée d'une tête plus petite. L'homme et l'enfant observent le régiment avec consternation. Josef s'arrête devant eux.

– Restez chez vous, leur conseille-t-il.

— Il se passe quoi, dehors ? l'interroge le père.

— Difficile à dire. Pour le moment, demeurez à l'abri et verrouillez votre porte.

L'homme acquiesce et entraîne son fils avec lui à l'intérieur de l'appartement.

Une fois en bas, un bref regard à l'extérieur indique aux résistants que la voie est libre.

— Mélissa, Kim et Oxana, avec moi. Denys et Sara, avec Noah. Rappelez-vous, pas de folies. On retrouve Victor et on prévient l'autre groupe quand c'est fait. On se retrouve ici dans deux heures, quoi qu'il arrive. Noah, tu prends la tête de l'opération.

Mélissa semble ravaler son mécontentement. Oxana, elle, se fout de qui commande.

— Bon, on y va ? lance-t-elle avant de pousser la porte.

VICTOR

Kael a du mal à suivre le rythme.

Victor le soutient du mieux qu'il le peut, mais son frère chancelle continuellement, de plus en plus faible. Il lui faut du sang, et vite ! Malheureusement, les pillages vont bon train, et les magasins qu'ils ont explorés ont été vidés de leurs stocks.

Victor est plus inquiet que jamais. Il se sent impuissant. Au moins, ils remontent lentement vers l'appartement de Sara. Il ne sait pas si c'est une bonne idée d'emmener Kael dans ce nid de Sacs à sang, mais il ne sait pas quoi faire d'autre.

– Courage, on y est presque, l'encourage-t-il.

Ils doivent se plaquer contre un mur pour laisser passer une horde d'au moins une centaine de Charognards. Certains ont la bouche couverte de sang.

C'est alors qu'un premier tir retentit, en bas de la rue. Un autre lui répond, et d'autres en retour. Victor réalise qu'on tire sur les Charognards de la horde. Il étire le cou et aperçoit des humains armés, en contrebas. Son frère et lui pourraient se prendre une balle perdue, même s'ils ne se trouvent pas directement dans la trajectoire des tirs.

Il conduit Kael le long du mur pour gagner une porte cochère, réalise qu'elle doit être déverrouillée à l'aide d'un code et continue d'avancer. Devant eux, les Charognards enragés sont paniqués à cause des coups de feu. Victor et Kael doivent régulièrement se plaquer contre le mur pour éviter leurs carcasses affolées. Contre Victor, Kael commence à délirer. Il frappe dans le vide, grogne et marmonne, ce qui ne facilite pas la tâche de son petit frère qui doit le tirer pour le forcer à le suivre.

Des cris abominables déchirent bientôt les fenêtres d'un immeuble, et Victor comprend que des Charognards ont réussi à y entrer. L'horreur s'empare du garçon. À l'intérieur, ça doit être le carnage.

À force de ramper contre le mur, il finit par poser la main sur une nouvelle poignée ronde. Cette fois, la porte s'ouvre. Victor pousse Kael dans l'entrée délabrée et referme le lourd battant avant qu'un Charognard ne voie la brèche ainsi créée.

Le Chasseur s'effondre sur le carrelage de l'entrée. Victor l'aide à s'asseoir contre l'un des murs. Puis il contemple l'escalier qui monte vers les étages. Il doit bien y avoir quelqu'un, là-haut, qui aurait un peu de sang à leur donner...

– Je reviens, dit-il.

Et il grimpe les marches deux par deux, s'arrêtant sur le premier palier. Il tambourine à une porte de toutes ses forces, mais personne ne répond. Impossible de savoir si les locataires sont absents ou s'ils ont peur d'ouvrir. À l'étage du dessus, c'est le même manège. Comme l'immeuble ne comporte que trois étages, Victor commence à désespérer.

— Ouvrez, s'il vous plaît ! tente-t-il d'une voix bouleversée en cognant contre l'unique porte du dernier étage. Je ne suis qu'un gamin, je ne vous veux pas de mal, j'ai juste besoin d'aide. Mon frère est en train de mourir !

Contre toute attente, des voix se font entendre de l'autre côté du battant. Au moins, il y a quelqu'un ! Il ne reste plus qu'à les convaincre de lui ouvrir.

— Que vous soyez humain ou BOA, je m'en fous. Je ne vous veux aucun mal. Ouvrez, je vous en prie !

Comme ses interlocuteurs tardent à répondre, Victor se remet à taper contre la porte.

— S'il vous plaît !

Il y a un cliquetis, puis la porte s'ouvre. Victor observe sans y croire le couple de BOA, fin vingtaine, qui se présente devant lui. La femme porte un bébé dans ses bras, qui regarde Victor en émettant un gazouillis joyeux. Si ses parents semblent sur la défensive, le nourrisson, quant à lui, exprime toute sa joie de voir un nouveau visage.

— Que se passe-t-il ? demande le père.

— Mon frère, en bas, il a besoin d'aide. Personne d'autre n'a voulu lui porter assistance. S'il vous plaît, ne me laissez pas tomber.

L'homme semble hésiter, puis il échange avec sa femme un regard entendu et suit Victor jusqu'au rez-de-chaussée.

Quand il voit Kael, son visage s'assombrit, mais il n'émet aucun commentaire. Il passe un bras sous l'épaule du BOA, le soulève sans trop de difficulté et fait signe à Victor de l'aider en soutenant son frère de l'autre côté. Ils parviennent ainsi à lui faire grimper les trois étages.

Une fois en haut, Victor est en nage, et c'est avec gratitude qu'il accepte le verre d'eau que lui tend la BOA, son bébé toujours accroché à son bras.

— On va l'allonger sur le tapis, dit l'homme.

Ils traînent Kael jusqu'au centre du salon, tassent une table basse et le couchent sur le sol. Victor constate que l'unique canapé de la pièce est recouvert de couvertures et de jouets pour bébé.

— Qu'est-ce qu'il lui arrive ? demande la mère.

— Il est en manque, répond brutalement le père, n'est-ce pas ?

Victor acquiesce en silence.

— On n'a presque plus de réserves, et on doit en garder pour le bébé, rappelle la BOA à son mari.

— Une poche devrait suffire à le ramener à la conscience, lui assure son partenaire avant de courir dans une autre pièce, sans doute la cuisine.

Il revient quelques secondes plus tard avec une pochette en plastique transparent contenant une dose de sang. Victor préfère ne pas leur dire que des pillages ont lieu dans la ville en ce moment même. S'ils étaient au courant, ils regimbe-raient peut-être à lui faire don de cette pochette, car trouver du sang va être encore plus difficile, maintenant.

Le BOA tend le contenant à Victor et redresse légèrement Kael afin qu'il puisse boire. Celui-ci râle, apparemment contrarié par ce nouveau dérangement.

– Tu dois boire, l'incite Victor. Allez, ouvre la bouche...

Il fait une entaille dans la poche avec ses dents, tente d'ignorer sa propre soif et glisse le morceau de plastique entre les lèvres de son frère. Comprenant enfin ce qui est en train d'arriver, Kael accepte le liquide jusqu'à s'emparer lui-même de la pochette pour la vider jusqu'à la dernière goutte. Quand plus rien n'en sort, il la jette devant lui et pousse un long soupir.

– Avec une dose de nouveau-né, il n'aura qu'un léger sursis, affirme le père.

– Ça me fait gagner un peu de temps, dit Victor en tentant de sourire. Merci.

Son objectif est toujours de rejoindre l'appartement de Sara, mais il s'accorde quelques minutes de répit. Supporter le poids de son frère sur cette distance risque de lui coûter ses dernières forces. La femme quitte le petit salon, et Victor se rend jusqu'à la fenêtre pour voir l'état de la situation, dans la rue.

– Ils sortent d'où, tous ces Charognards ? demande le BOA dans son dos.

Victor hausse les épaules, ne se sentant pas le courage de tout lui expliquer. En bas, les hommes armés ont réussi à disperser les Charognards. Des dizaines de corps à la cervelle explosée recouvrent l'asphalte, rendant impossible toute circulation en véhicule motorisé. Des coups de feu résonnent dans l'immeuble en face du leur. Le ménage doit se faire à l'intérieur. Mais combien d'humains sont morts avant que les secours n'arrivent ?

— Comment se fait-il qu'il soit assoiffé de la sorte, ton frère ? reprend l'homme. Est-ce dû à la pénurie ?

Victor perçoit l'inquiétude dans la voix du BOA.

— Non, répond-il, ce sont des BOA qui lui ont fait ça.

— Pourquoi ?

— Parce que mon frère est quelqu'un de bien.

Ce n'est pas une vraie réponse, il le sait, mais toute cette histoire le mine. Le confort minimaliste de l'appartement l'enveloppe d'une douce chaleur, et il se rend compte à quel point il est exténué.

Il s'apprête à se détourner de la fenêtre quand un groupe d'individus attire son attention. Ils sont encore loin et descendent l'artère en direction de l'immeuble où ils se trouvent.

L'adrénaline se répand dans tous les muscles de Victor. Il traverse l'appartement en courant, sans voir l'expression à la fois confuse et interrogative sur le visage de son hôte, et sort pour dévaler l'escalier. Une fois dans la rue, il court vers les quatre individus, n'en croyant pas sa chance.

— Oxana !! crie-t-il, attirant aussitôt l'attention sur lui.

— Victor ! hurle à son tour l'adolescente en se précipitant à sa rencontre.

Elle le prend dans ses bras.

– Merde ! On a eu trop peur ! Tu n'aurais jamais dû partir comme ça !

– Kael, élude le garçon, il ne va pas bien...

– Où est-il ? l'interroge Mélissa en s'approchant, Sam et Josef sur les talons.

– Dans un appartement un peu plus loin, répond Victor. Je vous emmène !

Lorsqu'ils arrivent devant la porte du bâtiment en question, deux BOA et un humain sortent de l'immeuble d'en face, la mine sombre.

– Ils ont réussi à défoncer les portes à l'intérieur, raconte l'un d'eux en secouant la tête. On n'a pu sauver personne, mais on a troué la cervelle de ces pourritures. Il y en avait au moins quinze !

Un moment de flottement accueille ses propos. Si les Charognards ont réussi ici...

Victor n'a pas le temps d'aller jusqu'au bout de sa réflexion. Mélissa est projetée violemment en avant. Son cri déchire le silence. Abasourdis, les autres regardent son corps frapper le sol.

Les trois hommes dégainent de nouveau leurs armes pour sonder les environs. Une balle provenant de nulle part traverse le cou de l'un d'eux, le seul humain du trio, le tuant instantanément. L'un des deux BOA lève un index vers la fenêtre d'un immeuble voisin.

– Là ! indique-t-il.

Il n'a pas le temps d'en dire plus qu'une balle frôle l'oreille de Sam pour venir exploser sur le mur à côté d'elle.

– Mort aux Sacs à sang !

Josef et les deux BOA ripostent, et le tireur se retire dans l'appartement.

Victor, Sam et Oxana courent rejoindre Mélissa, dont le visage est crispé.

– Elle a reçu une balle dans le bras, constate Oxana.

– Ça va, je peux marcher, grommelle la résistante en acceptant l'aide de l'adolescente pour se relever.

– Emmenez-la à l'abri, ordonne l'un des BOA avant de courir, avec son partenaire, en direction de l'immeuble qui renferme le tireur.

OXANA

L'appartement dans lequel les amène Victor est minuscule. À tel point qu'Oxana se demande s'ils tiendront tous dedans. Quand elle aperçoit le bras blessé de Mélissa, la résidente des lieux serre davantage son bébé dans ses bras en balbutiant quelques mots inintelligibles. Le père de l'enfant les aide à asseoir Mélissa sur le canapé en tassant tous les objets d'un large mouvement de bras.

– Kael..., appelle doucement Oxana en s'asseyant à côté du BOA.

Elle pose une main sur son front, constate la pâleur de sa peau, fait glisser un doigt le long de ses veines gonflées. Avec ses cheveux sales et les ecchymoses sur son visage, il est presque méconnaissable.

La voix d'Oxana semble le faire réagir, car il tourne la tête dans sa direction et ouvre les yeux.

– Oxana ?

– Oui, je suis là.

– Non...

L'adolescente fronce les sourcils.

– Oui, Kael, c'est moi.

– C'est impossible, se plaint le BOA avec mauvaise humeur. Ce n'est pas son odeur.

– Regarde-moi !

– Je... Je ne vois rien.

Oxana tourne la tête vers Victor.

– Est-ce qu'il a bu ?

– Une dose insignifiante, quand on est arrivés ici.

– Il lui faut plus de sang, on doit...

La main de Kael empoigne brusquement son cou et les mots se bloquent dans sa gorge.

– Arrête de mentir ! Tu n'es pas Oxana ! s'époumone-t-il soudain.

Ses doigts serrent davantage, menaçant d'étouffer l'immortelle. Victor et Noah tentent de défaire son emprise, sans résultat. La force de Kael semble décuplée par la colère. Les poumons en feu, Oxana ne peut plus ni parler ni respirer.

– Kael, arrête ! s'écrie Victor. C'est Oxana ! C'est bien elle !

– Son odeur..., répète le BOA.

– C'est son sang ! intervient Josef. Elle est malade, Kael ! Oxana est en train de se transformer en Charognard ! C'est sans doute pour cela que tu ne reconnais pas son odeur !

Ces mots lui font lâcher prise. Sa main retombe mollement sur son torse tandis qu'Oxana recouvre enfin son souffle, toussant tout en prenant des inspirations profondes pour faire gonfler de nouveau ses poumons.

Un silence pesant plombe la pièce, uniquement perturbé par les gémissements plaintifs de Kael, qui semble réaliser la teneur de ces propos.

– Oxana..., commence Cléo, près d'elle.

L'adolescente lève une main dans sa direction, sans la regarder.

– Non, je t'en prie, ne dis rien. C'est vrai, je me transforme, mais c'est pas grave, d'accord ? On a d'autres chats à fouetter pour le moment. On verra ça plus tard.

Oxana a un petit sursaut lorsque les doigts de Kael touchent son visage. Elle le laisse faire cependant, non sans appréhension. La main du BOA glisse sous la queue de cheval de l'adolescente, appuie sur sa nuque et la force à se pencher vers lui. Là, il approche sa tête le plus possible de la sienne et se met à la respirer.

– Oxana, réalise-t-il en la serrant contre lui. Oh non...

Une douleur intense s'échappe de ce simple mot. Oxana se blottit contre lui. Là, contre le torse de celui qu'elle aime, contre les battements de ce cœur qu'elle a tant souhaité explorer, elle se fissure complètement. Acceptant son désespoir, elle pleure de toute son âme, pose son visage contre celui du BOA et mêle ses larmes aux siennes.

Elle entend les autres parler autour d'eux, sans les écouter. Elle ne veut pas dépérir. Elle veut mourir là, maintenant, tandis qu'elle est encore elle-même.

– Je l'ai laissé faire, gémit Kael en berçant le corps d'Oxana contre le sien.

– Tu ne pouvais rien faire...

– Je ne t'ai pas protégée.

– Moi non plus, Kael. Nous ne sommes pas responsables.

Oxana ignore combien de temps ils restent enlacés de la sorte. Quand elle revient à elle, Noah et Denys sont là, près d'eux. L'adolescente regarde Josef insérer une sonde dans le bras de Sam, puis la brancher sur celui de Kael.

– Ça va aller, la rassure son amie qui s'est assise sur le canapé. Je vais juste donner un peu de sang à Kael pour qu'il aille mieux.

– Où est Mélissa ? demande Oxana avec la sensation de sortir d'un rêve profond.

– Elle est partie avec Sara à l'hôpital, répond Noah.

– Tu es épuisée, lui indique Josef tandis qu'il surveille le débit de sang dans le tuyau.

– Nous le sommes tous, rétorque Oxana avec lassitude.

Près de la fenêtre, le papa BOA nourrit son bébé au biberon. C'est un liquide rose pâle que le nourrisson ingurgite. Du lait, mélangé avec du sang.

Ressentant une douleur dans la poitrine, Oxana se redresse lentement et marche en direction de la salle de bain. Prise d'un vertige, elle cherche un appui, n'en trouve pas et s'écroule sur le seuil. Elle fait son possible pour lutter contre le néant, sachant pertinemment que c'est le début d'un long processus.

Des mains la redressent. Dans la pièce d'à côté, la voix de Kael hurle son nom. Josef lance des ordres. Oxana entend les mots « voiture » et « hôpital ». Que pourront faire les médecins contre son état dans un chaos pareil ?

— Ne t'en fais pas, tente de la rassurer le chef de la résistance, tout n'est pas perdu. Il n'est pas trop tard. Tu es encore immortelle...

Oxana l'écoute, mais elle n'y croit plus. Elle tâtonne le sol autour d'elle à la recherche de l'urne d'Alex, ne la trouve pas, se rappelle que l'objet est resté dans l'appartement de Sara. Elle panique. La cadence de sa respiration s'accélère. L'air dans ses poumons se raréfie.

Et malgré son entêtement à rester éveillée, Oxana finit par tomber dans un trou noir et terrifiant.

ÉPILOGUE

OXANA

L'aiguille perfore la peau. Le sang abonde aussitôt dans le tube, comme s'il voulait quitter ce corps à tout prix, comme si chaque globule rouge se bousculait pour savoir à qui reviendrait ce privilège.

– C'est terminé, annonce l'infirmière en retirant l'aiguille de la peau d'Oxana. Le médecin va passer dans quelques minutes.

Elle sort.

Oxana soupire. Elle lève une main et cherche les cheveux sur ses épaules. Il n'y en a plus. En véritable kleptomane, cette saleté de cancer les lui a volés, tout comme ses muscles, son appétit et sa bonne humeur. L'adolescente n'est plus que l'ombre d'elle-même. Une ombre qui aurait dû disparaître parmi les ombres depuis bien longtemps, mais qui s'accroche pour elle ne sait quelle raison.

La porte de la chambre s'ouvre sur Josef.

Voir le médecin a toujours l'effet d'un baume sur le moral d'Oxana. Il sait trouver les mots pour annoncer les mauvaises nouvelles. Et les bonnes, de temps à autre. Comme quand il lui a annoncé que des documents avaient été retrouvés dans le Cellier, mentionnant l'existence d'un antidote au virus qui menaçait de la changer en Charognard.

C'est Érik, le mari de Babette, qui s'est rendu sur les lieux en apprenant que l'endroit avait été déserté. La soudaine disparition de Claudius Wolfe a désorganisé ses équipes de travail, qui n'ont pas eu le temps de retourner là-bas pour faire le ménage. Érik y a déniché des informations précieuses dont il soupçonnait l'existence, mais dont il n'avait jamais réussi à prendre connaissance.

Par la suite, les chercheurs de la Sang et Prestige ont préparé l'antidote. La peau d'Oxana commençait déjà à suppurer. Quand on le lui a injecté, il n'y avait aucune garantie que ça fonctionne, à cause de l'état avancé de la maladie. Mais même si sa guérison a été plutôt lente, il semble que le virus ait totalement déserté son organisme. Un problème de moins...

Maintenant, il y a ces tumeurs, qui lui rongent l'intérieur du corps. Et l'opération, qui a bien failli lui coûter la vie. Elle était si affaiblie que Josef et l'équipe d'Érik ont cru la perdre quelques secondes après lui avoir ôté son système d'immortalité.

Mais non, Oxana s'accroche à la vie. Ou, du moins, c'est la vie qui s'accroche à elle, parce que l'adolescente n'en a pas grand-chose à faire de vivre. C'est trop douloureux. Entre cette plaie rouverte à deux reprises sur sa poitrine, qui s'est infectée avant de guérir, et le cancer qui la rend chaque jour plus fragile, elle se demande pourquoi les médecins s'acharnent autant sur elle.

– Salut, ma belle, dit Josef avant de s'asseoir sur le lit.

— Arrêtez de dire n'importe quoi, vous savez bien que je ne suis pas belle.

— Bon, d'accord, c'était juste pour être poli.

Cette remarque arrache un sourire à Oxana. Elle aime qu'on lui dise la vérité.

Josef la regarde attentivement, ses yeux étincelant d'un éclat lumineux. Pour la première fois depuis des semaines, il est radieux.

— J'ai une nouvelle à t'apprendre. Kael est sorti du coma depuis deux jours. Il va beaucoup mieux. Je voulais être sûr de son état avant de te l'annoncer.

Oxana ne retient pas le soupir sonore qui s'échappe de sa gorge. Kael était tellement mal en point que ses organes se sont mis à fonctionner n'importe comment, et son cœur a fini par lâcher. C'est Josef qui l'a ramené à la vie.

— Nous avons vu la mort en face tous les deux, dit Oxana.

— Ça fera une histoire à raconter à vos enfants...

Il se tait devant l'air hébété d'Oxana. Des enfants ? L'adolescente ne sait même pas si elle passera le printemps, alors l'idée de fonder une famille est nichée tellement loin dans le tréfonds de son subconscient que l'évocation de Josef paraît improbable, presque surnaturelle.

— Il aimerait te voir, reprend-il.

Oxana se mord les lèvres. Elle n'a pas revu Kael depuis le jour où elle est tombée dans les pommes, il y a trois semaines. Savoir qu'il est là, tout près, la rend très nerveuse.

– Josef, je ne suis pas belle, répète-t-elle.

– Arrête de dire n'importe quoi, lance Josef d'un air taquin.

– Passez-moi mon foulard, s'il vous plaît.

Josef s'empare du morceau de tissu mauve au pied du lit et le lui tend. Oxana l'attache sur sa tête et grogne d'impatience en sentant ses doigts trembler sur le nœud.

– OK... Comment c'est ?

Josef secoue la tête en souriant.

– Il est très impatient de te voir, répond-il simplement.

– C'est moche, c'est ça ? soupire-t-elle en laissant ses bras retomber sur le lit.

– Tu es magnifique.

Il caresse la joue de l'adolescente.

– Ici...

Puis tapote son cœur.

– Et là. Arrête de t'en faire.

Elle fait la moue avant d'acquiescer sans conviction.

– Bon, très bien. Faites-le entrer, si c'est ce qu'il veut...

Josef se lève. Oxana détourne les yeux vers la fenêtre, dans la direction opposée à la porte. Elle ne veut pas voir l'expression sur le visage du BOA quand il la regardera. Elle ne supporterait pas d'y lire le dégoût ou la pitié.

C'est sa propre réaction qu'elle n'a pas anticipée. Quand elle se résigne enfin à tourner son regard vers Kael, debout dans l'encadrement de la porte, ses yeux s'agrandissent. Il a maigri et les veines sous sa peau sont plus visibles, alors que le bleu de ses yeux est délavé. Lui aussi semble très malade, et Oxana tente de se rassurer en se disant qu'il est sorti d'affaire, qu'il va maintenant être en mesure de redevenir celui qu'il était. Elle, en revanche...

– Tu vas me faire mourir, l'accuse-t-elle d'un ton dur. Arrête de me fixer comme ça, c'est dérangeant.

Il éclate de rire, la faisant sursauter.

– Quoi ? demande-t-elle avec mauvaise humeur.

– On est ridicules, dit-il en s'approchant.

Il vient s'asseoir tout près d'elle, encadre son visage de ses mains tremblantes et l'embrasse tendrement sur les lèvres.

– Tu m'as manqué, avoue-t-il en la serrant contre lui.

– Tu étais dans le coma...

– Eh bien, tu m'as manqué quand même.

Ses angoisses quelque peu dissipées, Oxana répond à l'étreinte de Kael en posant sa tête sur son épaule.

– Je ne suis pas sortie d'affaire, dit-elle tout bas.

– Je sais.

– Josef dit que la plupart des tumeurs ne sont pas agressives, explique-t-elle. Il y en a juste une qui l'embête. Kael, je ne sais pas si je serai assez forte pour ce combat-là...

– Ne pense pas à ce qui risque d'arriver. Pour le moment, concentre-toi sur le fait que la ville se remet tranquillement de ses blessures, comme nous. La mobilisation des BOA est extraordinaire, ajoute-t-il en lui faisant de nouveau face. Les gens se battent depuis des semaines contre les Charognards, et beaucoup de ces créatures se sont enfuies hors des limites de Liberté. Tu imagines ? Wolfe voulait anéantir les humains en faisant déferler une horde de Charognards sur la ville, et les citoyens ont répondu par un élan de solidarité. Il y a de l'espoir. Pour la première fois de ma vie, j'ai le sentiment que les choses peuvent vraiment changer.

Le bonheur dans ses yeux est beau à voir et émeut Oxana.

– Ça veut dire qu'Alex n'est pas mort pour rien ? demande-t-elle.

– Ça veut dire que ce qu'on a traversé a un sens, répond Kael en lui prenant la main. Avec la disparition de Claudius Wolfe, c'est William Steel qui devient l'actionnaire majoritaire de plusieurs sociétés importantes dans cette ville. Nous devons lui faire confiance.

Oxana approuve avant de baisser les yeux.

– Je dois aller le voir, dit-elle.

– Steel ?

– Non.

– Oh...

– Tu crois que c'est possible ?

– Je peux voir ça avec Josef, mais... pourquoi ?

Oxana observe ses doigts alors qu'elle les triture dans tous les sens.

– Il hante encore mes nuits, lui confie-t-elle. Je crois qu'il est présent dans chacun de mes cauchemars. Je dois être sûre qu'il est bel et bien parti, tu comprends ?

Kael hoche la tête.

– Je vais arranger ça avec Josef...

Oxana descend de la voiture et fait face au hangar. Son cœur se met à battre plus vite. Ce lieu a marqué son âme d'une empreinte indélébile, car elle y a laissé un être humain la dernière fois qu'elle est venue. Elle aurait pu le tuer, ou ordonner que quelqu'un d'autre le fasse. À la place, elle a choisi la torture, pour que l'agonie soit lente et douloureuse. Pour qu'il souffre. Même si elle a affirmé qu'elle lui avait pardonné.

Aujourd'hui, elle réalise que ça ne lui a rien apporté de bon. L'image de Wolfe peuple ses cauchemars. Elle ne peut s'empêcher de songer qu'il s'en est peut-être sorti, qu'il erre peut-être dans Liberté, attendant le moment propice pour s'en prendre de nouveau à elle.

Kael et Josef descendent à leur tour du véhicule. Le médecin a accepté de laisser Oxana quitter l'hôpital quelques heures, à condition de l'accompagner au cas où elle serait prise d'un malaise.

– Je vous attends ici, dit-il en s'adossant à la voiture.

La salive forme une boule compacte dans la gorge d'Oxana, l'empêchant de prononcer le moindre son. Elle se contente donc de hocher lentement la tête dans sa direction. L'homme ne porte qu'une veste en toile légère par-dessus sa chemise. Le temps est magnifique. Oxana contemple un moment le ciel bleu en songeant que l'hiver de sa vie a fait place à un printemps aussi agréable qu'incertain. Pour la première fois depuis toujours, elle aimerait que cette saison perdure, que ce bleu limpide remplace la noirceur dans sa vie. Ne le mérite-t-elle pas ?

Josef leur a confié la clé du gros cadenas qui bloque la porte de l'entrepôt. Il faut quelques secondes à Kael pour venir à bout de la longue chaîne qui entoure les grosses poignées. Quand la porte s'ouvre enfin, les deux adolescents détournent la tête pour échapper à l'odeur répugnante qui se dégage des lieux. Kael fait remonter le col de son chandail sur son nez, et Oxana l'imite. Il l'interroge du regard et elle lui fait signe que tout va bien, qu'elle est prête à entrer.

– Tu es pâle, fait-il remarquer avant de la soutenir pour l'aider à marcher.

En effet, l'adolescente a constamment mal au cœur à cause de son traitement, mais elle sait que ce hangar joue aussi sur son état, car elle redoute de voir ce qu'il renferme.

La cage se trouve toujours au même endroit, dans le fond de la grande pièce principale.

Oxana est soulagée de voir que Wolfe est toujours à l'intérieur. Recroquevillé sur lui-même, la tête plongée entre ses genoux, il ne bouge pas.

Plus elle s'approche et plus elle constate que la transformation a bel et bien eu lieu. Des lambeaux de l'ancienne peau de Wolfe entourent son corps. Ses mains sont maigres, ses veines, saillantes. Il baigne dans ses excréments. Ses vêtements souillés ont été arrachés à plusieurs endroits, dévoilant certaines parties de son corps décharné, entre autres un flanc, une cuisse et une épaule. Le BOA a dû se débattre contre le mal qui l'a lentement anéanti.

Les larmes aux yeux, Oxana se force à regarder. Elle veut que ses rétines enregistrent l'image de Wolfe, mort, dans cette cage. Elle espère ainsi mettre un terme définitif à la terreur qu'il provoque encore chez elle. Il ne lui fera plus de mal, c'est terminé.

Un grognement s'échappe de la cage. Oxana pousse un cri horrifié en se collant instinctivement contre Kael.

– Il est toujours vivant..., dit le BOA d'une voix stupéfaite.

Les yeux écarquillés, l'adolescente regarde Wolfe se redresser légèrement, puis tourner la tête dans leur direction. Sa vessie menace de se relâcher lorsque son regard croise celui, avide et monstrueux, de son ennemi. Le bleu de ses yeux a totalement disparu. Trop affaibli pour bouger, le Charognard se contente de retrousser les lèvres tout en continuant de grogner. Attiré par le sang frais qui se présente à lui, il tend le cou vers eux et fait claquer ses dents. Des dents blanches et carrées. Parfaites.

Partagée entre la pitié et l'horreur, Oxana recule lentement tandis que Kael dégaine son arme. Wolfe ne peut pas l'atteindre. Pas de l'intérieur de cette cage. Parce qu'il n'est plus là. Quelque chose de terrifiant l'a remplacé. Il n'est plus que la pierre brute de l'homme qu'il avait taillé au fil du temps.

Une bête. Un monstre.

Oxana se détourne et marche d'un pas rapide vers la sortie. Quand elle franchit le seuil de l'entrepôt, une détonation éclate, la faisant sursauter. Une main sur la bouche pour s'empêcher de crier, elle regagne la voiture en ignorant le regard interrogateur de Josef, ouvre l'une des portières arrière et monte à l'intérieur.

Elle n'a qu'une envie : partir loin d'ici.

CLÉO

Cléo inspecte le grand hall presque vide de l'immeuble de son père avec inquiétude.

— Ça va aller, la rassure Denys en lui frottant doucement le dos. Il n'y a presque plus de Charognards, et ceux qui restent sont trop peureux pour attaquer une telle foule. En plus, on a une vitre pour nous protéger, tu n'as rien à craindre.

Il aura fallu plus de trois semaines pour venir à bout de la menace des Charognards, ainsi que près de trois cents morts, presque autant de blessés et de nombreuses personnes infectées. Si les humains ont été particulièrement touchés, les BOA n'ont pas été épargnés.

— Ce ne sont pas les Charognards que je crains le plus, soupire-t-elle.

Elle désigne la foule agglutinée devant la petite scène improvisée, près des baies vitrées derrière lesquelles ils se trouvent tous les deux.

— Il y a combien de personnes, à ton avis ?

— Je ne sais pas, dit Denys. Mille, peut-être plus.

– Ils peuvent se cacher là-dedans. Et s'ils prévoyaient tuer mon père, ou abattre tous les humains qu'ils peuvent trouver dans la foule ?

Comprenant qu'elle ne parle plus des Charognards, Denys cesse de lui caresser le dos et l'oblige à lui faire face.

– La Brigade du Sang est anéantie, Cléo. La disparition de Wolfe en a marqué la fin brutale.

– Ils ont tué tellement d'humains...

– Je sais, mais beaucoup ont été arrêtés. Si la population suspectait le vrai visage de la Brigade, les meurtres qu'elle a commis pendant l'attaque des Charognards a dévoilé sa vraie nature au grand jour. Maintenant que Wolfe n'est plus à l'Administration pour tirer les ficelles et faire chanter qui il veut, les dirigeants sont en mesure de traquer les derniers membres de l'organisation qui n'ont pas encore été arrêtés.

– Et s'ils ne le font pas ?

Il dépose un baiser sur son front et sourit.

– Tu dois avoir confiance. Ton père a déjà commencé à faire ce qu'il faut pour que les citoyens de cette ville prennent de meilleures décisions.

Cléo lui répond d'un sourire crispé. Elle a du mal à croire que les choses puissent se régler aussi facilement, et en aussi peu de temps. Toutefois, le chef de l'Administration ne vient-il pas d'annoncer la fermeture des bordels de Liberté ? William Steel ne s'apprête-t-il pas à révéler que ses équipes travaillent depuis des mois sur un vaccin qui permettra aux BOA de survivre avec des doses de sang dix fois inférieures à celles qui leur sont nécessaires aujourd'hui ? Wolfe n'est plus là pour menacer qui que ce soit de représailles dans le seul but de faire fructifier ses profits. Est-ce que ça signifie que la ville est sur la bonne voie ? Elle ne sait plus. Après tout ce qu'ils ont vécu, elle n'arrive pas à réaliser que le cauchemar est peut-être enfin terminé.

– Vous êtes là...

Babette les rejoint et prend Cléo dans ses bras, lui donnant un petit coup de ventre au passage. C'est fou la vitesse à laquelle il grossit !

– Ma chérie, comment tu te sens ?

– Bien, répond Cléo avec le sentiment qu'elle n'a pas le droit de se plaindre, que malgré ses craintes la vie a été plutôt clémente envers elle, ces dernières semaines.

– Je suis heureuse de l'entendre.

Cléo tend une main vers le nombril de Babette.

– Je peux ?

– Bien sûr.

L'adolescente pose la paume de sa main sur le ventre rond. Elle ne sent pas encore le bébé bouger à l'intérieur, mais il paraît que c'est normal, parce que c'est encore trop tôt. Elle ne saurait décrire les émotions qui l'assaillent quand elle voit sa demi-sœur aussi radieuse de bonheur. Elle est heureuse pour elle, c'est sûr, mais elle est triste aussi. Elle-même ne pourra jamais porter d'enfant à cause des séquelles laissées par les défaillances de son système d'immortalité. Denys lui répète qu'il s'en fiche, que c'est elle qu'il veut et personne d'autre, mais un profond regret la tenaille constamment. C'est un deuil qu'elle devra apprendre à faire avec le temps.

– Papa t'a-t-il parlé de la conférence de presse ? la questionne Babette en retrouvant son attitude de responsable des communications.

– Un peu, oui, affirme Cléo. Il va annoncer la fermeture officielle des Celliers. En tant qu'actionnaire majoritaire, après Wolfe, il a réussi à convaincre les autres. C'est une bonne chose.

– En effet, approuve Babette. Es-tu certaine de ne pas vouloir monter sur scène avec moi ? Tu mérites cette place, elle te revient de droit après ce que tu as fait pour cette ville.

Cléo secoue la tête. Son père a voulu faire d'elle son associée, au même titre que Babette. Mais l'adolescente n'est pas prête, et elle ignore si elle le sera un jour. Dès sa sortie de la Sang et Prestige quelques mois plus tôt, sa vie a ressemblé à un bateau en plein naufrage. Il s'est fracassé contre ses illusions déçues et a sombré dans les méandres du désespoir. Si elle a réussi à relever la tête et à survivre après cela, c'est uniquement grâce à Denys et au courage qu'il lui a transmis. Pour le moment, il est le centre de sa vie, et elle doit apprendre à se reconstruire autour de cela.

Un jour, peut-être, elle saura qui elle est vraiment. Pour l'instant, elle veut prendre du recul et rester dans l'ombre. Elle ne rejette pas l'idée de travailler pour son père, à condition de rester loin des projecteurs.

– Tu as vu la horde de journalistes devant la scène ? clame Babette avec ravissement. L'événement est couvert par tous les médias de la ville. Plusieurs informations majeures vont être livrées au public, c'est tellement excitant ! Bon, je vous laisse, ça va commencer !

Elle longe la baie vitrée en faisant claquer ses talons hauts sur le carrelage blanc du grand hall.

— Comment fait-elle pour marcher avec ces échasses alors qu'elle est enceinte ? se questionne Denys à voix haute, ce qui fait sourire Cléo.

Elle se blottit contre lui.

— Et maintenant, qu'est-ce qu'on va faire ?

— Rien. C'est ça qui est bon.

Jamais Cléo ne l'a vu aussi optimiste. Surtout depuis qu'il est redevenu mortel. Érik a opéré chaque membre du groupe il y a une semaine et, malgré une convalescence parfois douloureuse, Denys a refusé de rester alité plus de quatre jours. Cléo a beau le gronder, il semble vouloir goûter à la vie comme jamais auparavant, affirmant qu'il est hors de question de perdre une seconde de plus.

— C'est ton père..., l'informe Denys en pointant William Steel du menton.

Le BOA a revêtu un costume anthracite qui a beaucoup de classe. Lui aussi a récupéré après son infarctus, qui aurait pu lui coûter la vie le soir du bal. Il s'agissait du second, et il a enfin consenti à ralentir la cadence, à se prendre un peu plus en main. La conférence de presse de cet après-midi sera également l'occasion d'annoncer le nom de son successeur, et Cléo mise sur l'un des nouveaux actionnaires de la compagnie qu'elle a rencontrés récemment. Un humain charmant, qui apporterait un véritable vent de fraîcheur à tout cela.

La Sang et Prestige va mettre fin à ses activités, certes, mais elle n'est pas morte pour autant. Cléo a présenté pas mal d'idées à son père pour continuer de faire rouler les affaires tout en abandonnant le programme Prestige et ses dizaines d'humains destinés à la vente. William s'est montré très réceptif, et l'adolescente est confiante.

De l'autre côté de la baie vitrée, William monte sur l'estrade, accompagné des trois autres actionnaires de la Sang et Prestige.

– Tu veux aller écouter dehors ? lui demande Denys.

Elle hésite, puis tourne la tête vers lui et sourit.

– Non. Je crois que je préférerais aller marcher en ville. Nous la connaissons si peu, et la journée est splendide.

Heureux de cette réponse, Denys lui tend le bras et elle l'accepte en faisant une révérence.

Portant un masque couleur peau au contact agréable, Cléo consent enfin à lâcher prise sur son destin. Elle ignore de quoi sera fait demain et, à vrai dire, elle s'en fiche. Ce qui importe, c'est la vigueur et la bonne humeur de Denys, son visage rayonnant et, surtout, le fait que tout soit enfin possible.

SAMANTHA

Tout est fini.

Les Celliers ne seront bientôt plus qu'un douloureux souvenir, la loterie a été abolie et les derniers Charognards sont traqués dans la ville, tout comme les partisans de la Brigade du Sang, du moins ceux qui ne se sont pas déjà rendus aux autorités. Les bordels aussi, c'est fini. La nouvelle Administration a promis de réglementer plus sévèrement les abus liés au sang. Ses anciens membres ont démissionné lorsque les scandales reliés à leurs pratiques occultes et illicites ont été dévoilés au grand jour.

Sam continue d'observer les contours agréables de la silhouette de Kim, endormie près d'elle, tout en se perdant dans ses pensées. Est-ce que le système reposait vraiment en entier sur un seul BOA ? Il semble que oui, et c'est terrifiant. Wolfe a presque réussi à faire sombrer complètement la ville, et qui sait si un autre homme n'arrivera pas, un jour, avec des intentions tout aussi malveillantes...

Sam ressasse la proposition de William Steel avec incertitude.

Comme les BOA n'auront désormais plus le droit de boire directement sur les humains, l'Académie du Sang va être transformée pour accueillir les anciens esclaves des Celliers et de la Sang et Prestige. Il va falloir tout leur apprendre sur la vie en société, et Sam s'est vu proposer un poste d'accompagnante. Son rôle serait de guider ces humains dans leur réinsertion sociale.

En est-elle capable ? Les autres pensent que oui, mais elle, ça la rend perplexe. Qu'a-t-elle vraiment appris de cette ville, si ce n'est ses caractéristiques les plus sombres ?

Affamée, elle se lève en prenant soin de ne pas trop faire bouger le lit, puis elle enfile un chandail par-dessus son pyjama et contemple encore un peu le corps assoupi de Kim.

Sans elle, aurait-elle pu supporter tout ce qui s'est passé ? Elle en doute. Il lui semble qu'elle en est tombée amoureuse à l'instant où son regard s'est posé sur elle, ce qui n'est pas le cas de sa compagne. Elles ont parlé des heures de ce qui les avait liées, de ce qui a amené Kim à ressentir quelque chose qu'elle ne comprenait pas, à comprendre qu'il s'agissait d'une attirance très forte, et peut-être même d'amour.

Sam sourit.

Quand elle contemple Kim de la sorte, elle songe que tout ira bien. Le premier indice, c'est que Kim va mieux depuis qu'on lui a ôté son système d'immortalité. Oxana avait raison sur ce point. Selon Josef, le mécanisme produisait une hormone en trop grande quantité, ce qui provoquait ses sautes d'humeur soudaines et souvent incontrôlables.

Maintenant que tout est rentré dans l'ordre dans son organisme, elle se repose tout le temps, harassée. Selon le médecin, c'est normal. Sam, elle, ne peut pas s'empêcher de s'inquiéter. C'est son tempérament, et ce ne sont certainement pas les événements des derniers mois qui auront changé cela. En fait, elle craint que les blessures psychologiques de sa compagne ne l'empêchent de mener une vie normale à l'avenir. Mais ça, seul le temps le dira.

Sam finit par ouvrir la porte qui donne sur le salon. Sara et Victor tournent aussitôt la tête dans sa direction. Installés près de la grande fenêtre, l'une sirote un café et l'autre, un chocolat chaud. Ça aiguise davantage l'appétit de Sam, qui leur envoie la main en guise de salut.

— Viens t'asseoir, l'invite Sara en se levant de sa chaise, je vais te préparer quelque chose.

— Je peux le faire moi-même, lui rappelle Sam en souriant. Tu me gâtes trop...

— Profites-en ! s'écrie joyeusement Sara, déjà dans la cuisine. Quand tu travailleras, tu regretteras mon hospitalité.

Sam émet un petit rire et Victor lui fait un clin d'œil.

— Elle est de bonne humeur, confie-t-il.

— Je crois savoir pourquoi, pouffe Sam. D'ailleurs, comment se fait-il qu'elle soit là, ce matin ? Il me semble ne pas l'avoir vue depuis des jours.

— Josef est de garde à l'hôpital.

Alors, tout s'explique ! Comme Sara a insisté pour que Sam et Kim s'installent chez elle le temps d'avoir un travail et de trouver un appartement, Josef lui a proposé de venir habiter chez lui, temporairement. Depuis, Sara est resplendissante. Il reste encore du chemin à parcourir avant que la loi interdisant les couples mixtes soit abolie, toutefois, Sam est confiante. Un jour, Liberté découvrira que toutes les créatures qui la composent sont égales, peu importe leurs besoins vitaux ou la couleur de leurs yeux.

Victor, quant à lui, squatte l'appartement de Sara pour tromper l'ennui. La maison familiale est vide, et il passe beaucoup de temps à l'hôpital, au chevet de sa mère, de son frère et d'Oxana.

Sandra ne se porte pas bien. Son coma a provoqué des complications qui amoindrissent ses chances de se réveiller. Selon ce qu'a compris Sam, son cerveau ne serait plus assez irrigué en oxygène, et elle ne pourra bientôt plus respirer sans une machine. Kael et Victor risquent d'avoir une décision bien difficile à prendre dans les semaines à venir.

Prise d'un élan d'affection, Sam va s'asseoir à côté du jeune BOA et le serre dans ses bras. Visiblement surpris, Victor émet un petit rire.

– Qu'est-ce qui te prend ?

– Rien. Je veux juste que tu saches que je suis là.

Victor ne répond pas. Il cache aussi bien ses émotions que son grand frère, ce qui n'est pas du tout le cas de Sam. Les larmes aux yeux, elle sourit en sentant les bras du garçon passer dans son dos pour l'étreindre.

Oui, les semaines à venir risquent d'être difficiles, mais ils se serrent les coudes.

Ils sont une famille.

Deux mois plus tard

Cléo renifle. Elle frissonne. Son nez est rouge, ses yeux, larmoyants, et sa peau, si blanche qu'elle pourrait passer pour morte. Plantée devant le miroir, elle observe les ravages du virus qui l'affaiblit depuis deux jours avec inquiétude. Elle pose une main sur son front et panique en le découvrant bouillant. Prise d'un vertige, elle sort de la salle de bain et marche d'un pas chancelant jusqu'à la chambre.

– Denys, je ne vais pas bien, lance-t-elle.

Denys sourit, comme s'il s'en fichait.

– Ce n'est pas drôle.

– Au contraire, dit-il en poussant le drap qui le recouvrait.

Il se lève et vient l'enlacer. D'ordinaire, le contact de la peau de Denys contre la sienne met Cléo dans des états pas possibles, mais pas ce matin. Tout ce qu'elle veut, c'est s'allonger et dormir, et elle repousse le garçon en grommelant.

– Cléo, tu as un rhume. Un simple rhume. Ce n'est pas dangereux. Dans quelques jours, ce ne sera plus qu'un mauvais souvenir.

– J'aimerais t'y voir.

– Je n'ai pas grandi dans une bulle aseptisée, réplique-t-il. Je sais ce qu'est un rhume et, dans le Cellier, je devais travailler même avec des courbatures et de la fièvre. Regarde, je n'en suis pas mort.

– Tu te fiches de moi, lui reproche Cléo en s'allongeant sur le matelas, la tête prise dans un étau. Comment vais-je faire, aujourd'hui, avec ce mal de crâne ? Mes amis ont besoin de moi...

Elle boude en plongeant son visage dans l'un des oreillers. Même le contact des draps lui est désagréable ! Et il lui semble qu'elle ne pourra jamais plus respirer normalement, ses narines se bouchant dès qu'elle se place en position horizontale.

Denys s'assoit près d'elle et lui caresse doucement le dos.

– Il se peut que je sois malade, moi aussi, dans quelques heures. Tu pourras te venger. En attendant, je peux t'aider à t'habiller, si tu veux.

Cléo redresse le cou pour le regarder.

– Denys, je suis stressée.

– Moi aussi, avoue le jeune homme en s'allongeant à côté d'elle.

Ses yeux se perdent dans la décoration de la chambre. L'endroit est temporaire. Maintenant qu'elle va travailler pour son père, Cléo attend son premier salaire avec impatience. Grâce à cela, Denys et elle pourront quitter le bâtiment de la Sang et Prestige pour s'installer ailleurs, chez eux. Elle se fiche que ce soit un appartement minuscule ou miteux. Comme dirait Babette : « Il faut bien commencer quelque part. » Étrange réplique de la part de quelqu'un qui est né avec une cuiller en argent dans la bouche...

– Allez, dit-il en lui tapotant les fesses, on doit se préparer si on ne veut pas être en retard.

Cléo se lève en grommelant. Quelle idée d'être malade dans un moment pareil !

L'endroit est paisible. Rien à voir avec le sous-sol d'un hôpital.

Debout devant la façade du crématorium, Oxana contemple le paysage. Les propriétaires des lieux ont aménagé un bassin dans lequel flottent quelques nénuphars. Trois canards se reposent sur l'herbe, à côté de l'eau. Leurs yeux mi-clos dénotent leur confiance. Ils n'ont pas peur des géants qui circulent devant le bâtiment, parce qu'ils en ont l'habitude.

L'urne de son frère entre ses mains, Oxana sourit.

– Tu vois, Alex, je suis un peu comme ces canards. Il m'arrive de fermer les yeux et de faire confiance à la vie. J'aimerais que tu sois là pour profiter de cette liberté avec moi. Tu sais, je me suis battue, contre moi et contre la maladie. Finalement, je suis tellement chiante que même la mort n'a pas voulu de moi...

– Je confirme.

Elle tourne la tête et la penche sur le côté en apercevant Kael en train de l'espionner depuis l'entrée du crématorium.

– Tu n'as pas le droit de m'écouter quand je parle à Alex. C'est privé.

– Je te regardais bien avant que tu te mettes à parler.

Ses lèvres s'étirent un peu. Tristement. Comme souvent depuis quelques semaines, depuis qu'il a appris que sa mère ne s'en remettrait jamais, qu'il valait mieux la débrancher et la laisser partir. C'est une situation terrible, dire au revoir sans savoir si l'autre entend, s'il est déjà trop tard.

Les traumatismes du BOA n'ont d'égal que la passion avec laquelle il aime Oxana. L'adolescente ignore si c'est son statut de Chasseur qui le rend si fougueux et exalté, mais elle est loin de s'en plaindre. Ça lui fait du bien de se sentir désirée, ça la guérit de l'image négative qu'elle a toujours eue d'elle-même.

Et puis, avec l'annonce d'un vaccin permettant aux BOA de boire moins souvent, leur vie est devenue très agréable. Oxana tire son sang une seule fois par mois pour subvenir aux besoins de Kael, comme le font tous les citoyens humains de Liberté. Finalement, le système instauré à l'époque par Damian Lucas, le fondateur de la ville, a été remis en place, mais plus efficacement, grâce au vaccin.

Maintenant qu'elle est en rémission de son cancer du poumon, Oxana parvient à respirer pleinement, au sens littéral comme au sens figuré.

– Il faut rentrer, dit Kael en lui tendant une main, ça va commencer.

L'adolescente le suit à l'intérieur, là où se trouvent déjà Victor, Sara, Salie, William Steel, Babette, Érik, quelques résistants et tous leurs amis. Kim a l'air d'aller bien, aujourd'hui. Quant à Cléo, elle renifle tout le temps, et elle est drôle avec son nez rouge et ses yeux larmoyants. Ça la rend... normale.

Le préposé sort d'un bureau et invite les proches de la défunte à l'accompagner pour la crémation.

Oxana remet son urne à Samantha, puis elle prend la main de Victor et serre plus fort celle de Kael. Elle les soutiendra dans cette épreuve, qu'elle espère être la dernière.

Elle sourit finalement aux personnes présentes pour les remercier d'être là.

Tous les anciens immortels, réunis et enfin sereins.

Elle photographie mentalement cet instant pour le garder précieusement dans sa mémoire.

FIN DE LA TRILOGIE

REMERCIEMENTS

Je viens de mettre le point final à cette trilogie, qui aura accaparé près de trois ans de ma vie. D'un côté, j'ai envie de dire « enfin », car le travail a été titanesque. D'un autre côté, je sais d'emblée que Kael, Oxana, Cléo, Denys, Sam, Kim et Alex vont terriblement me manquer. Ils ont fait partie de mon existence, m'ont souvent accompagnée dans mes rêves. Il est temps pour moi de leur dire au revoir.

Avant de tourner cette dernière page, j'aimerais remercier une nouvelle fois mes extraordinaires éditrices. Elles ont accompli un travail incroyable sur cette trilogie.

Merci à Thomas, pour son soutien au quotidien, et à Mélanie B., pour ses encouragements et son enthousiasme. Sérieux, je ferais quoi sans vous ?

Merci également à Antoine Ghossoub (que j'ai honteusement oublié dans mes précédents remerciements), qui a répondu à mes questions concernant les prises de sang et d'autres détails médicaux.

Finalement, merci à tous mes lecteurs et lectrices. Vous êtes ma source d'inspiration.

Pour contacter l'auteure,
visitez sa page Facebook :
Magali Laurent, auteure
ou écrivez-lui à l'adresse :
magali_laurent@hotmail.com

Achevé d'imprimer
sur les presses de
Imprimerie H.L.N.
Imprimé au Canada - Printed in Canada